AGATHE HOCHBERG

CE CRÉTIN DE PRINCE CHARMANT

Suivi de

MES AMIES, MES AMOURS, MAIS ENCORE ?

MANGO

Le papier de cet ouvrage est composé de fibres naturelles, renouvelables, recyclables et fabriquées à partir de bois provenant de forêts plantées et cultivées durablement pour la fabrication du papier.

ISBN : 978-2-226-21732-3

AGATHE COLOMBIER-HOCHBERG

Née à Paris, Agathe Colombier-Hochberg a grandi entre la France et les États-Unis. Après des études de droit et de commerce international, elle s'est tourné vers le milieu du cinéma et le journalisme. Elle a connu le succès avec son premier roman, *Ce crétin de prince charmant*, en 2003, réitéré avec *Mes amies, mes amours... mais encore ?* en 2005. Après *Diaporama* (2008), *Nos (pires) meilleures vacances* ont paru en 2010 chez Fleuve Noir. Elle a également publié une série d'ouvrages sur la correspondance des grands écrivains et artistes, ainsi que plusieurs ouvrages avec Samir Bouadi, dont *Traité ultime, voire définitif, des banalités à l'usage des gens exceptionnels qui ne veulent plus le rester* (2007) et *26,5 auteurs quin'existent pas mais qu'il faut absolument avoir lus* (2008) aux éditions Marabout, et *L'affabuleuse histoire vraie de Jules Cardot* (Fleuve Noir, 2010).

CE CRÉTIN DE PRINCE CHARMANT

Suivi de

MES AMIES, MES AMOURS, MAIS ENCORE ?

DU MÊME AUTEUR
CHEZ POCKET

CE CRÉTIN DE PRINCE CHARMANT
MES AMIES, MES AMOURS, MAIS ENCORE ?

CE CRÉTIN DE PRINCE CHARMANT

« Du ski ? »

Certainement pas.

Je n'ai pas appris quand j'étais enfant ; la première fois que je suis montée sur des skis, j'avais dix-sept ans ; c'est fou ce que la conscience du danger peut gâcher le plaisir.

Pourtant j'ai fait des efforts, mes amis se sont relayés pour m'apprendre et docilement, je plantais mon bâton, je pliais les genoux… tandis que des gamins de quatre ans me dépassaient tout schuss. Au bout d'une semaine, j'avais des bleus qui auraient pu aisément me permettre de figurer dans l'encyclopédie des hématomes et, j'ai pu enfin rentrer en boitant chez moi.

Voilà mes seuls souvenirs de montagne, ça et la tenue vestimentaire. Jamais passé autant de temps à m'habiller et me déshabiller. S'habiller, se déshabiller ; monter, descendre : pas mon truc. Et il fait froid là-bas, très froid.

J'ai horreur du froid, quand j'ai froid je me sens toute petite. Le froid est inamical, d'ailleurs on se pelotonne plus souvent seul qu'à deux.

Bon, il faut lui répondre maintenant :

Non, je ne projette pas d'aller skier, ni d'aller à la plage, je préfère visiter des villes pendant mes vacances.

J'écris à Justine, ma nouvelle amie internaute rencontrée à un mariage où nous étions témoins.

Au cours du cocktail, elle m'avait demandé :

« C'est comment la vie quand on est mariée ? »

J'avais un peu hésité, je ne voulais pas la décevoir, mais j'ai fini par répondre :

« Très difficile.

— Pourquoi est-ce que tout le monde dit ça ?

— Parce que c'est vrai... Disons que c'est comme être en couple sans être marié, avec une fâcheuse tendance à croire que l'autre est acquis. »

Justine vit à New York, elle a trente-deux ans, des cheveux noirs et de magnifiques yeux verts. Elle est aussi intelligente et vive, si bien que même une fille soi-disant moderne comme moi se demande pourquoi elle n'est pas mariée. On est tout de suite entrées dans le vif du sujet. Les filles de notre âge n'ont pas de temps à perdre, quel que soit le sujet.

Je lui ai sorti ma maxime préférée, « le » conseil que m'a laissé ma mère avant de suivre un poète en Argentine : « Ce qui compte ce n'est pas qui on épouse, c'est de qui on va divorcer. »

Justine est bien d'accord, c'est l'humain qui prime et, des belles personnes, il n'y en a pas beaucoup, des hommes encore moins.

Cette fille me plaît, mais déjà la vie nous sépare : nous ne sommes pas à la même table, la mienne s'appelle « Jardin fruitier », la sienne « Jardin secret ».

« Quel ennui, ma table doit être remplie de couples trop mûrs, mais la tienne est sûrement peuplée de célibataires prometteurs.

— Crois-moi, je préférerais de loin être à la tienne », répond Justine.

Comme d'habitude, Vincent, mon mari, ne tient pas en place. Il virevolte d'une table à l'autre et, je n'ai aucune envie de lui courir après. Justine vient me rejoindre : les quelques regards qu'elle a réussi à attirer sont ceux des hommes mariés qui s'ennuient aux tables voisines ; et le Jardin secret manque cruellement de saveur et de mystère.

On fait plus ample connaissance, mais à peine le temps d'ébaucher un semblant de conversation et, voilà que l'orchestre survolté nous ordonne de venir danser sur la piste.

Après l'entrée, c'est déjà l'hystérie sur l'air de « Habibi Yalla », les filles orientales peuvent frimer en se trémoussant, mais mes gènes russes ne m'ont pas dotée de ce sens inné du déhanchement. Je préfère laisser la place aux professionnelles.

Je poursuis mon bavardage avec Justine. On sort prendre l'air et elle me raconte sa vie à New York et son travail dans la joaillerie. Moi je lui parle de mes dessins de mode ; ce qui fait qu'on se sent autorisées à critiquer allègrement les tenues et les bijoux des invitées…

Quand je me rassieds, je retrouve Vincent qui m'engueule parce qu'il me cherchait partout ; le dîner est fini, les bouteilles sont vides et j'ai loupé le gâteau.

Mais ça n'a pas d'importance, j'ai une nouvelle amie et c'est déjà beaucoup.

« Je meurs de faim, je n'ai rien mangé depuis hier et, encore, j'ai raflé les restes sur la table en sortant de ma réunion. »

Léa attrape simultanément le menu et la corbeille de pain. Avec elle, tout va toujours très vite.

Petite, les cheveux courts et châtain clair, quelques taches de rousseur sur les joues, elle est adorable et tant qu'elle se tait, on a envie de lui donner un surnom naïf du genre « frimousse ». Mais dès qu'elle ouvre la bouche, elle vous bouscule de ses réflexions incisives ; et la frimousse laisse place à un petit tank, doté de tous les attributs de la célibataire de l'an 2000.

Léa est consultante pour diverses compagnies, je n'ai jamais très bien compris en quoi consiste son travail, tout ce que je peux dire c'est qu'il s'agit d'informatique. À ce sujet, elle se moque toujours de moi en me comparant à sa mère qui, lorsqu'on lui demande ce que fait sa fille, répond, « elle fait de l'ordinateur ».

Quand on lui pose la question, elle répond invariablement qu'elle « conçoit des programmes permettant à des entreprises d'optimiser leurs résultats » ; et elle ponctue sa définition en faisant claquer sa langue contre son palais. Un petit claquement modeste mais satisfait, discret mais sans appel. D'ailleurs, peu de gens cherchent à en savoir plus.

Léa bosse de chez elle ; elle passe son temps à transférer des blagues, mais vu son train de vie royal, je me dis qu'elle est sûrement très compétente dans son domaine. L'informatique, pas le transfert de blagues.

J'ai remarqué qu'elle fréquente de moins en moins ses amis qui n'ont pas d'adresse e-mail, sous prétexte que le lien est plus difficile à entretenir.

En fait, elle fréquente aussi de moins en moins ceux qui en ont une, car à force de s'envoyer des mails à longueur de semaine, ils n'ont plus grand-chose à se dire. J'échappe à cette règle car je fais tellement partie de son quotidien qu'elle n'a pas encore réussi à remplacer nos longues conversations par une machine.

À force d'être reliée à son ordinateur, elle y inscrit tout ce qui compte et l'oublie aussitôt. D'ailleurs, je trouve que sa mémoire commence à flancher. Quand on bavarde et que j'évoque des événements de sa vie passée, elle semble les redécouvrir complètement. Depuis peu, elle me surnomme son disque dur. L'année dernière, son appartement a été inondé, ce qui a ruiné son Palm et endommagé son ordinateur et, elle m'a appelée en pleurant pour me dire que j'étais la seule amie dont elle connaissait le numéro par cœur et, que sa vie était foutue.

Puis le type de la Hot Line a rattrapé le coup et, elle a récupéré sa vie.

Je l'ai déjà surprise en train d'essayer de rentrer son mot de passe dans son micro-ondes, mais dans l'ensemble elle assure.

Moi, c'est tout le contraire, les machines m'effraient. J'ai bien un vieux Mac qui me sert de machine à écrire, il est très lent et je le remplacerais bien, mais j'ai peur que le prochain soit trop moderne et m'intimide.

On commande et, je remarque un homme attablé près de nous.

« Qu'est-ce que tu regardes ?

— Le type tout seul, à la table ronde. Il est bien, non ? » Elle lui jette un rapide coup d'œil.

« Il est odieux.

— Qu'est-ce qui te fait dire ça ?

— Les beaux mecs sont toujours odieux. Quand un mec est gentil, il est presque toujours moche.

— Arrête un peu !

— Très bien ! Cite-moi un type qui soit à la fois très séduisant et vraiment gentil.

— … François.

— Parfait exemple : il est toujours fourré avec sa mère.

— Bon… Vincent.

— Il avait quel âge quand il t'a connue, vingt-cinq ans ? Presque tous les mecs bien sont maqués depuis la maternelle !

— Et Grégoire ! Hétéro et célibataire, non ?

— Dents trop blanches… J'aime dormir dans le noir.

— Et tes ex alors ? Y en avait des pas mal !

— Oui et, ils m'ont larguée. Parce que quand un mec est mignon, sympa, intelligent et hétéro, il a tellement le choix qu'il pense qu'il peut avoir mieux. Alors il te largue et effectivement, il trouve. Mieux je ne sais pas, mais en tout cas c'est ce qu'il croit.

— Tu exagères.

— Non et, j'ai pas fini : j'ai réalisé que ceux qui restent, ils ne sont pas pour moi non plus. Tu sais pourquoi ? Parce que ceux-là sont tellement lâches qu'ils ne font jamais le premier pas. Donc il faut oser. Mais ce genre de types perd tout intérêt pour une fille dès qu'elle a pris l'initiative. Donc ça ne marche pas non plus. Avoue que je suis plutôt mal barrée… »

Son constat a beau être noir, ça ne semble pas l'affecter plus que ça. J'insiste un peu parce que ses clichés m'énervent, puis je bats en retraite. Parce que plus j'y pense, moins je trouve d'arguments qui lui donneraient tort.

Quelle joie d'avoir de tes nouvelles !

C'est comme ça que Justine a répondu à mon premier mail et c'est tant mieux : j'avais peur de ne jamais avoir de réponse.

C'est vraiment idiot, étant donné que c'est elle qui a insisté pour avoir mon adresse, mais je n'y peux rien, toujours cette saleté d'insécurité dont il faudra bien qu'un jour je me débarrasse.

À peine mon message envoyé et j'étais dans l'attente ; et la crainte d'être déçue. Je n'aime pas ça, attendre, c'est précisément ce que je reproche aux hommes : ils vous font attendre et en général c'est pour rien ; mais là c'est une fille, alors pourquoi ai-je le trac ?

Il faudra que je pose la question à mon thérapeute, si toutefois je me décide à en voir un, ce qui n'est pas gagné car cette idée me fait peur. Pourquoi est-ce que ça me fait peur ? Il faudra que je lui demande.

C'est vrai que certaines amitiés démarrent un peu comme une histoire d'amour : on se plaît, on se découvre, on veut aller plus loin et, on est enivrés par ces sentiments tout neufs.

J'ai tenté de me rassurer en me répétant que c'est elle qui voulait rester en contact, j'ai même anticipé un échec (si elle ne répond pas, c'est une conne), mais ce n'était pas nécessaire, une heure après elle était là ; c'est bien les filles, c'est pas compliqué.

Et merci de m'appeler par mon prénom, je suis toujours surprise quand je me présente, d'être aussitôt rebaptisée Justy. C'est très américain, j'avoue. L'autre jour, j'ai rencontré des Suisses qui m'ont dit que mon prénom était complètement démodé en Europe. Est-ce que c'est vrai ? En tout cas, moi je trouve les Suisses ennuyeux, stériles et, dénués de personnalité. Je préfère encore avoir un prénom démodé.

Comment va Vincent ? Je ne t'ai même pas demandé ce qu'il fait dans la vie. Depuis combien de temps êtes-vous mariés ? Au fait, j'ai été un peu surprise en recevant ton mail, de voir que le nom qui apparaissait n'est pas le même que celui que tu m'as donné… Enfin, comme le prénom ne change pas, je savais que c'était toi. Bon, c'est ma pause déjeuner et il faut que je file : demain je vais encore à un mariage. Manucure, pédicure, j'ai plein de choses à faire.

Je t'embrasse,

Justine

Chère Justine,

Oui, c'est vrai, ton prénom est ancien, mais c'est pour ça qu'il est chic.

Et puis démodé pour des Suisses, ça ne veut rien dire. D'ailleurs, depuis quand les Suisses ont-ils une opinion ? Je croyais qu'ils étaient neutres ! Il n'y a aucune raison de tenir compte de l'opinion des Suisses, sauf s'il s'agit de montres ou de chocolat. Ou de lait. Ou de banques.

Je suis sûre que toi aussi, tu as fini par apprécier le fait d'avoir un prénom peu courant. Mais quand j'étais petite, je voulais m'appeler Delphine, Corinne ou Nathalie, comme les autres filles. En plus, va savoir pourquoi, au lycée, ce sont ces filles-là qui sont devenues les plus populaires…

Vincent va bien. Ce qu'il fait dans la vie ? Il est… Attends, je vais chercher sa carte.

Voilà : « Deputy head of european equity research ». En quoi ça consiste ? Je n'en sais rien, même s'il me l'a expliqué une bonne douzaine de fois. En gros, il travaille pour une banque et il est responsable des analystes financiers européens.

Nous sommes mariés depuis quatre ans. Ou deux. Ça dépend. En fait, il travaille à Londres où il passe la moitié de la semaine.

Ça m'a un peu déstabilisée les premiers mois, mais je me suis vite habituée à cette double vie.

Vincent prend l'Eurostar tous les lundis à 7 heures 10. Il revient le jeudi matin, mais il va directement au bureau, donc on se retrouve le jeudi soir.

Du lundi au mercredi, je vois mes meilleurs amis (qui sont toujours célibataires) et je me glisse dans leur vie. Quant à Vincent, s'il n'a pas de repas d'affaires, il finit sa journée au pub avec ses collaborateurs (des Anglais : on ne se sépare pas sans avoir bu une ou deux bières) ; puis il commande à manger et rentre dîner devant la télé.

Le week-end, on sort avec nos amis communs, qui comme par hasard sont mariés. Autre ambiance, autres discussions, mais j'y suis aussi à l'aise. C'est un drôle de truc le mariage : au départ, on se croit jeune et branché et, on pense qu'il n'y a aucune raison que ça change. Puis, certaines considérations prennent insidieusement le dessus et, trois mois plus tard, on s'entend dire que des bougeoirs de chez Conran seraient très jolis sur la table de la salle à manger...

Le jeudi soir est une soirée intermédiaire où on dîne juste tous les deux. C'est en général une soirée plan-plan, mais c'est normal, Vincent bosse comme un malade et quand il rentre, il est crevé et a besoin de décompresser.

Cette petite routine me convient très bien, je suis un peu schizo et j'aime ces deux parties très différentes de ma vie. Au fait, le nom qui t'a étonnée est mon nom de jeune fille. Mes vieux amis n'ont jamais pris la peine de mémoriser mon nouveau nom et, je n'ai pas cherché à l'imposer, car c'est mon nom de jeune fille que je prendrai si je réussis à me lancer en tant que styliste. Ce n'est pas que je l'aime particulièrement, c'est juste une question d'identité. Je trouve ça un peu barbare *de changer de nom du jour au lendemain parce qu'on se marie. J'ai l'impression qu'en rencontrant Vincent, j'étais déjà « faite ». Disons que j'étais le produit de toutes les étapes de ma vie et, changer de nom aurait été comme renier le chemin qui m'a amenée là.*

Ça sera différent quand on aura des enfants, parce que j'imagine que j'aurai envie de porter le même nom qu'eux.

Enfin, quand je suis avec Vincent, naturellement je suis Mme Weisenberg, c'est donc ce nom-là que je t'ai donné. J'ai deux adresses e-mail et en général je les gère bien. Peut-être que mon erreur signifie que je te considère implicitement comme une vieille amie...

Pédicure en décembre ? Tu vas porter des sandales ou tu comptes te déshabiller en public ? En tout cas, c'est bien de prendre soin de soi. Souvent, je vois des filles porter des sandales alors qu'elles ont des pieds horribles. C'est scandaleux. J'estime qu'elles méritent un châtiment corporel.

À bientôt,

Ariane

Le soir, avant d'éteindre mon ordinateur, je trouve un message de Justine :

Les prénoms : chez nous, c'était Lauren, Lisa et Jennifer. Même chose pour leur popularité. J'ai revu l'une d'entre elles récemment, elle était mariée, enceinte et, très occupée à donner des ordres à son mari. Tant mieux pour elle.

Un châtiment corporel pour les filles aux vilains pieds ? Tu es cruelle ! On en reparlera.

Pas le temps car mon patron vient d'arriver et il est de très mauvaise humeur. Sans compter que ça ne lui a pas du tout plu de me trouver en train d'observer mes pieds nus. J'ai dû me dépêcher de les enlever de son bureau…

« À quoi tu penses ?
— Je pense qu'il faut que tu te prennes en main. »

Ambre a beau être blonde et sexy, elle souffre d'une terrible insécurité. C'est aussi une graphiste bourrée de talent, elle réalise des pochettes dans une maison de disques et adore son travail, sauf qu'elle est inconsolable depuis sa dernière histoire d'amour et ne pense qu'à Igor, son ex. Personne n'a réussi à la convaincre qu'elle finirait par l'oublier.

Elle a quand même fini par accepter de venir dîner chez Léa qui a organisé un dîner exprès pour elle. Léa a envoyé des mails à tous ses copains célibataires et il faut que cette soirée soit une réussite.

Dans un magazine, j'ai découpé deux pages qui s'intitulent « Superbe en 60 minutes chrono » et, je les agite sous le nez d'Ambre.

« Voilà ce qu'il te faut. Écoute un peu : "Nettoyez, Illuminez, Transformez et, Sublimez."

« J'ai décidé que pour une fois, ces feuilles vont servir, au lieu de venir s'ajouter à toutes les pages de recettes, voyages et, conseils divers qui s'emmagasinent dans un tiroir que je n'arrive déjà plus à fermer. Et bien sûr, je ne me sers jamais de rien ! Enfin grâce à toi, ça va changer. On y va, on achète tout et, on le fait ensemble. »

Cap sur Sephora, où je me saisis d'un petit panier et d'une vendeuse pour trouver tout ce qui est sur la liste : bain relaxant, masque revitalisant, shampooing 3 en 1, mousse coiffante, laque, soins corporels, ampoules coup d'éclat. Le panier est plein et on n'a pas commencé le maquillage… Ambre fait un rapide calcul des produits qui sont dans le panier : à vue d'œil, on frôle les deux cents euros.

« Mais ils sont dingues à *Gala* ! Si j'avais autant d'argent, j'irais passer la journée dans un institut de beauté, au moins quelqu'un ferait le boulot pour moi ! »

Pendant qu'on discute, une femme en profite pour nous chiper la vendeuse et, ça tombe bien parce que ça nous permet d'abandonner lâchement le panier plein sans avoir à répondre à ses questions sournoises.

Pas possible de repartir bredouille, ça serait trop démoralisant : on remplace la liste par un rouge à lèvres et un vernis à ongles, ça fait plaisir et c'est pas la ruine.

Lors du dîner, c'est l'état de grâce, la discussion est drôle et spirituelle, tous les hommes sont charmants et, le courant passe particulièrement bien entre Ambre et un certain François.

Plus tard dans la soirée, elle vient me voir et murmure :

« Je ne sais pas si je suis bourrée, mais j'ai cru comprendre qu'à un moment, il me faisait une sorte de déclaration. »

Vu le contexte, je lui conseille de ne pas le prendre au sérieux.

Je rentre chez moi et alors que je suis sur le point de m'endormir, le téléphone sonne. C'est Ambre.

« Écoute : après que tu es partie, je l'ai aperçu dans la chambre de Léa en train d'écrire. Je lui ai demandé si c'était l'heure d'écrire, il m'a répondu : *C'est l'heure de t'écrire* et, il m'a demandé où était mon sac. Je lui ai montré et je suis sortie parce que j'ai senti que je devenais toute rouge. Une fois dans le taxi, j'ai ouvert mon sac et effectivement il y avait une enveloppe avec un mot dedans. Je te le lis : *L'effet de l'alcool déclinant, je suis en mesure d'affirmer que ma déclaration (le mot est fort mais il est sans équivalent) n'était pas une plaisanterie. Je n'ai pas d'autre solution, donc, que de te laisser mon numéro de téléphone. 0147201216. Je ne t'en voudrai pas si tu le composes. Et je comprendrai si rien de tout ça n'a l'heur d'être réciproque. Encore bravo. François.*

— Waouw ! En voilà un qui n'a pas de problème d'engagement…

— Bon, d'accord. Mais à part ça ?

— Ça dépend. C'est assez flamboyant. Je trouve ça un peu pompeux comme premier contact.

— Moi aussi, je ne sais pas quoi faire.

— Est-ce qu'il te plaît ?

— Je crois… À cette heure-ci, je ne sais plus.

— Bon, couche-toi et on verra demain. »

Je la rappelle le lendemain matin.

« Tu as bien dormi ?

— Oui, à part un drôle de rêve où je me disputais avec une employée de France Télécom… Je viens de relire le mot et, mon instinct me dit de me méfier, les hommes qui parlent en vieux français sont soit des rappeurs, soit des barjos et, François n'est pas un rappeur… Enfin j'ai appelé Léa qui m'a dit de foncer ; après tout, il me plaît et il n'y a pas de vraie raison pour que je n'essaye pas.

— Alors vas-y.

— Tu sais quoi ? J'ai le trac ! Ça t'ennuie si je passe chez toi après le boulot pour l'appeler ?

— Pas du tout. »

Comme prévu, elle me rejoint en fin de journée et se rue sur le téléphone.

« Je me dépêche, j'ai pas envie de tomber sur lui, je préférerais laisser un message. »

Effectivement, c'est le répondeur. Elle met le haut-parleur et on entend un message bizarre :

Petit Larousse, *page 39* : *Résine, fossile, provenant de conifères de l'oligocène, qui poussaient sur l'emplacement de l'actuelle mer Baltique. Se présente sous forme de morceaux durs et cassants, plus ou moins transparents, jaunes ou rougeâtres.*

Je ne comprends rien. Ambre raccroche, elle est toute rouge.

« J'hallucine, c'est la définition de mon prénom…

— Ah ! Mais oui…

— Passe-moi un dico, on va vérifier.

— C'est pas la peine, c'est évident.

— Je sais, mais j'aimerais vérifier quand même. »

Je vais chercher mon dictionnaire, un vieux *Larousse* beaucoup plus succinct : « Ambre : n.m. Substance résineuse et aromatique qui a la consistance de la cire et exhale une odeur analogue à celle du musc. »

« Bon, inutile de chercher plus loin, ton mec est tout à fait sobre mais toujours aussi accroché.

— Qu'est-ce que je fais ?

— Comme prévu ! Tu rappelles et tu laisses un message.

— Mais qu'est-ce que je peux bien dire à un type qui me connaît à peine et a modifié son répondeur pour moi ?

— C'est pas un concours… Sois simple. »

Elle hésite quelques secondes puis rappelle.

Salut, c'est Ambre. Eh bien, tu vois, je t'appelle. Tu peux m'appeler au 0147047736. À bientôt.

Elle raccroche, un peu énervée : « C'est marrant, quand je décide d'être simple, je suis tout simplement banale. »

Le soir même, François la rappelle et, l'invite à dîner.

Elle me raconte leur soirée, qui ressemble à tous les premiers rencards : ils se racontent, essayent de dire le principal tout en cachant l'essentiel, c'est-à-dire ce qu'ils pensent vraiment l'un de l'autre.

Il la raccompagne et monte « finir de discuter ». On est en 2002 et on parle. « Boire un dernier verre » c'est ringard, ça ne se dit plus depuis le siècle dernier.

Baisers fougueux. Tout devrait bien se passer, mais voilà, ce n'est pas à lui qu'elle pense mais à Igor, Igor encore et toujours, Igor que François ne lui fera jamais oublier, elle le sait déjà. Heureusement c'est un gentleman, il propose de s'en aller avant qu'elle ne lui dise de le faire.

Le lendemain, en prenant son courrier, elle trouve une lettre d'amour dans sa boîte à lettres.

Conseil d'urgence avec Léa.

« J'étouffe. Et en plus je lui en veux : ça va vite, beaucoup trop vite ; ça commençait bien et il faut qu'il gâche tout en brûlant les étapes.

— T'es chiante ! s'exclame Léa. Un type bien qui ne joue pas de petits jeux, c'est ce qu'on cherche toutes, non ?

— Disons que c'est ma faute, disons que c'est celle d'Igor et, François n'y est pour rien. Il est arrivé au mauvais moment et, c'est tant pis. Maintenant tout ce qui m'obsède, c'est de m'en débarrasser. Et avec les messages qu'il a laissés sur mon répondeur, il ne faut pas traîner.

— Tu es sérieuse ?

— Comment te dire ?… Son attachement est tellement palpable que je me sens poisseuse. Pour la première fois, je sais ce que ressentent les hommes. Franchement, des deux côtés de la barrière, c'est aussi désagréable. Il faudra que je m'en souvienne la prochaine fois que je me ferai larguer. »

Le lendemain, elle dîne chez François et, en profite pour rompre. Il prend très mal les choses et, sur le moment, il lui fait même un peu peur. Elle a toutes les peines du monde à partir et, une fois dans la rue, court jusqu'à la station de taxis. Une fois chez elle, elle me laisse un message.

Allô ! La page 39 du dico à l'appareil. J'avais raison d'être sur mes gardes, les types qui emploient du vieux français, c'est suspect… Qu'importe, me voilà fort soulagée d'avoir laissé choir le damoiseau.

Chère Ariane,

Moi qui en connais un rayon en matière d'aventures foireuses, j'aurais mis Ambre en garde dès le début. Allez, je frime...

Mais plusieurs détails montraient que ça ne collerait pas. C'est important les détails, il devrait y avoir un autre mot pour « détail »... Un mot qui résumerait « petits indices reflétant quelque chose d'une importance capitale ». Je me souviens d'avoir eu une histoire avec un type juste à cause d'un « détail ». Un soir, en me raccompagnant chez moi, il avait spontanément commencé à ranger le salon. Alors que le désordre avait été causé par d'autres personnes, quelques heures plus tôt. Je me suis dit que pour se comporter comme ça, il était forcément gentil et généreux. Bon, le reste de notre aventure s'est soldé par un fiasco complet. Probablement à cause d'autres « détails » qui m'avaient échappé. Comme son immaturité. Enfin je ne regrette pas l'expérience, elle m'a guérie pour toujours des garçons plus jeunes que moi.

Alors tu as un mari à mi-temps... Quel rêve !

À propos de noms de famille, sais-tu que d'après le judaïsme, le nom de quelqu'un symbolise sa destinée ?

C'est pour ça que les gens qui se convertissent prennent un nom hébreu, censé représenter leur nouvelle vie. Peut-être que notre nom de jeune fille est représentatif de notre passé, tandis que notre futur nom pourrait signifier ce qu'on va vivre en tant qu'épouse et mère... La seule chose que je ne m'explique pas, c'est comment relier ça au fait que les hommes n'aient pas à changer de nom...

L'autre soir, au mariage de ma copine, j'ai pensé à toi : je n'ai pas pu m'empêcher de regarder les pieds des filles qui portaient des chaussures ouvertes. Et j'ai rencontré une femme incroyable : Barbara. Originaire du Michigan, richissime, elle est allée en Europe avec son décorateur pour acheter de quoi meubler sa maison de Palm Beach. Ils sont allés dans des palais en Italie et ont acheté des plafonds entiers et des tableaux magnifiques et, une fois rentrés, ils les ont découpés pour qu'ils soient à la taille des murs ! L'HORREUR !... J'étais folle de rage ! C'est à cause de femmes comme elle que les Américains passent pour des abrutis ! Des incultes qui respectent seulement l'argent et, pas l'Art ou l'Histoire.

Barbara mérite un châtiment corporel, pas les filles aux sandales et aux pieds moches ! La nature les a déjà bien assez punies avec leurs vilains pieds, elles n'ont pas besoin de subir des sévices supplémentaires.

Bon, il faut que je me sauve, j'ai recommencé à faire du sport et c'est l'heure de mon cours. Je vais dans un tout petit club très discret et, je fais du stretching. Juste des étirements, en douceur et, ça fait un bien fou. Est-ce que tu fais de la gym ?

Je t'embrasse,

Justine

J'ai deux invitations pour aller au théâtre et, comme nous sommes mardi, Vincent est dispensé de corvée. Mon mari adore passer pour une victime de son emploi du temps surchargé, mais le fait est qu'il est bien content de finir sa soirée au pub plutôt que coincé dans un fauteuil inconfortable, tandis qu'il enfonce ses genoux dans celui de la personne devant.

Enfin, il ne l'admettra jamais.

J'irai donc avec Julien, mon chevalier servant préféré. Les hommes adorent sortir avec leurs vieilles copines car ça leur fait des vacances : ils n'ont pas à ouvrir la portière, ni à se forcer à être raffinés et, peuvent accepter qu'on partage l'addition.

Julien vient me chercher à la boutique, je le guette du pas de la porte et je l'aperçois de loin. Grand, brun et élancé, j'aime la façon dont il superpose plusieurs couches de vêtements : tee-shirt, chemise ouverte, veste, trois-quarts ; tout en mélangeant classique et street-wear.

Julien est journaliste free-lance, il est curieux et incroyablement cultivé ; mais c'est aussi un épicurien sans complexe qui cherche le dérisoire en tout, quitte à être sous-estimé par ceux qui le connaissent mal. Sa façon, sans doute, de dissimuler une sensibilité excessive.

Nous allons voir la pièce d'une amie d'enfance, Sylvia. C'est parfois délicat, les spectacles des amis. Si l'on n'aime pas, il faut non seulement souffrir, en silence, mais en plus remercier en sortant.

Pour éviter un malaise, j'ai réservé nos places sans le dire à Sylvia ; comme ça si c'est nul, je l'appellerai le lendemain, ça me laissera le temps de trouver des choses positives à lui dire.

Julien approuve l'idée de passer inaperçu et, passe une partie du trajet à tenter de me convaincre de me déguiser en ouvreuse.

Le théâtre se situe dans une impasse qui ne figure pas sur le plan, ou plutôt si : juste au niveau où la page se plie. Trois bons quarts d'heure plus tard, on arrive enfin, un petit néon indique « Théâtre des lendemains qui chantent » et tandis qu'on retire nos places, j'entends une exclamation de joie.

« Ariane, c'est toi ? Ça pour une surprise ! »

Je me retourne et me voilà nez à nez avec la sœur de Sylvia, que je n'avais pas vue depuis des années. Et derrière elle, le reste de la famille… On s'embrasse, on se félicite de cet heureux hasard et, naturellement, on part s'asseoir tous ensemble.

« Pour une sortie incognito, c'est gagné ! » murmure Julien.

Entre la famille de Sylvia et nous, la salle est comble. Il faut dire qu'elle ne compte qu'une vingtaine de places, d'ailleurs je crois que la scène est plus grande que le parterre.

Impossible de se défiler, Julien et moi nous retrouvons au premier rang, juste entre les parents de Sylvia et son mari, expert-comptable, qui nous précise qu'il n'a ni lu le texte ni assisté aux répétitions car « Sylvia voulait lui réserver la surprise ».

La pièce démarre et, au bout de cinq minutes, les acteurs hurlent à tel point qu'on ne comprend rien.

Julien retire nerveusement sa deuxième veste, ça l'occupe quelques secondes, puis il est bien obligé de se replonger dans la pièce.

Dix minutes de plus, les personnages sont au bord de l'hystérie et Julien et moi du fou rire.

On se regarde du coin de l'œil, mais c'est une terrible erreur : impossible de se contenir plus longtemps. Julien réussit à pouffer en silence mais il tremble et fait vibrer toute la rangée ; plus on tremble, plus il rit et, bientôt on entend carrément les fauteuils grincer.

C'est à ce moment que la scène de dispute s'achève, Sylvia se retrouve seule sur scène en train de gémir doucement ; aussi on n'entend plus que nos hoquets et le couinement des ressorts.

Je suis obligée d'imaginer des scènes d'une violence inouïe pour me calmer et, encore j'y parviens tout juste. Je soupçonne Julien d'avoir recours aux mêmes méthodes et, l'idée même me fait rire, alors je tâche de l'oublier.

D'ailleurs, si je sens qu'il me regarde, je ferme les yeux. Jusqu'à la fin, je suis obligée de faire de prodigieux efforts de concentration pour ne pas craquer.

La pièce s'achève une heure plus tard, sur une réconciliation entre Sylvia et son partenaire qui s'embrassent à pleine bouche sous l'œil éberlué de son expert-comptable de mari.

Épuisée par mes visions sanguinaires et l'intensité du spectacle, je peux enfin regarder Julien.

Au fil du spectacle, il a enlevé son pull et sa chemise et, bien qu'il ne porte plus qu'un tee-shirt, il est en nage.

La famille de Sylvia semble également très éprouvée, ils ont en tout cas la délicatesse de se comporter comme s'ils ne nous avaient pas entendus rigoler, c'est-à-dire qu'ils nous invitent à dîner avec eux… On réussit à décliner leur proposition en prétextant notre immense fatigue et on va dîner en tête à tête, heureux de pouvoir enfin s'esclaffer librement.

Dire que Vincent a raté ça…

Mais de retour chez moi, tandis que je me glisse dans mes draps, je ne peux m'empêcher de me demander si j'aurais autant ri avec lui.

Je ne sais pas pourquoi, les soirées les plus réussies sont toujours celles que je passe quand il n'est pas là. Ça n'a pas toujours été comme ça, pourtant. Peut-être que si.

Je ne sais plus.

Chère Justine,

Je suis horrifiée par l'histoire de cette infâme Barbara. Tu as raison, on va la renvoyer dans sa maison du Michigan, l'attacher sur une chaise et l'enfermer avec les filles aux vilains pieds qui, puisqu'elle aime l'Italie, la bombarderont de spaghettis bolognaise.

Je précise que si je veux punir ces filles, ce n'est pas parce qu'elles ont des vilains pieds mais parce qu'elles sont égoïstes. Elles osent porter des sandales ; et nous autres, pauvres innocents, devons supporter leur vue.

De la gym ? Non, j'ai horreur de ça. Ma devise, c'est : « Ne pas souffrir ; ne pas souffrir. »

Et tu m'excuseras mais il faut être maso pour faire des abdo-fessiers !

Et puis je n'aime pas me changer, à moins que ce ne soit pour une amélioration. Et surtout je déteste transpirer, particulièrement avec des étrangers.

Pourquoi ce ne sont pas les hommes qui changent de nom en se mariant ? Je serais tentée de répondre par misogynie ancestrale, mais j'imagine qu'un rabbin te donnerait une explication plus spirituelle.

Je pars bosser. Comme je te l'ai dit, ça ne m'amuse pas de travailler dans une boutique, mais je tiens à garder une certaine indépendance. Ça énerve Vincent, il dit que ce n'est pas la peine que je perde mon temps alors qu'il gagne assez pour deux. En vérité, je crois que ce n'est pas ça qui le gêne, mais plutôt le fait que même si je travaille dans une boutique chic, je ne suis « que » vendeuse. C'est une question de statut social. Enfin pour le moment, c'est comme ça. J'ai eu pas mal d'expériences chez des stylistes et, je suis décidée à me bagarrer jusqu'au moment où je pourrai lancer ma griffe. J'espère que ce que j'ai écrit sur Vincent ne te donne pas une mauvaise idée de lui, il m'encourage beaucoup et son aide sera précieuse lorsque j'en serai au stade du financement.

Bises,

Ariane

P-S : mon nom signifie « Montagne blanche ». J'en conclus que :
a. : C'est normal que mon chemin soit plein d'obstacles ;
b. : Je devrais peut-être réessayer le ski ;
c. : Je ne devrais jamais hésiter à commander un supplément Chantilly.

« Allô ? C'est Ambre. Tu sais, au service marketing, il y a un type super-mignon, Guillaume. Eh bien, il m'a donné des invits pour un concert ; viens avec moi, je vais aussi proposer à Léa et, vous me direz comment vous le trouvez. »

Une fois arrivées au concert, Léa et moi tombons d'accord : Guillaume est plutôt séduisant, il a une oreille nettement plus grande que l'autre, mais ça n'a pas l'air de gêner Ambre. Nous nous abstenons donc de tout commentaire malveillant.

J'ai un mal fou à accrocher avec la musique, même si tout le monde s'enflamme pour le groupe que Guillaume appelle « les REM croates ». Ambre en profite pour me qualifier de psychorigide et, je bats en retraite devant son enthousiasme, d'autant plus que d'ordinaire, elle n'écoute que de l'opéra.

On va dîner avec Guillaume et deux de ses amis, puis on décide de finir la soirée dans un bar. Guillaume monte dans ma voiture et, se retrouve à côté de Léa. À un moment, au détour de la discussion, il pose la main sur son bras, la laisse un instant puis la retire et poursuit la conversation.

Évidemment, ça n'a pas échappé à Ambre qui lui saute dessus dès qu'on descend de voiture.

« Il a mis la main sur ton bras, ça craint, je sens qu'il a un faible pour toi.

— Mais pas du tout, c'était amical, ne commence pas à délirer.

— Amical mon cul, vous vous connaissez à peine ! On commence par se toucher le bras et on sait comment ça finit.

— Laisse tomber, ça ne veut rien dire ! »

On s'assied autour d'une table et, Léa s'arrange pour ne pas être à côté de Guillaume. La musique est très forte, on ne peut discuter qu'avec ses voisins les plus proches, si bien qu'Ambre réussit à l'accaparer, notamment en mettant en avant son décolleté généreux.

Je les ramène chez elles et, Ambre semble de plus en plus accro. Même si Léa et Guillaume se sont à peine adressé la parole, Ambre persiste, elle pense que Léa lui plaît. Il est grand temps qu'il se passe quelque chose entre eux parce qu'elle devient franchement parano.

Le samedi suivant, elle fait une fête (qui n'est qu'un prétexte pour inviter Guillaume) et, Léa et moi espérons qu'il se décidera à lui sauter dessus.

Vendredi soir, Léa appelle Ambre qui est enfin positive.

« Tout va bien, je vais faire une sieste avant de sortir. Je suis en pleine forme, surexcitée pour demain soir. Tu sais quoi ? Tu as raison, ça va marcher. »

Rassurée, Léa va prendre un bain. Elle barbote, le téléphone sonne et le répondeur se met en marche.

Salut, c'est Guillaume. Je suis en séminaire à Nice... Je suis au bord de la mer, on va aller dîner et... Je voulais te dire que je pense à toi. À demain.

Pétrifiée. Médusée. Ambre avait raison.

Elle reste dans son bain le plus longtemps possible et, une fois qu'elle est vraiment trop fripée pour passer une minute de plus dans l'eau devenue mystérieusement glacée, elle sort et m'appelle.

Il ne nous faut pas longtemps pour nous rendre à l'évidence : il faut tout dire à Ambre.

Léa la rappelle.

Son « Allô » est tout ensommeillé.

« Je te réveille ?

— Oui, c'est pas cool, j'étais en train de rêver de Guillaume. » Au secours.

« Justement, je voulais t'en parler… Il vient de m'appeler.

— Hein ? »

La voilà parfaitement réveillée.

« Heu, j'étais dans mon bain, il a laissé un message ; le plus simple c'est que tu l'écoutes. Voilà. »

Play.

« Putain ! je le savais, je le sentais, je te l'avais dit dès le début.

— Je suis désolée, vraiment.

— Qu'est-ce que tu comptes faire ?

— Comment ça ? Mais rien enfin, on n'est…

— J'en ai marre, c'est toujours pareil ! Il me fait chier, ils me font tous chier ! Je vais finir toute seule ! Encore trois ans et je prends un chat ; je resterai chez moi et plus personne ne me fera chier !

— Mais qu'est-ce qui te prend ? C'est quand même pas si grave, ça fait quinze jours que tu le connais, tu l'oublieras vite…

— C'est pas ça.

— C'est quoi alors ?

— Ma cousine Victoire est enceinte.

— Et alors ?

— Victoire ! Non mais tu te rends compte ? Elle a neuf ans de moins que moi, je la gardais quand elle était petite. J'étais son témoin quand elle s'est mariée, il y a deux ans. Elle a eu la bonté d'attendre pour faire un bébé mais là, ça y est, c'est parti et, tu sais ce qu'elle m'a dit ? "Tu pourras baby-sitter le bébé si tu veux". La conne ! Elle l'a pas dit méchamment mais quand même, jusqu'à quand je vais devoir encaisser des humiliations pareilles ? »

Léa discute pour la forme, de toute façon, ce qui compte, c'est qu'elle vide son sac.

Avant de raccrocher, elle lui propose de ne pas venir à sa fête.

« Non, si tu ne viens pas, il va comprendre, déjà qu'il doit se poser des questions, vu comme je l'ai dragué. Et puis j'ai envie que tu viennes ! C'est bon, je vais assurer. Ce sera comme Scarlett, quand elle va chez Mélanie après s'être fait gauler en train d'embrasser Ashley. »

Soit.

Léa et moi nous interrogeons longuement sur ce parallèle et, à bout d'hypothèses, on se contente de conclure : elle saura faire face.

La soirée arrive, Vincent et moi allons chercher Léa qui n'est pas très à l'aise. Quant à Ambre, elle n'a jamais aussi peu ressemblé à Scarlett. À chaque fois que Guillaume s'approche de Léa, Ambre blêmit.

Un cousin d'Ambre colle Léa, il est soûlant, mais elle subit sa présence, pour décourager Guillaume et rassurer Ambre.

« … Je conçois des programmes permettant aux entreprises d'optimiser leurs résultats.

— … Génial ! »

Une demi-heure plus tard, je les vois s'embrasser… Puis rapidement, Léa l'abandonne et vient me voir.

« Il pue l'alcool. Beurk ! Il y a des limites à tout, même à mon sens du sacrifice. »

Je donne quelques explications à Vincent qui l'a entendue et fait une drôle de tête ; de toutes les façons, il s'ennuie et veut rentrer.

Je préviens Léa qu'on va s'en aller et lui propose de la ramener.

« Avec joie ! » répond-elle, soulagée.

On va embrasser Ambre, incroyablement guillerette depuis un quart d'heure.

Elle essaye même de retenir Léa et lui glisse un « Je ne savais pas que mon cousin te plaisait » qui la fait frémir de dégoût. On entraîne Léa sur le point d'exploser. D'ailleurs, quand elle est en colère, son visage semble se couvrir de nouvelles taches de rousseur, sans doute venues illustrer son état d'ébullition.

« C'est fou ce que le modèle Scarlett marche bien depuis que j'ai embrassé le cousin poivrot… » me dit Léa en montant dans la voiture.

Elle jette un coup d'œil dans le rétroviseur.

« Il m'a complètement décoiffée, moi c'est pas à Scarlett que je ressemble, plutôt à Pollux ! »

Une fois à la maison, je me démaquille sans me regarder, tandis que Vincent disserte sur l'immaturité de mes copines.

Et tout ce que je trouve à lui répondre, c'est que je les adore.

chère ariane,

me voilà assise, en train de taper avec un doigt, je mange des céréales et bois du saké, alors tant pis pour les majuscules. (si un jour tu as envie de me voir rouler par terre, sers-moi du saké).

j'ai mis le cd d'évita, je suis détendue et espère te distraire un peu.

il faudra que je sois plus prompte dans mes réponses à l'avenir, je ne sais pas comment je fais mais je m'arrange toujours pour tout remettre au lendemain. et pourtant j'arrive à faire pas mal de choses, un paradoxe sûrement.

en vérité, si je cherchais à me décrire, je dirais que je suis « ce qui arrive quand on ne se marie pas jeune ». je crois t'avoir déjà dit que ma famille est originaire du moyen-orient (il faut que je te prévienne que j'ai tendance à me répéter, alors excuse-moi d'avance pour toutes les fois où ça arrivera. à partir de maintenant et pour les années à venir). les orientaux aiment voir leurs filles se marier le plus tôt possible. à vingt ans, la plupart de mes cousines étaient déjà mariées. c'est vraiment très jeune, mais dans l'ensemble, elles voulaient partir de chez leurs parents et, ne voyaient rien d'autre que les bienfaits immédiats du mariage : de l'attention, des réceptions, une robe, une nouvelle maison, des bijoux. en un mot elles passeraient d'un coup des tables d'enfants aux tables d'adultes, sans passer par les tables de célibataires.

je trouve que c'est très bien d'attendre et de faire son expérience, mais je pense que cette expérience ne nous fait pas toujours du bien. elle sert surtout à nous rendre blasés et cyniques puisqu'elle nous apprend que dans la vie, rien ne se passe jamais comme on l'espérait.

J'ai fini mes céréales et c'est tant mieux : tout écrire en minuscules me donne l'impression d'être insignifiante.

Je me suis aussi servi un second verre de saké.

Je repense à mon petit copain quand j'étais au lycée. On est sortis ensemble un an en se promettant de ne jamais se marier. C'était une idée stupide que j'ai acceptée alors que je le connaissais à peine. Enfin j'ai tenu parole et bien que j'aie eu le cœur brisé quand il m'a quittée, j'ai fait comme si je trouvais ça normal. Il m'a dit qu'il était temps que j'aille faire mon expérience de la vie ! Eh bien, un an plus tard, il était marié et je ne l'ai jamais revu.

Si je le rencontrais aujourd'hui, je lui filerais une grande claque pour le punir de m'avoir maudite en me souhaitant des expériences. Et je pleurerais sur son épaule pour des tas de raisons. Pas parce qu'il ne m'a pas épousée, mais à cause de toutes les désillusions qui sont venues avec mes expériences.

Des histoires, j'en ai eu, j'ai arrêté de compter mes ex quand il y en avait trente et, c'était il y a quelques années.

Un jour, une relation a voulu m'arranger un rencard avec un type ; en posant quelques questions, je me suis rendu compte qu'il s'agissait de mon frère ! À croire que j'ai fait le tour de tous les célibataires de Manhattan...

Troisième saké.

Bon, je dois sembler amère et déprimée. Changeons de sujet.

Ça ne m'étonne pas que ton mari se sente en décalage par rapport à tes amies. Mais au moins, il ne t'empêche pas de les voir. En général, les maris que je connais n'aiment pas les amies célibataires de leur femme. Ils craignent qu'elles leur ouvrent les yeux car elles voient à travers leur maison de verre. C'est une question de contrôle : leur mariage n'est pas très solide, donc ils essayent de contrôler leur femme et, les amis célibataires représentent une menace.

Je me souviens d'un de mes ex qui ne voulait jamais voir mes amies. Je me suis longtemps demandé pourquoi et j'ai fini par trouver. D'abord, il n'avait pas la patience d'apprendre à les connaître. Ensuite, je crois qu'il avait peur que l'une d'entre elles me secoue comme un prunier et me demande : « Mais qu'est-ce que tu fous avec un con pareil ? »

Tu m'as écrit dans ton dernier mail que parfois, tu envies les célibataires sur certains points. Je te comprends, notamment sur le fait que les couples mariés ne connaissent plus la joie magique de l'anticipation. La fameuse excitation de ceux qui ne sont pas encore casés.

Et puis par exemple, moi je peux choisir de sortir avec un type différent tous les soirs. (Malheureusement, ça n'arrive jamais, sauf peut-être dans Sex and the City.) *Avant de sortir, j'ai tout un rituel pour me préparer et je suis sûre qu'aucune femme mariée ne se donne autant de mal.*

Il y a environ cinq ans, j'ai eu un dîner avec des anciennes copines de fac, une « soirée de filles ». Nous étions toutes célibataires, sauf deux filles mariées à des types friqués assez chiants. Naturellement, à peine assises les mariées demandent « Alors ? ». En gros, nous sommes là pour les divertir. C'est très énervant. Je me souviens d'avoir raconté mon aventure avec un type dont j'étais tombée follement et bêtement amoureuse. J'ai donné plein de détails (tu sais que j'adore les détails), racontant toutes les étapes de notre rencontre. Puis j'ai raconté comment, après plusieurs mois de flirt, on avait fini par s'embrasser. Ariane, si tu les avais vues ! Je te jure qu'elles buvaient mes paroles et, j'ai bien senti que tout cela leur manquait. Et je n'avais aucune envie d'être à leur place.

Quatrième saké.

Est-ce que tu me suis ? En tout cas, ce que j'essaye de dire, c'est que je ne sais pas ce qui est mieux, galérer seule ou avec un con (pagnon). Tout ce que je sais, c'est que si la vie fait que tu ne dois pas te marier avant d'avoir trente ans (ou trente-cinq, ou plus), tu as intérêt à être forte et sacrément indépendante. J'envie mes cousines, mais pas au point de souhaiter à mes futures filles de mener la même vie qu'elles. J'aimerais que mes filles se marient entre vingt-cinq et vingt-huit ans. (J'ai un peu honte de l'admettre, mais je crois même que j'aimerais que mes filles se marient plus tôt que ça.)

À part ça j'ai grossi, c'est pour ça que j'ai repris la gym. Et maintenant j'ai des courbatures. J'ai arrêté les glaces et les gâteaux allégés, j'ai pris trois kilos en bouffant ces conneries ; c'est pour ça que dorénavant, pour dîner, je prends juste un bol de céréales. Du muesli avec quatorze minéraux et des vitamines ; et du lait, écrémé bien sûr.

Au fait, la fille qui s'est mariée le week-end dernier, c'était une des célibataires du dîner que je viens de te raconter. Alors dans ces cas-là je me dis que c'est sûrement moi la prochaine. Ou bien je me dis « s'il n'en reste qu'une... ». Bon.

J'ai fini mon quatrième saké, je suis pompette et j'ai de plus en plus de mal à taper sur les bonnes touches. Ça serait plus simple de laisser mes doigts aller où ils veulent.

ZjnzmvjnMsdlgkhj

J'espère que tu as pu suivre mon raisonnement désordonné.

Au lit.

Bisous,

Justine

P-S :... je ne sais plus ce que je voulais dire.

P-P-S : ah oui, j'ai vraiment mal aux cuisses, c'est à cause de cette SALOPE *de prof qui ne me lâche pas, elle m'a traitée de mollassonne ; j'étais bouche bée !*

P-P-P-S : demain je relirai Jane Eyre, *je te le conseille pour ton prochain coup de blues, trois pages suffisent pour se dire que ça pourrait être pire.*

Chérie, c'est moi. Je suis libre demain soir, tu veux qu'on dîne ensemble ? J'ai quelque chose à te demander... Rappelle-moi.

Mon père n'arrive pas à se faire à l'idée que je sois seule la moitié de la semaine. J'ai beau lui répéter que ça me convient très bien, il s'inquiète tout le temps. Je n'ose pas imaginer ce que ça serait si j'étais célibataire. Il n'a pas toujours été comme ça, avant il était juste secrètement sentimental. Mais depuis le départ de ma mère, il essaye de la remplacer sur un maximum de fronts et, tente de devenir la mère poule qu'elle n'a jamais été.

Le lendemain soir, on se retrouve chez ma grand-mère pour passer un peu de temps avec elle avant de sortir.

Avant, on lui aurait demandé de nous préparer un bon dîner, mais elle vieillit ma petite mamie, alors on ne veut plus la fatiguer. Alzheimer est là et, elle change au fil des mois. Désormais, une jeune fille s'occupe d'elle, ce qu'elle déteste, bien entendu et, dans la mesure du possible elle essaye de ne rien lui demander, voire de l'ignorer.

Quand j'arrive, je la trouve en train de tricoter, comme toujours. C'est la seule activité assez mécanique pour qu'elle continue à la faire. Elle tricote des couvertures, très originales dans la mesure où elle oublie maintenant de faire les coins. Ses couvertures sont donc rondes.

Pas très pratique une couverture ronde, il faut rester totalement immobile pour qu'elle couvre les pieds, ce qui n'arrive jamais bien sûr. Toutes les nuits, je me réveille, pas seulement froid aux pieds mais un peu partout car, pour d'obscures raisons, la couverture glisse et tombe. Je la ramasse et me promets d'en changer, mais naturellement, je ne peux pas m'y résoudre.

En tout cas, les trois premiers jours de la semaine. À partir du jeudi, je range ce que Vincent appelle ma « crêpe en laine géante » dans un placard et je recouvre notre lit d'un joli boutis.

« Ça fait longtemps que tu ne m'as pas présenté de fiancé…

— C'est vrai, Mamie, c'est parce que je suis mariée.

— N'attends pas trop, je ne veux pas être trop vieille, il faut que je puisse danser ! Et m'acheter une robe jaune. Le jour de ton mariage, je porterai une robe jaune. »

Physiquement, nous sommes complètement différentes. C'est une vraie paysanne russe : petite, robuste, blonde et, des yeux bleus qui semblent délavés à force d'être pâles.

Mais depuis que je suis enfant, on me passe toutes mes insolences parce que au moment de la punition, elle disait toujours : « Laissez ! Elle me ressemble. » Et il y a son accent slave, que j'aime tant. Quand elle a rencontré Vincent, si parfaitement parisien, elle s'est écriée, le plus sincèrement du monde : « J'adore votre accent. » Et elle lui a montré tous les albums de photos de famille. Il a été très poli et très patient, mais c'était le début de notre relation et, j'étais morte de honte. Je me suis promis de ne pas renouveler l'expérience.

Ce qui n'a pas été nécessaire puisque je l'ai épousé.

Papa arrive, il l'embrasse, s'inquiète de sa toux, vérifie que le frigo est plein et son dîner prêt, ouvre son courrier, touche à tout… « Tu as pris tes médicaments ?

— Même si j'oublie, Martha me le rappelle, n'est-ce pas ? La pauvrette qui est là pour s'occuper de moi, comme si j'étais malade.

— Elle est là pour t'aider, c'est tout.

— Je n'ai pas besoin d'aide. Toi par contre, tu as très mauvaise mine.

— Je vais très bien ! Tiens, regarde, je t'ai apporté du gâteau au fromage… »

C'est incroyablement touchant cette manière qu'il a de s'occuper de sa mère.

Je les laisse se chamailler, je les observe en me disant qu'un jour, ce sera à moi de m'occuper de lui.

Chère Marion Jones,

Comment vont tes cuisses ?

Merci pour ce long mail, si tu tapes vraiment d'un doigt, dis à ton index que je le vénère. (Tu ne tapes quand même pas avec le pouce ?)

J'ai réussi à te suivre malgré le saké et, il n'y a qu'une chose que je ne comprends pas, c'est comment tu peux te détendre en écoutant Évita...

Moi, je ne remets jamais rien au lendemain, non pas que je sois Wonder Woman, c'est juste que je n'arrive pas à faire autrement. Quand j'ai quelque chose à faire, je stresse tant que ce n'est pas fait. C'est complètement névrotique, mais pratique. Et aussi fatigant. Je suis capable de me relever rien que pour reboucher une bouteille d'eau. C'est atroce. Rien que d'en parler, ça me fait penser à mon repassage, mon courrier en retard et mes courses à faire et, il faut que j'arrête parce que sinon ça va me gâcher ce moment passé avec toi. C'est un cercle vicieux parce qu'on a toujours quelque chose à faire. Et une fois qu'on pense avoir tout fait, tout est à refaire. Est-ce qu'il t'arrive d'être complètement à jour dans tes paperasses ? Parce que moi, je n'ai jamais réussi à faire mieux que « presque ». Bon, je vais me calmer parce que si je commence comme ça, tu n'auras pas besoin de saké pour avoir la tête qui tourne.

Au fait, tu es de quel signe ? Et ton ascendant, tu le connais ?

Je suis bien de ton avis concernant la joie que procure l'anticipation. J'observe mes amies, certaines d'entre elles se laissent littéralement aller depuis qu'elles sont casées. Parfois on se retrouve au resto et elles ne sont ni maquillées ni coiffées, visiblement elles ne se sont pas changées depuis le matin ; je trouve ça dommage. D'autant plus qu'au niveau shopping, elles ont une puissance de tir assez phénoménale… Moi, au moins j'essaye ! (Chaque fois que je me prépare pour sortir, je revois ces recettes de cuisine qui se terminent par un joyeux « C'est prêt ! ». Une fois maquillée, je me regarde et je pense à ça. C'est pareil, sauf que mon « C'est prêt » n'a pas de point d'exclamation.)

Tu me diras, les personnes qui se disent passionnées après quelques années de mariage sont soit des menteurs, soit des acteurs sur grand écran, ou bien des sacrés veinards que j'espère ne jamais rencontrer.

Enfin, de manière générale, je trouve qu'il y a de moins en moins de coquettes. Il y aura toujours des poufs qui ne pensent qu'à leur apparence, mais moi je pense aux femmes qui considèrent qu'être soigné est une forme de politesse. J'ai remarqué qu'au mariage de Sarah, tu te remettais régulièrement du rouge à lèvres ; et j'ai trouvé ça très bien.

La semaine prochaine, Vincent doit aller à Hambourg, il ne rentrera à Paris que dimanche, alors mon père en a profité pour me demander de l'accompagner au mariage de Claire, la fille d'un de ses amis. Je n'ai aucune envie d'y aller car je la connais à peine, mais mon père a insisté. Il me dit que ça me changera les idées, mais je crois qu'en fait, l'absence de Vincent le renvoie à sa propre solitude, ce qu'il ne supporte pas.

J'ai acheté Jane Eyre, *ça me servira bien un jour. En attendant, je l'ai posé sur ma pile de bouquins qui attendent patiemment que j'aie du temps à leur consacrer.*

Bon, il est temps d'aller me coucher, j'ai une migraine terrible et je me dis qu'avoir une attaque cérébrale maintenant serait totalement inapproprié.

Bises,
A.

P-S : tu as bien fait d'arrêter les trucs allégés. Les glaces, les chocolats, les hommes... Certaines choses sont meilleures riches.

P-P-S : et désolée pour les courbatures, je croyais que ton cours était soft, relax, juste du stretching... C'est bien fait pour toi ! (Si tu es encore bouche bée, profites-en pour mettre quelque chose de sucré dedans.)

La matinée a été interminable et, j'ai attendu avec impatience que Julien pousse la porte de la boutique pour m'emmener déjeuner.

Julien sort tout juste d'une rupture que je devine douloureuse, mais comme toujours, il fait le fanfaron et prétend que tout va bien. Naturellement notre discussion dérive sur les couples et, je le laisse me baratiner, même si je ne suis pas dupe.

« Ça n'aurait jamais marché de toute façon, elle était trop… fille.

— Ça veut dire quoi "trop fille" ?

— Trop différente. Il suffisait de comparer nos appartements pour comprendre qu'on n'aurait jamais pu vivre ensemble. Moi j'ai quelques objets dans ma salle de bains : brosse à dents, dentifrice, mousse à raser, savon et, une vieille serviette. Elle, elle en a… deux cent trente-sept ! Impossibles à identifier pour la plupart…

— Mais qu'est-ce que tu racontes ? C'est comme ça chez tous les couples, ce n'est pas pour ça que toutes les relations sont vouées à l'échec !

— Y a d'autres choses ! Par exemple elle s'habillait pour un oui ou pour un non : aller faire des courses, descendre chercher le courrier, aller à la banque… Tout était bon pour essayer plein de fringues et se pomponner pendant des heures. Moi, tu me connais, je mets un costume pour les mariages et les enterrements ; le reste du temps, je suis relax.

— Tout ça c'est des détails. Et toi, qu'est-ce qu'elle te reprochait ?

— Oh, elle se plaignait tout le temps. Enfin surtout de ce qu'elle appelait "mon manque d'écoute". Ou quelque chose comme ça. J'ai jamais fait très attention.

— Tu frimes, mais t'es comme Ambre : t'as les boules.

— Mais non, vraiment pas. Tu sais, les mecs ne pleurnichent pas en pensant aux meilleurs moments ; ils se consolent en revoyant les pires. Tiens, justement, un truc qui me rendait fou : quand on se disputait, il fallait toujours qu'elle ait le dernier mot. J'ai essayé de lui clouer le bec deux ou trois fois ; eh bien, mes derniers mots devenaient aussitôt le début d'une autre dispute ! L'enfer. Au bout d'un moment, je me vengeais sur son chat. Elle adore son chat et je faisais semblant de l'aimer, mais quand elle me faisait trop chier, je lui filais des coups de latte en douce.

— T'es malade.

— Non, lucide. »

Notre serveuse, qui a l'air un peu ailleurs, nous interrompt juste avant que je ne commence à m'impatienter.

« Vous désirez autre chose ?

— Je prendrais bien un déca... »

Julien me regarde mais je fais signe que je ne veux rien. « Alors un décaféiné, s'il vous plaît. »

Deux minutes plus tard, la serveuse revient avec deux cafés. On lui dit qu'il n'y en avait qu'un seul.

« Ce n'était pas : Deux – caféinés ? demande-t-elle en articulant avec une drôle de tête.

— Non, juste : Un – Dé-caféiné. »

Elle remporte les cafés, Julien remet son écharpe et me regarde.

« J'arrive même pas à me faire comprendre quand je commande un café et tu veux me convaincre que je suis fait pour vivre avec une femme ? »

Mon portable sonne, c'est Sylvia.

Elle démarre une nouvelle pièce et m'envoie une invitation, bien sûr elle en a aussi envoyé une à Julien. On se demande si on doit être ravis ou catastrophés et, nous optons pour les deux.

Je suggère d'y aller séparément pour ne pas prendre de risques, mais ça nous priverait de trop de plaisir.

C'est décidé, on ira ensemble et, on s'engage solennellement à bien se tenir…

Chère Ariane,

Me revoilà avec Évita, mais sans saké cette fois.

J'ai repensé au fait de changer de nom en se mariant et je suis d'accord avec toi : c'est un peu barbare. Mais je pourrais gérer assez facilement si l'occasion se présentait.

Ça m'a rappelé l'histoire de ce type que je croisais tous les étés en vacances. Un jour, je l'ai vu accompagné d'une jolie fille et je suis allée leur dire bonjour. Il ne nous a pas présentés alors je me suis tournée vers elle en lui disant mon nom et, elle a murmuré : « Je suis la fiancée de Joe. » J'ai répondu : « Et tu t'appelles... » Elle ne s'identifiait déjà plus qu'à travers lui. Je les ai revus deux ans plus tard, il la traitait comme une merde et j'ai pensé : bien fait !

Je ne sais pas si je te l'ai dit mais une de mes meilleures amies va venir vivre à Paris. C'est une fille intelligente et très douée. Elle parle couramment le français et l'anglais et, étudie à Oxford pour passer un diplôme de... Je suis incapable de retenir les études que font les gens. (Pareil quand ils sont consultants, je ne sais jamais en quoi.) Passons.

Elle est mariée et a trois enfants : Candice, David et,... Merde ! J'ai oublié. Je suis une mauvaise amie, j'ai honte. Bon, ça me reviendra. Elle joue du violoncelle et chante très bien.... Je ne sais pas ce que j'ai, on dirait une amie de ma mère qui essayerait d'arranger un mariage. Enfin je lui donnerai ton numéro, j'aimerais bien que tu la rencontres.

Son mariage était intime, environ quatre-vingts personnes et, ils ont décidé de faire ça dans la maison de campagne de ses parents. La cérémonie était très émouvante et tout le monde pleurait. Enfin pas moi. On m'avait chargée de faire des photos et j'étais bien trop occupée pour pleurer.

À la fin de la fête, alors qu'elle allait monter avec son mari, elle est venue nous voir (le groupe des vieilles copines) et elle s'est mise à pleurer. On lui a demandé ce qui n'allait pas et elle a répondu : « Je ne veux pas m'en aller, je veux rester laver la vaisselle avec vous. » J'ai fondu en larmes et, toutes les autres ont suivi. Je m'en souviens comme si c'était hier.

J'ai fait une pause pour manger mon bol de céréales et ça va beaucoup mieux.

J'ai dîné avec un type hier soir, suite à une intervention de mon père. D'ordinaire, mes parents ont interdiction absolue de se mêler de ma vie privée et je déteste qu'ils parlent de moi avec leurs amis, mais mon père m'a assuré que ça s'était passé spontanément. Il m'a expliqué qu'il avait croisé des amis avec leur fils et qu'ils avaient pensé qu'on devrait se rencontrer.

Il était si gêné en me disant qu'il avait donné mon numéro, que je me suis laissé attendrir. Surtout quand il m'a dit d'un air désemparé : « Tu n'es obligée de rien. » Puis il m'a énervée avec un discours dans le genre : « Même si le Prince Charmant sonne à ta porte, tu feras comme si tu n'avais pas entendu. Et si tu lui ouvres, tu lui claqueras la porte au nez avant qu'il ait eu le temps de te dire bonjour. » Difficile après ça de refuser de rencontrer quelqu'un...

J'ai demandé si le fils était mignon, il m'a répondu qu'il ne connaît rien aux garçons et qu'il avait déjà oublié sa tête.

Mon père est un menteur.

C'est ce que je me suis dit quand Benjamin Sherman est venu me chercher. Il n'avait pas pu oublier cette drôle de tête !

À ma grande surprise, il m'a emmenée dans un restaurant casher. Je lui ai dit que je ne me souvenais pas que ses parents étaient religieux, il m'a répondu : « C'est exact, c'est juste moi. »

Il a poursuivi par un grand exposé sur l'origine et le développement de sa foi. Quand il a terminé, ça faisait au moins une heure qu'on était à table. Et, sans transition, il m'a demandé ce que je pensais de lui...

J'ai été un peu embarrassée par la franchise de sa question, mais aussi soulagée car ce n'était pas la peine d'entretenir un malentendu.

« Je pense que ça ne va pas coller. Je ne suis pas très pratiquante et, vu l'importance de la religion dans ta vie, il te faut une femme qui partage ta foi.

— Tout à fait d'accord... Mais pour tirer un coup ça pourrait coller.

— ... Pas avec moi. »

Je n'ai pas cillé et j'ai sauvé la face, mais je n'en revenais pas. Scotchée.

Pas de dessert, merci.

Puis je me suis dit que cette histoire pouvait avoir du bon : si je la raconte à mes parents, ils n'oseront plus jamais me monter une baraque.

C'est l'heure de mon cours de gym. Si cette salope de prof m'emmerde encore, je l'envoie dans la chambre des tortures avec Barbara et les filles en sandales.

Bises,

Justine

P-S : pas moyen de me souvenir du nom du troisième enfant. Fait chier.

P-P-S : je rencontre trois types la semaine prochaine, sait-on jamais…

C'est le grand soir ; j'ai rendez-vous avec Julien pour découvrir la nouvelle pièce de Sylvia et, j'ai fait mes devoirs : j'ai préparé mentalement une série d'adjectifs que l'on peut employer pour qualifier un spectacle, sans que ça signifie quoi que ce soit. Je déteste mentir et, je ne pourrai jamais encenser quelque chose que je déteste, aussi ma liste est prête : « Étonnant », « original », « unique », « surprenant »… Même si c'est nul, j'aurai quelque chose à dire.

Nous voilà bien installés dans un théâtre qui a le mérite d'être de dimension humaine et, à mon grand soulagement, je n'aperçois aucune tête connue.

Il faut dire que pour prendre un fou rire, il faudrait vraiment être dérangé, vu que la pièce a pour sujet l'agonie d'un homme âgé qui confie ses regrets à son infirmière avant de mourir.

La mise en scène est réduite, il ne quitte jamais son lit et, pour tout mouvement, Sylvia se contente de le faire boire et de lui donner ses médicaments sous la petite lampe de chevet qui constitue le seul éclairage.

Julien et moi souffrons en silence, notre attention est certes éveillée lorsque la scène se retrouve soudain plongée dans le noir et, nous nous concentrons en attendant de voir le cours que va prendre la pièce. Puis, la venue d'un technicien accouru discrètement des coulisses pour remplacer l'ampoule de la lampe de chevet nous informe tacitement que l'obscurité était purement accidentelle et, la monotonie reprend ses droits.

Deux heures plus tard, nous sommes morts d'ennui et complètement déprimés ; le vieil homme se repent et meurt en paix ; et ça tombe bien car je suis affamée.

Impossible de partir sans embrasser Sylvia.

Je lui balance mes mots qui ne veulent rien dire, j'adapte un peu à la situation (« C'est un texte qui doit être intéressant à lire ») et je laisse la parole à Julien.

Ce salaud, qui a regardé sa montre une bonne quinzaine de fois pendant la soirée, se perd en compliments. « Formidable, j'ai adoré, vraiment quel beau spectacle… » Je n'en reviens pas ! Sylvia doit rester parler avec le metteur en scène, mais elle nous demande où on va dîner au cas où elle pourrait nous rejoindre.

Une fois seuls, je traite Julien de fayot et d'hypocrite, il se défend en disant qu'il était juste poli et on part au restaurant. Contre toute attente, Sylvia nous rejoint vingt minutes plus tard.

Très excitée, elle nous informe que la pièce a été filmée par une chaîne du câble.

Je réponds avec enthousiasme :

« Il faudra que tu préviennes Julien de la diffusion parce que comme il a adoré, il pourra revoir la pièce. »

Je croyais l'embarrasser, mais sans le moindre scrupule, il enlève sa veste et rétorque :

« C'est vrai et, puis si je ne suis pas là, je l'enregistrerai. »

Sylvia est enchantée, c'est toujours ça. Et devant ma tête ahurie, il en rajoute encore.

« Tu préviendras Ariane pour qu'elle enregistre aussi, mieux vaut doubler par sécurité. »

Ça y est, le fou rire qui me guettait est parti et, je suis obligée de fouiller dans mon sac pour me cacher sous la table.

Cette fois encore, je rentre en pleine forme.

J'adore le théâtre.

« C'est Ambre. Tu ne devineras jamais avec qui je pars ce week-end… Guillaume ! Guillaume du service Marketing. Celui sur qui j'avais…

— Je sais très bien qui c'est, c'est le type qui avait flashé sur Léa.

— Merci de me le rappeler. Bon, en attendant, ça a dû lui passer parce que je l'ai croisé hier soir dans l'ascenseur, il m'a suggéré d'aller prendre un café et, de fil en aiguille, on a fini par passer la soirée ensemble. Et tu sais quoi ? Il m'a embrassée en partant !

— Et ?

— Et c'est génial, non ? Mais c'est pas tout : il part à Bruxelles vendredi pour assister à un concert, il m'a proposé de le rejoindre pour qu'on aille passer le week-end à Amsterdam.

— Eh ben ! Ça va vite !

— T'as remarqué aussi ? Mais j'ai peur de louper le coche si je le fais attendre.

— S'il tient à toi, il attendra.

— Oh, écoute, on disait ça au lycée mais maintenant c'est plus comme ça ; on est adultes. On se fait plaisir sans se poser de questions.

— C'est ça, ta définition de l'âge adulte ? N'oublie pas de me prévenir si tu décides de rédiger un dictionnaire…

— Me parle pas de dictionnaire, ça me rappelle la page 39. Fais pas ta rabat-joie, je veux simplement me faire plaisir.

— Alors fais-toi plaisir, ma belle.

— J'ai appelé Léa pour lui demander le nom de l'hôtel qu'elle avait adoré, elle m'a répondu, "J'ai oublié, demande à Ariane, c'est elle ma mémoire vive".

— Elle est gonflée, j'y suis jamais allée ! Enfin je crois que c'est le Blue Tulipe ou un truc comme ça.

— Exactement ! Bon, je les appelle tout de suite, à plus. »

Samedi matin, c'est une Ambre radieuse qui grimpe dans le TGV à destination d'Amsterdam.

Guillaume la retrouve à la gare et ils passent l'après-midi à flâner dans la ville, se promenant tranquillement le long des canaux, de marchés en cafés, de boutiques en galeries.

Samedi soir, ils regagnent leur hôtel et montent dans leur chambre, située au dernier étage. Ambre va à la fenêtre et découvre la splendide vue qui les attend. Elle fait signe à Guillaume de la rejoindre.

« Viens voir comme c'est beau ! murmure-t-elle.

— Suce-moi », répond Guillaume.

« Devine qui est de retour ?

— Maman ?!

— Ça fait du bien d'être chez soi !

— Tu aurais dû me prévenir, je serais venue te chercher. Pedro est avec toi ?

— Non, il est resté là-bas, c'est fini. Je suis trop vieille pour les poètes engagés, il faut que je me trouve quelqu'un de plus posé la prochaine fois. Allez, viens me voir, j'ai plein de choses à te raconter. »

« La prochaine fois. » Elle ne doute de rien. Mais le pire c'est qu'elle a raison.

Ma mère a cinquante-cinq ans, elle a été mariée deux fois et depuis elle n'est jamais restée célibataire plus de quelques mois. Sa vie sentimentale ne recèle aucune souffrance, ou alors elle sait parfaitement bien les cacher. Elle est née et a grandi à New York, d'où un léger accent que tout le monde trouve adorable. De son enfance privilégiée de fille de haut fonctionnaire, elle a conservé un goût prononcé pour le luxe et, un culot qui m'embarrasse depuis ma naissance.

Tandis que je marche en direction de son appartement, je me demande pourquoi les choses sont toujours si simples pour elle et si compliquées pour moi.

Je l'ai souvent critiquée, mais je me dis que j'ai peut-être des choses à apprendre d'elle.

À commencer par cette incroyable aisance qui caractérise chacun de ses mouvements.

Est-ce que ça s'apprend ? Non, c'est inné. On l'a ou on ne l'a pas. Et moi je ne l'ai pas, c'est clair.

C'est comme cette aptitude à porter du blanc sans se tacher, je n'ai jamais pu y arriver.

Dès que le temps le permet, ma mère ne porte que du blanc. Elle se paye le luxe de se taper douze heures d'avion habillée en lin blanc et, à l'arrivée, ses vêtements sont non seulement propres mais à peine froissés, juste ce qu'il faut pour avoir l'air décontractée.

Ça me tue. J'admire, mais ça me tue.

Son appartement est un drôle de mélange de styles et de couleurs, d'objets rapportés des quatre coins du monde qui se côtoient avec goût.

Elle s'affaire, prépare un thé, babille… elle est gaie et tout semble facile.

Elle prend des nouvelles de Vincent, de mon père et de ma grand-mère dans la même phrase et, comme toujours, n'écoute que distraitement ma réponse. C'est pour ça que j'ai toujours eu du mal à me confier à elle. D'autant plus que toutes mes tentatives se soldent systématiquement par un échec humiliant. Mais il y a quelque chose en moi qui ne renonce jamais et, cette fois encore j'ai envie d'essayer.

« Tu sais, j'ai fait un drôle de cauchemar pendant ton absence. Avec toi et des fleurs en plastique.

— Raconte.

—.C'était mon mariage, il y avait plein de monde, mais personne n'était bien habillé, pas même moi. Tout le monde était malade. Mais c'est pas ça le cauchemar. Tout à coup, au milieu du chaos, je remarquais que les fleurs étaient en plastique. Je te cherchais partout pour t'en parler. À la fin, je te trouvais et je te faisais une scène terrible en te demandant comment tu avais pu me faire une chose pareille. Qu'est-ce que tu fais ?

— Excuse-moi, c'est l'heure de mon feuilleton.

— T'exagères, je te raconte un truc et tu allumes la télé ! J'ai pas fini, y avait pas de marié !...

— Chérie, les rêves, ça ne veut rien dire et, ceux des autres n'ont aucun intérêt. Viens regarder avec moi, tu verras, c'est amusant comme tout.

— Mais depuis quand tu regardes ces conneries ?

— J'ai pris l'habitude en Argentine, ils ont les pires *telenovelas* au monde. Enfin les meilleures. Chut, ça commence. »

D'autorité elle me prend la main et me force à m'asseoir près d'elle.

Je reste là, je ne veux pas qu'on se dispute et, surtout je réalise que ça fait longtemps qu'on n'a rien partagé. Et si ça doit être un feuilleton débile, c'est quand même bon à prendre.

Sur l'écran, un couple hideusement beau et parfaitement apprêté se regarde dans les yeux.

« Mais Ridge, tu sais bien que je t'aime !

— Peut-être, mais ma mère ne le supportera pas...

— Je saurai la convaincre !

— Jamais. Elle n'y croit plus depuis que tu as essayé de me tuer... »

Ma mère glousse de plaisir. C'est peut-être ça la seule chose que j'ai à apprendre d'elle : laisser venir les plaisirs et être plus légère.

Je laisse ma main dans la sienne.

« Je suis désolé, chérie. Vraiment désolé, j'étais sûr qu'on serait assis ensemble… »

Les parents de Claire ont fait les choses en grand, il y a plus de cinq cents personnes à ce mariage et, mon père a mis au moins vingt minutes à trouver ma table.

« C'est pas grave, papa, tout va bien.

— Tu te fais de nouveaux amis ? »

Regard moqueur des autres convives. Merci, papa, de me rappeler le bon vieux temps où tu rentrais plus tôt que prévu le jour de ma boum, tu lançais un joyeux « Je ne fais que passer ! » à la cantonade et, une heure après tu étais toujours en train de tenir la jambe à mes amis…

« Oui, papa, tu devrais retourner dîner, je viendrai te rejoindre à la fin du repas. »

Je suis à une table pourrie : des célibataires bichonnées et sur le qui-vive, une femme de quarante ans qui nous regarde d'un air hautain et, un type, unique mâle à la table, qui arbore un ignoble sourire condescendant.

Je regarde autour de moi pour voir ce que je rate, quand je remarque ma cousine Bérénice, quelques tables plus loin. Mais qu'est-ce qu'elle fait là cette conne ? Elle n'a pas dû me voir, sinon elle serait venue frimer, ne serait-ce que parce qu'elle est particulièrement en beauté.

Je vais me tenir bien droite, me concentrer sur ma table et, peut-être que je réussirai à oublier sa présence.

« Quel beau mariage, s'exclame la femme de quarante ans, je n'en ai pas vu de pareil depuis le mien !

— Votre mari n'a pas pu venir ? demande poliment sa voisine, une jolie fille d'une vingtaine d'années au visage lunaire.

— Nous sommes divorcés. »

Elle a parlé fort. Message reçu, célibataire mais avec un train d'avance, à ne pas confondre avec les autres.

« Je suis désolée, répond la jeune fille.

— Pas moi ! La seule chose que j'ai appréciée au cours de mon mariage, c'était la perspective de faire chier le même homme toute ma vie ! »

La petite écarquille les yeux.

« Et le romantisme ? »

La femme se penche en avant afin de lire son nom sur le carton et lui dit :

« Ma petite Élodie, vous savez ce qu'a fait mon ex-mari quand je lui ai reproché de ne pas être assez affectueux ? Il a pris une seconde maîtresse. Vous trouvez ça romantique ? »

Élodie rapetisse à vue d'œil, elle va bientôt avoir besoin qu'on lui mette un bottin sous les fesses pour rester visible.

« Mais au début, vous avez dû être heureuse ?

— Juste le temps d'y voir clair. Vous croyez peut-être que l'amour est aveugle… Eh bien, le mariage ouvre les yeux.

— Je suis sûre qu'il y a eu de bons moments, je ne sais pas moi… les petits déjeuners au lit…

— Oh, moi j'avais prévenu mon mari : si tu as envie d'un petit déj' au lit, tu n'as qu'à dormir dans la cuisine ! »

Intervention du coq, ravi d'avoir enfin une bonne raison de glousser.

« Une féministe, comme c'est mignon… Vous faites l'indépendante, mais vous flippez parce que vous êtes seule et que vous ne concevez pas la vie sans homme. »

Et c'est parti : c'est à qui balancera le plus de vacheries. La femme se défend bec et ongles, elle a bu et devient franchement agressive. Enfin le type lui dit :

« Arrêtez de crier comme ça, c'est pénible à la fin ! Et puis souriez, c'est la deuxième meilleure chose que vous puissiez faire avec votre bouche. »

Il ricane et visiblement s'attend à être suivi par le reste de la table, mais nous sommes toutes affligées par le spectacle qu'ils offrent et, un silence gêné s'installe.

C'est précisément à cet instant que Claire et son mari viennent nous demander si tout se passe bien. On répond en chœur « très bien merci ! », on sourit le temps de la photo et, dès qu'ils ont tourné le dos, les hostilités reprennent.

J'observe tout ça sans rien oser dire, car si j'avoue que je suis mariée à des célibataires et une harpie pareille, je risque de me faire lyncher.

Heureusement, le type finit par quitter la table et la bonne femme se venge sur Élodie en lui donnant des conseils du genre « N'imaginez pas que vous puissiez changer un homme à moins qu'il porte encore des couches », ou « Restez avec les hommes de votre âge, puisque de toute façon, ceux de cinquante ans sont tout aussi immatures ».

La petite, qui n'a jamais perdu autant d'illusions en deux heures, semble extrêmement éprouvée et, j'ai peur qu'elle finisse par fondre en larmes. Je l'entraîne vers le buffet des desserts ; à son profond soulagement, elle y retrouve ses parents.

Je croise mon père devant les toilettes pour dames où il est entré par erreur, je le supplie de rentrer et il accepte à condition que je lui explique pourquoi les femmes ont toujours la bouche ouverte quand elles se mettent du mascara.

Chère 'ustine,

J'ai le hoquet, c'est très énervant vu tout ce que j'ai à te 'aconter alors je vais me concentrer très fort 'our que ça passe.

Ça y est.

J'ai tout fait en même temps : cessé de respirer, bu de l'eau à l'envers et, imaginé qu'il y avait un tueur dans mon dos pour avoir très peur ; si bien que je ne saurai jamais quelle méthode est la bonne.

J'ai vraiment l'impression qu'être célibataire à NY est une occupation à plein temps. Trois rencards dans la semaine, ça m'impressionne ! Les « blind-dates » n'existent pas ici. On a bien importé les bars à rencontres express ; mais les dîners en tête à tête où deux parfaits étrangers se rencontrent et s'évaluent ouvertement n'ont jamais fonctionné ici.

Les Français sont pudiques – et hypocrites. C'est rare qu'ils soient officiellement en recherche et, quand on organise une rencontre, c'est toujours par le biais d'un arrangement compliqué où personne n'est censé être au courant de rien.

Enfin passons et, revenons à mon sujet préféré : moi.

D'abord ma mère est de retour en France, c'est un trop vaste sujet pour être abordé maintenant, mais sache une chose, ça représente une source de stress majeur. Il y a des tas de choses qui m'exaspèrent chez elle, mais curieusement je crois que j'aimerais lui ressembler un peu. Elle a une façon insolente d'être heureuse qui me déconcerte. Au moment où je m'en allais, elle m'a dit : « Tu as tout pour être heureuse, alors pourquoi fais-tu cette tête ? » Elle a éclaté de rire, m'a embrassée et a claqué la porte. J'avais envie de sonner pour la gifler, lui dire que quand on pose une question, on attend la réponse ; et que si je faisais une drôle de tête, c'est précisément parce que je ne m'habitue pas à son comportement.

J'avais aussi envie de pleurer dans ses bras, mais ça c'est impossible, alors je suis partie.

Mon père a réussi à me convaincre de l'accompagner au mariage de Claire.

J'ai pensé au parcours du combattant que tu t'imposes avant chaque réception et, j'ai décidé que je méritais un plaisir pour compenser toutes les épreuves subies ces derniers jours. J'ai donc pris rendez-vous chez l'esthéticienne pour un soin du visage.

Et je suis partie, persuadée d'en ressortir transformée, tant sur le plan moral que physique.

Je n'avais pas fait attention en prenant rendez-vous, mais l'immeuble voisin est en train d'être intégralement détruit. Une fois installée dans la cabine, le bruit était tout simplement assourdissant. Les yeux fermés, j'avais l'impression d'être entourée d'une douzaine d'ouvriers en train d'actionner leur marteau-piqueur et, ce n'était pas une vision très excitante. Il n'y a que dans les pubs pour le Coca light que les ouvriers sont sexy et, de toute façon je n'aime pas le Coca.

La fille a commencé à scruter mon visage afin de définir quel soin elle allait me faire, puis elle s'est mise au travail. Au bout de quelques secondes, elle m'a dit : « Votre peau commence à perdre de sa tonicité, vous mettez de la crème de nuit ? »

Quelle façon inamicale de démarrer une conversation...

J'ai répondu : « Je me baigne dans la crème de nuit. »

Silence. (Enfin, façon de parler.) Elle a dû se dire qu'elle avait mal compris à cause de tout ce bruit. Et elle a insisté : « Il faut mettre de la crème raffermissante ! »

Je te jure, j'ai failli lui hurler de me montrer ses pieds immédiatement, mais j'ai opté pour « Mmmm » afin qu'elle se taise, ce qu'elle a eu le bon goût de faire.

Plus tard, tandis que mon visage cuisait sous la vapeur comme un ravioli crevette, elle m'a massé les mains et je me suis dit qu'après tout c'était mon amie.

Je détesterais être un ravioli crevette.

Être pêchée, atterrir dans un resto chinois où on te roule dans une grosse nouille pleine de glutamate, puis cuite à la vapeur, avant de finir dans une bouche pas forcément saine... Certaines crevettes ont un karma terrible. J'en parlerai à mon père la prochaine fois qu'il se plaindra du sien.

Tout ça pour ce fichu mariage. Rien ne s'est passé comme prévu : mon père était placé avec ses copains et, moi, je me suis retrouvée à une table où ils avaient casé toutes les « pièces uniques », dont une divorcée super amère et un mec d'une incroyable misogynie. Ils se sont agressés toute la soirée, c'était affreux.

Pas le temps de rentrer dans les détails, tout ce que je peux te dire, c'est que pour couronner le tout, j'ai eu la mauvaise surprise de découvrir la présence de ma cousine Bérénice.

Bérénice est mon pire cauchemar depuis que je suis née, c'est le genre de fille qui, vue de l'extérieur, a toujours tout bon. Quand j'étais petite, mon père me disait toujours : « Mais comment fais-tu pour être toujours décoiffée ? Regarde ta cousine comme ses cheveux sont bien peignés. » C'est juste un exemple, mais toute ma vie, ç'a a été comme ça ; on nous a toujours comparées et c'est insupportable.

Bérénice est blonde, ses cheveux sont longs et lisses, elle dit toujours ce qu'il faut à la bonne personne et au bon moment. Quand Bérénice offre un cadeau ou fait un compliment, c'est toujours devant quelqu'un, tu vois ce que je veux dire ? Elle est attachée de presse, spécialisée dans les marques de cosmétiques et, tu l'auras deviné, excelle dans son travail.

Tout le monde adore Bérénice. En réalité, c'est la reine des hypocrites, doublée d'une véritable peau de vache, mais peu de gens s'en sont rendu compte jusqu'à présent.

Elle s'est trouvé un gentil fiancé et me lorgnait fièrement de sa table de couples. Moi je faisais semblant de l'ignorer, mais j'avais envie de lui mettre une paire de claques et de niquer son beau chignon. Je me suis calmée en imaginant que dans sa prochaine vie, elle se réincarnerait en ravioli crevette.

Bon, assez pour aujourd'hui, je vais me coucher.

Je t'embrasse,

A.

P-S : arrête les céréales, tu vas finir par ressembler à un chocapic.

Chère Ariane,

Pas le temps de t'écrire longtemps : je pars ce soir à Miami pour un salon avec mon boss qui est hyperstressé. J'ai plein de boulot à finir et, ma valise à faire.

Je voulais juste te dire que personne ne comprend mieux que moi ce que c'est d'avoir une mère comme la tienne. Quand je suis partie faire mes études à Londres, j'ai appelé chez moi au bout d'une semaine, j'étais déprimée et ils me manquaient. Mon père a décroché et, au bout de quelques secondes, je me suis mise à pleurer. Je l'ai senti bouleversé et il m'a précipitamment passé ma tante. Ma tante m'a entendue pleurer, elle s'est mise à pleurer.

Elle m'a passé ma mère. Ma mère m'a entendue pleurer... Elle a raccroché.

Bien sûr, quelque part au fond de moi, je savais que si elle avait fait ça, c'est parce qu'elle ne savait pas gérer mon chagrin. Mais putain, est-ce que c'est vraiment inconcevable d'espérer que nos parents assurent quand on va mal ?...

J'ai passé un week-end de merde et, en plus, dans le dernier épisode de Sex and the City, *Carrie qui s'était remise avec Aidan a encore tout fait foirer.*

J'étais devant la télé en train de crier : « Grandis un peu, connasse ! » Très mauvaise soirée, il faudra que j'écrive à HBO.

Tu t'enthousiasmais de mes trois rencards, eh bien, ils étaient nuls. La seule chose un peu intéressante qui me soit arrivée ces derniers jours, c'est d'apercevoir ce type qui me plaît bien, Harry et, qui était parti travailler à Londres l'année dernière. Quelques mois plus tôt, mon ami David nous avait présentés, il ne m'avait pas plu et je l'avais ignoré. Et puis va savoir pourquoi, aussitôt après, j'ai commencé à le trouver séduisant. Encore plus quand j'ai su qu'il avait quitté la ville.

Hier, quand je l'ai aperçu au café du coin, ça m'a fait un choc et j'ai été incapable d'aller lui dire bonjour. Renseignements pris, il est de retour pour de bon. Alors j'ai demandé à David d'organiser un dîner. Je suis surexcitée !

Mon patron me fait peur, j'y vais.

Justine

P-S : je suis taureau. Je crois que je suis née un mercredi, ça me ferait quoi comme ascendant ?

P-P-S : il faut agrandir la Chambre des Tortures, j'y ai envoyé ta cousine Bérénice, la divorcée aigrie et le connard misogyne.

Mardi soir autour d'une table.

Léa, Julien et moi attendons Ambre, qui arrive avec un air mystérieux et une pochette de documents qu'elle serre farouchement contre elle.

Elle s'assied, pose la pochette sur la table, nous regarde l'un après l'autre et, se lance :

« Ça y est, j'ai passé le cap.

— Quel cap ?

— L'agence matrimoniale. Enfin officiellement, c'est un club de rencontres pour célibataires, mais ça revient au même. »

Incrédulité générale. Elle n'a pourtant pas l'air de plaisanter.

« C'est à cause de Guillaume ? demande Léa.

— Tu plaisantes ! Non, Guillaume n'est qu'un connard de plus sur une liste qui commence à être longue et, je n'ai plus envie de perdre mon temps avec des types de son genre. Dans ce club, je sais que je vais rencontrer des hommes motivés qui pensent à autre chose qu'au cul.

— Ça va si mal que ça ? demande Julien.

— Ça veut dire quoi cette question ? Avoir envie d'une vraie histoire, c'est un signe qu'on va mal ?

— Non, mais il y a d'autres méthodes pour faire des rencontres… Le boulot, les amis…

— Tout le monde est maqué à mon boulot et, mes amis c'est vous ! Ça fait quinze ans qu'on se connaît et qu'on s'est présenté tous nos proches et, les célibataires qu'on rencontre ne nous plaisent jamais ! Sérieusement, il faut que je remonte aux fêtes d'étudiants pour avoir trouvé un mec qui me plaisait à une soirée. Je veux juste me donner d'autres possibilités avant qu'il ne soit trop tard. »

« Trop tard ! » Elle est folle. Ambre a mon âge, à l'entendre on est sur le point d'être périmées…

« Tu as encore quelques années devant toi avant qu'il ne soit trop tard. » Elle me fait répéter car j'ai parlé trop doucement.

« Quelques années ? Écoute, j'ai presque trente-trois ans, si demain je rencontre un type qui me plaît, il faudra quelque temps avant qu'on vive ensemble et, en tout cas au moins un an avant d'oser parler bébé et mariage. Ce qui signifie que dans le meilleur des cas, j'aurai mon premier enfant à trente-cinq ans. Eh bien, je n'ai pas l'intention d'attendre plus. »

Silence.

Moi je ne sais pas quoi répondre, Julien a prudemment choisi de ne pas insister et, même Léa se tait ; ce qui m'étonne. Finalement, c'est elle qui craque.

« C'est quoi dans la pochette ?

— Des fiches de mecs pour voir lesquels m'intéressent.

— Fais voir ! »

Elle ouvre son dossier et on se jette sur les fiches.

« Y a pas de photos ?

— Ils les donnent seulement quand l'annonce nous plaît, pour qu'on ne soit pas influencé par le physique. C'est une nouvelle méthode qu'ils essayent, parce que, d'après leur expérience, les couples qui marchent ne sont jamais ceux qui se sont choisis pour le physique…

— Ça ressemble surtout à une tentative pour écouler leur stock de boudins ! » dit Julien qui a repris du poil de la bête.

Léa attrape une fiche.

« La quarantaine, éduqué, séduisant… Ça commence mal. Un type qui annonce la quarantaine, c'est qu'il en a cinquante-deux et cherche une minette de vingt-cinq ans. "Éduqué" ça veut dire qu'il saura tout mieux que toi et, s'il se dit séduisant, c'est qu'il est arrogant.

— Commence pas ; moi j'avais choisi celui-là : Poète, esprit large et attentionné. »

Cette fois c'est Julien qui attaque.

« Poète ? Il est pédé ou quoi ? Esprit large c'est le mec qui voudra sauter tes copines et ne comprendra pas que ça te foute les boules. Et attentionné… peut-être qu'il dit "pardon" quand il pète au lit ?

— Écoutez ça, dit Léa qui jubile : Mûr, drôle, sensible, avec un grand sens de l'amitié. Traduction : Mûr : plus âgé que ton père. Drôle : tu seras obligée de rire à ses blagues lourdes. Sensible : pleure à la fin des films. Et le sens de l'amitié, c'est priorité aux potes, soirées avec bières et télécommande. Laisse tomber.

— Bon, rendez-moi ça, franchement vous êtes pénibles. Il y a aussi des fiches de femmes pour que je m'en inspire et que je prépare la mienne. J'ai pensé qu'on pourrait les regarder ensemble pour que vous m'aidiez à faire un truc bien. »

J'admire son courage, je sais très bien que je n'assumerais pas si j'étais à sa place et, il est grand temps que je sorte de mon mutisme.

« Allons-y ! Tu as des idées ?

— Oui, j'avais pensé à : Douce et romantique, qui aime écouter les autres… »

Mais Julien ne lui laisse aucun répit.

« Les filles douces que j'ai connues, elles étaient du genre amorphe, ça me rappelle Muriel, vous vous souvenez de Muriel ? Elle aussi elle disait qu'elle aimait écouter… À tel point que je me suis souvent demandé si elle n'était pas un poil autiste… Quoi d'autre ? Ah oui, romantique, tu sais ce que je pense des filles romantiques : elles n'aiment que les dîners aux chandelles parce qu'elles trouvent que ça leur fait un joli teint.

— Très bien, dit Ambre qui commence sérieusement à s'impatienter, alors dis-moi ce que tu aimerais lire, ou plutôt quelle définition te donnerait envie de rencontrer une fille ?

— Eh bien… Ouverte… Sociable… Et puis gaie, j'aime les filles gaies, celles qui ont un sourire contagieux…

— Faut vraiment être un mec pour être attiré par ce genre de définition ! coupe Léa. Pour moi, une fille qui se dit ouverte, ça sous-entend qu'elle est limite désespérée. Sociable, je me dis qu'elle a bien roulé sa bosse… Et le sourire contagieux ! N'importe quoi ! Ça fait défoncée à l'ecstasy… »

Ambre se tait. Elle baisse la tête et ses mèches blondes viennent recouvrir son visage.

C'est moi qui craque.

« Mais il y a plein d'autres choses à dire sur Ambre ! Arrêtez deux minutes de délirer et laissez-nous réfléchir. »

Je me tourne vers Ambre.

« Moi, quand je pense à toi, je me dis que tu es enthousiaste, passionnée, sexy… professionnelle… et adorablement rétro !

— Elle va quand même pas mettre ça sur sa fiche, proteste Léa. Une fille enthousiaste, ça fera peur aux mecs réservés, ils se diront qu'elle doit être bruyante et qu'elle leur foutra la honte. Et passionnée c'est pareil : ça fait peur… Ou tout simplement casse-couilles.

— “Professionnelle” ça fait salope autoritaire, renchérit Julien, mort de rire. Et rétro, franchement c’est pas bandant ! À coup sûr lumières éteintes et rien que du missionnaire…

— C’est bon, vous avez gagné », éclate Ambre.

Fébrilement, elle rassemble ses fiches, les range dans sa pochette et les fusille du regard.

« Tu sais, Léa, peut-être que si tu étais moins occupée à balancer des vannes, tu comprendrais que ça ne m’amuse pas d’en arriver là. Et je ne peux pas m’empêcher de penser que si tu te comportes comme ça, ce n’est pas parce que tu trouves ma démarche ridicule, mais plutôt par excès de lâcheté, ou de fierté mal placée…

— Ça va, t’énerve pas, on va la faire ta fiche… » murmure Léa.

Puis on entend nettement sa langue claquer contre son palais à plusieurs reprises, mais pour une fois, sans la moindre résonance de satisfaction.

« Laisse tomber. Je la ferai avec Ariane ou toute seule ! Ce sera toujours mieux que de supporter vos conneries.

— Te vexe pas… »

Trop tard. Elle est complètement démoralisée.

Et Léa aussi.

Chère J.,

Si j'osais, j'enverrais aussi ta mère et la mienne dans la Chambre des Tortures.

Bon, allez, j'ose. J'en ai marre d'être bien élevée…

Carrie a encore merdé ? Je ne crois pas que je pourrai le supporter, je m'identifie exagérément à elle et quand elle fait tout foirer, je suis désespérée. Voir un épisode qui se finit mal un jour de pluie est tout simplement au-dessus de mes forces. Avant, quand j'étais déprimée, je me mettais à la fenêtre pour regarder la pluie tomber en fumant. Mais depuis que je ne fume plus, je n'ai même plus ça. Déprimée et désœuvrée, c'est dur.

Toujours est-il que les amours de Carrie illustrent parfaitement bien la théorie de ma tante : on finit toujours avec le contraire du précédent. Après une histoire d'amour avec un séducteur égoïste et inaccessible comme Big, on craque pour le premier type gentil prêt à s'engager. Mais quand on sort avec l'amoureux transi qui ne remet rien en question, on meurt d'ennui et on le quitte pour un porc qui fait battre notre cœur. Regarde autour de toi, tu reconnaîtras que c'est assez bien vu. En tout cas, ça a marché pour moi.

En attendant, je repense à notre rencontre, tu m'as raconté avec quel soin tu te prépares tous les matins et je me dis que tu dois être sacrément chiante quand tu fais ta valise. Produits de beauté, maquillage, vêtements chics, chaussures diverses... Je rigole rien qu'en tâchant d'imaginer ce qu'il te faut pour un voyage de quelques jours.

Est-ce que tu auras un peu de temps pour profiter de la plage ou tu vas passer toute ta journée à vendre des bijoux ? Moi je ne vais plus à la plage, ou alors à l'ombre et avec de l'écran total. Avant, je passais des heures à cuire au soleil, mais passé trente ans, il n'est pas nécessaire de se donner autant de mal pour être sûr de finir avec un cancer. Et puis je m'ennuie à la plage, sauf si j'ai un bon bouquin sous la main. Mais il y a toujours un endroit plus confortable que la plage pour lire. Et sans sable en plus.

Qu'est-ce qu'on mange en Floride ? Il doit bien y avoir des céréales différentes, tu vas pouvoir t'en donner à cœur joie...

Bon voyage !

A.

P-S : tu m'éclates ! Née un mercredi ça ne veut rien dire... l'ascendant dépend de l'heure et du lieu de naissance. Donne-les-moi, je me renseignerai.

« Fais attention, maman, il y a une marche ! Attends, je t'aide.

— Laisse-moi tranquille, ça va très bien. »

C'est l'anniversaire de ma grand-mère et, mon père est surexcité. Il a réservé un salon dans un restaurant et on y retrouve Bérénice qui emmène décidément son mec partout, mon oncle et ma tante.

« Tu me présentes ton ami ? » dit ma grand-mère en tendant la main à Vincent.

Bérénice éclate de rire et répond à ma place :

« C'est le mari de Riri ! Enfin il faut admettre qu'il ne nous honore pas souvent de sa présence... »

À trois ans et demi, ça m'énervait déjà qu'elle m'appelle comme ça, elle le sait et continue exprès. D'ailleurs, je ne la reprends plus, ça lui fait trop plaisir.

Vincent l'embrasse du bout des lèvres et me jette un regard exaspéré. Moi, je prie silencieusement pour qu'il choisisse un autre jour pour la remettre en place.

Il y a un nouveau venu : Mamie s'est fait un copain sur un banc des Buttes-Chaumont et l'a invité, mon père fait comme s'il était ravi, mais en vérité il est très mal à l'aise.

Moi, je bénis ce Michel, il est le centre d'intérêt et répond de bonne grâce à toutes les questions de la famille, alors pour une fois, on ne m'en pose pas.

Qu'est-ce que je leur aurais dit ? Oui, je travaille toujours dans la même boutique ; non, mon contrat de styliste avec mes patrons n'est toujours pas signé ; et non, je ne suis pas enceinte sinon vous le sauriez.

C'est affreux ces rendez-vous annuels qui autorisent les gens à faire un bilan de votre vie, trois questions et leurs yeux vous disent « tu n'as pas avancé », au mieux avec inquiétude, au pire avec mépris.

Michel se révèle être un personnage incroyable : président de la Ligue des sexagénaires à Vespa, il a organisé un tour de Corse l'été dernier et nous raconte l'épopée qu'il a vécue avec sa petite bande.

Ma grand-mère est enchantée, mon père catastrophé.

Michel ne commet qu'un faux pas, il demande son âge à Mamie. Elle évite de répondre et s'en sort avec un inattendu : « Disons que si j'étais un chien, je serais déjà morte ! »

C'est l'heure des cadeaux… Boucles d'oreilles, parfum, vêtements… Et c'est le tour de Bérénice. Elle lui a acheté un portable.

Un portable pour ma grand-mère qui passe tout son temps entre son appartement et le parc en bas de chez elle, où d'ailleurs Martha l'accompagne toujours… Mais qu'est-ce qu'elle va en faire ?

« J'ai programmé mon numéro comme ça tu pourras m'appeler si tu as besoin de moi », roucoule Bérénice.

Concert de félicitations pour sa brillante initiative, même mon père s'y met, il se jette sur le combiné pour programmer son numéro et le mien.

Le châle que j'ai choisi avec amour est passé complètement inaperçu et je suis triste.

Vincent est sorti du restaurant quand son portable a sonné : c'était son boss qui appelait de Londres. J'ai murmuré « On est dimanche, merde ! » le plus fermement possible, mais il m'a répondu : « Qu'est-ce que tu veux, j'ai des responsabilités, moi ! »

Connard. Tout le monde a entendu. Je le déteste. Je les déteste tous. Je le regarde s'agiter à travers la fenêtre et je lutte contre l'envie de sortir lui arracher son portable pour le balancer à l'autre bout de la rue.

Il est tard et je me porte volontaire pour aller chercher le manteau de Mamie. Mais si je m'éloigne, c'est surtout pour que mon sentiment d'isolement soit justifié.

Ce qui est sûr, c'est que je veux quitter au plus vite cette famille dont je devrais me sentir proche.

Au moment de partir, Mamie m'entraîne un peu à l'écart :

« Il est magnifique ton châle, je ne vais plus le quitter.

— Tant mieux. Je le trouve génial Michel, vraiment…

— Ariane, je vois bien que tu as ta mine des mauvais jours… Qu'est-ce qui te tracasse ?

— Rien en particulier, j'ai plein de choses dans la tête, mais je vais bien.

— Quelles choses ?

— Oh, je me pose des questions… Tu sais, parfois j'aimerais avoir ton âge. Que l'essentiel soit derrière moi. Et avoir les réponses. »

Elle sourit et hoche doucement la tête :

« C'est vrai qu'à mon âge on connaît certaines réponses ; mais ça ne sert à rien car plus personne ne songe à vous poser les questions… »

Elle prend mon visage entre ses mains étonnamment fermes et me regarde dans les yeux :

« Es-tu heureuse, ma chérie ? »

J'embrasse ses mains et je m'éloigne vite, pas question qu'elle me voie pleurer.

Vincent me rejoint dans la voiture dix minutes plus tard, il m'a acheté des fleurs et me demande pardon. Ce n'est pas la première fois qu'il se comporte ainsi et il recommencera.

De toutes les façons, ce n'est pas à cause de lui que je pleure, en tout cas pas seulement.

Ses fleurs ne règlent rien, mais je suis soulagée, je n'ai pas envie de passer le reste de la journée à essayer de lui expliquer des sentiments que je ne suis pas sûre de comprendre moi-même.

Chère Ariane,

Enfin de retour, je suis épuisée !!!

Chris a été insupportable. Franchement insupportable.

Chris c'est mon boss. Et pendant que j'y suis, c'est aussi mon frère. Je ne sais pas pourquoi je ne te l'ai pas dit plus tôt. Peut-être parce que j'avais peur que tu me trouves moins indépendante en apprenant que je travaille en famille. Parce que je travaille aussi avec mes parents. Chris est associé avec eux et, moi je suis leur employée. Voilà ça y est, c'est dit. C'est une situation très pénible, d'autant plus que c'est moi qui fais tout le boulot, mais je me tais en attendant de trouver mieux ailleurs. Chris est un vrai paresseux, tyrannique et versatile ; mais il est aussi charmant et tout le monde l'aime. TOUT LE MONDE L'AIME. *Au point que parfois, j'en ai la nausée.*

Quand j'étais plus jeune, Chris était tout pour moi : ma mère, mon père, mon grand frère et ma baby-sitter. Je l'appelais Mamouli. Je me souviens du jour où il m'a demandé de ne plus l'appeler comme ça, ça m'a complètement traumatisée. Sans aucun doute un tournant dans notre relation. Il a bientôt quarante ans.

Il y a un autre frère entre nous. Pour sa santé mentale, il a choisi de ne jamais travailler en famille. Ils sont tous les deux aussi célibataires que moi.

Tu parlais l'autre jour du karma de ton père. Je ne sais pas ce que mes parents ont fait dans leur vie précédente, mais ils ont dû drôlement déconner pour avoir trois enfants comme nous.

À part ça, je viens d'apprendre une très mauvaise nouvelle : je me réjouissais de ce dîner avec Harry, mais David m'a laissé un message pour me dire que Harry ne viendrait pas. Devine pourquoi ? Parce qu'il devait rester avec Charlotte, sa copine qui est déprimée ! À peine rentré et il a déjà une copine ! Et qui se permet d'être déprimée en plus. Je suis dégoûtée.

Tout ça à huit jours de la Saint-Valentin. Quand j'étais au lycée, il y avait tout un système de recommandation, afin qu'un maximum de filles reçoivent une rose. Pour peu que tu te sentes mal dans ta peau, si en rentrant chez toi le soir aucun garçon ne t'avait offert de rose, tu avais carrément envie de te flinguer. Ça m'est arrivé une fois et je m'en souviens encore.

Et maintenant revoilà Chris qui fait chier. À plus.

Justine

P-S : j'ai bien réfléchi à ta théorie des opposés, j'ai encore besoin d'un peu de temps pour te répondre parce que j'ai trouvé quelques contre-exemples et j'essaye de me faire une opinion. C'était qui, ton Big à toi, tu veux me raconter ?

P-P-S : pas de céréales exotiques en Floride, j'ai donc continué à me gaver d'avoine.

Chère J.,

Ton fameux boss, c'est ton frère ? Je n'en reviens pas.

Franchement je compatis.

J'essaye de m'imaginer travaillant avec mes parents et, c'est extrêmement difficile.

Surtout que ma mère est une perpétuelle débordée qui n'a jamais travaillé et que mon père est ingénieur au CNRS. Je me demande sur quoi ils auraient bien pu travailler ensemble. Je n'ai rien trouvé, à part moi. Moi qui sais tout juste changer les piles de ma radio. D'ailleurs je suis fille unique. Et je laisse ma radio sur secteur.

Chris, c'est le diminutif de quoi : Christopher ou Christian ?

Je ne connais qu'un Chris, c'est le portier de l'immeuble de ma tante qui habite New York, celle dont je t'ai parlé. C'est un Mexicain, très gros avec une moustache. Il ressemble au sergent Garcia. Et j'ai du mal à associer ton frère au sergent Garcia. Est-ce qu'en Amérique aussi, le sergent Garcia est un gros moustachu ? Avec vos histoires de « politiquement correct » et d'unions pour les acteurs blacks, il est peut-être noir... Enfin, je verrais plutôt Bernardo en Black sourd-muet.

Et cette salope de Charlotte qui a mis le grappin sur Harry.

J'ai bien réfléchi et je devine pourquoi elle était déprimée :

La veille, elle a fait une intoxication alimentaire et, a passé la nuit à vomir partout chez lui. Après un indescriptible chaos, elle a réussi à s'endormir vers cinq heures du matin. Mais à cinq heures trente, elle a été réveillée par une forte diarrhée qui l'a obligée à rester aux toilettes jusqu'à neuf heures passées.

Tout ça après une relation d'une semaine, tu comprends sa déprime ou plutôt son humiliation et, Harry qui est un gentil garçon est resté avec elle hier soir pour la rassurer car elle ne se sent plus tellement désirable. Mais pendant toute la soirée, il se demandait ce qu'il avait fait pour mériter ça et, si c'était possible d'emmener tout son canapé au pressing.

Bon, je délire, mais même si elle ne s'est pas donnée en spectacle comme ça, leur histoire est toute jeune et, rien ne prouve qu'elle va durer.

Et si tu croises Harry à nouveau, qu'est-ce qui t'empêche d'aller lui dire bonjour ? Aucun homme ne résiste à une jolie fille, tu aurais tort d'hésiter.

J'espère que tu te sens mieux, parce que moi je suis sur les nerfs.

Nous sommes obligés d'aller chez Bérénice samedi soir, elle organise une soirée pour l'anniversaire de son mec et, on n'a pas le choix puisqu'elle nous a invités devant toute la famille à l'anniversaire de ma grand-mère. Évidemment, tout le monde a trouvé ça adorable. Vincent est furieux et moi aussi, mais si on n'y allait pas, c'est encore moi qui aurais le mauvais rôle.

La Saint-Valentin c'est juste une occasion de plus pour faire du mal. Et c'est particulièrement cruel pour vous, pauvres célibataires américaines, car je sais l'importance qu'a cette fête chez vous.

En France, personne n'en parlait il y a encore quelques années et, puis c'est devenu à la mode à peu près en même temps que Halloween et, pour la même mauvaise raison : le business. Maintenant les fleuristes cartonnent et les restaurants font des menus Saint-Valentin qui leur permettent de doubler les prix. Pour toutes les personnes en deuil ou seules, les fêtes ne sont rien d'autre qu'un couteau remué dans leur plaie. Et ça fait beaucoup de monde…

J'ai dit à Vincent que ce n'est pas la peine qu'il m'offre des fleurs car nous n'avons pas besoin de participer à cette mascarade commerciale. J'étais sincère, mais en toute honnêteté, j'espère qu'il ne m'écoutera pas.

Bon, en attendant, reste POSITIVE *et, sait-on jamais, peut-être feras-tu partie de celles qui se pouponneront le 14 au soir…*

Bises,

A.

P-S : ça ressemble à quoi, l'avoine ? Je n'arrête pas d'y penser. Je connais les flocons d'avoine. C'est de la bouillie, j'en mangeais quand j'étais bébé. Tu ne manges quand même pas de la bouillie ! Si ?

P-P-S : j'ai un peu honte avec mes préoccupations débiles ; toi tu prends la peine de vraiment réfléchir à ce que je t'écris sur les couples et moi je réponds sergent Garcia et céréales… La vérité est que je suis prête à tout pour ne pas devenir trop obsessionnelle à l'idée de cette soirée chez Bérénice. Avec Vincent, on s'est promis de dévaliser son buffet. Ce qui ne devrait pas être très difficile s'il est aussi fourni que la dernière fois. Elle est végétarienne et ne boit que du jus de carottes. Et forcément, le reste du monde est censé faire pareil.

« Ridge, tu m'évites ! Mais pourquoi ?

— Tu le sais bien : notre amour est impossible.

— Rien n'est impossible quand on s'aime. Reviens-moi et nous saurons les convaincre ! »

Oh, c'est pas vrai…

« Je croyais que tu voulais aller au ciné !

— Attends, c'est presque fini ! »

Ma mère est tout simplement obnubilée par son feuilleton, absorbée par l'écran comme une petite fille devant Blanche-Neige…

Je m'assieds près d'elle sur le canapé et, je repense à la question de Justine : *C'était qui, ton Big à toi, tu veux me raconter ?* J'ai soigneusement évité d'y répondre dans mon dernier mail. En fait, je ne sais pas ce qui me gêne le plus : repenser à tout ça ou résumer une histoire d'amour qui serait réduite à l'anecdote d'un fiasco.

J'observe ma mère du coin de l'œil et, je revois cette soirée de mai où elle m'avait demandé de l'accompagner à un vernissage…

« Je viens, mais c'est seulement parce que tu insistes. »

Cette soirée est une corvée. Je ne suis pas à l'aise dans ce genre de mondanités, elle l'est trop. D'ailleurs, ce que ma mère appelle nos sorties de filles ne sert qu'à nous rappeler à quel point nous sommes différentes. Enfin, « nous rappeler », si tant est qu'elle prenne la peine de s'interroger sur notre relation.

Je n'aime pas tellement l'art contemporain, les toiles exposées me laissent de marbre et j'ai vraiment l'impression de détonner au milieu de tous ces gens à qui un dégradé de bleu inspire tant d'interprétations.

Je m'attarde sur la silhouette d'un type, c'est amusant comme le charme de certaines personnes se devine alors qu'ils sont de dos. C'est quelque chose dans la manière dont ils se tiennent, une attitude au parfum d'évidence, celle des gens qui se savent beaux.

Fidèle à elle-même, ma mère papillonne gaiement et trouve le moyen de faire des commentaires spirituels sur les tableaux. En cinq minutes, elle a réussi à attirer l'attention de tous, hommes séduisants compris et,, alors qu'elle ne connaissait personne en arrivant, on dirait maintenant qu'on est chez elle et que tous ces gens sont ses invités.

Je me rabats sur le buffet, il faut bien s'occuper et le spectacle de ma mère en représentation ne m'amuse plus depuis longtemps.

Il y a de superbes rangées d'éclairs qui n'attendent que moi et je peux me mettre au travail. Je me demande pourquoi les traiteurs se fatiguent à faire des petites tartelettes alors qu'elles n'intéressent personne. Sauf ceux qui sont arrivés après les éclairs et n'ont plus le choix.

J'en suis à ma troisième rangée je crois, je ne compte plus, je suis trop absorbée par mes considérations pâtissières et, quelqu'un me pince les fesses.

« Je croyais connaître ma fille, mais il aura fallu que je te voie te comporter devant un buffet pour me rendre compte qu'il y a plein de choses que j'ignore chez toi ! »

Dis sur un autre ton, ça pourrait me laisser espérer une introspection future, mais déjà elle regarde ailleurs et ça n'ira pas plus loin.

« Tu t'es encore tachée ! » s'esclaffe ma mère, impeccable dans son tailleur en lin blanc, tandis qu'un petit groupe lui fait signe de les rejoindre.

« Viens, j'ai de nouveaux amis très sympas !

— Je vais essayer d'enlever la tache d'abord. »

Je frotte, je frotte, mais la tache refuse de partir et, j'en conclus que c'est à moi de disparaître. Sans compter que la serviette en papier verte que j'ai utilisée a déteint sur ma jupe beige.

Une horreur.

Je rejoins ma mère en essayant de dissimuler la tache avec mon sac, ce qui me force à marcher en crabe…

« Chérie, viens que je te présente : ma fille Ariane, Thomas Holt, le talentueux artiste que l'on célèbre, ses amis Gilles et Marie Dabban… »

Merde, le beau mec de dos c'est le peintre. Et en plus j'avais raison : il est bien de face aussi.

« On allait dîner, vous venez avec nous ? »

Avec cette énorme tache et mon sac que je tiens bêtement collé contre ma cuisse…

« Euh, oui, il faut juste que je fasse quelque chose avant, mais je vous rejoindrai. »

Je me tourne vers ma mère et je chuchote :

« Prête-moi ta voiture, il faut que je rentre me changer ! »

J'attrape les clés et je me sauve.

À peine montée dans la voiture, l'antivol se met en marche, une sirène insupportable retentit dans le quartier… Merde, le code, qu'est-ce qu'elle a bien pu choisir comme code… À tout hasard je tente ma date de naissance, ça ne marche pas et j'ai même l'impression que le volume de la sirène a augmenté. Je me résous à retourner à la galerie et je croise toute la petite bande sur le trottoir, j'attrape ma mère qui me hurle son code (*sa* date de naissance, j'aurais dû y penser) et je repars vers la voiture. Ouf, ça y est, la sonnerie se tait.

Je fonce chez moi en me demandant par quoi je vais pouvoir remplacer ma jupe, il faut que ce soit quelque chose d'assez similaire pour qu'on ne remarque pas que je me suis changée... Bon, ça ira, j'ai d'autres jupes unies. Mais elles iront moins bien avec le haut. Alors il faudra aussi changer le haut. Mais là, ça se verra et j'aurai l'air de m'être changée exprès. Inconcevable.

Ruée vers mon placard, j'essaye trois jupes, aucune ne me convient. Il faut pourtant faire un choix et, j'essaye de me calmer en me disant que personne ne remarquera la différence.

Je ne suis pas calmée. Alors je le dis à voix haute : « Personne ne verra la différence ! » Je le répète sur un ton convaincu et assez fort pour m'obliger à m'écouter. Allez, la bleue sera très bien.

Petit arrêt devant la glace, je me mets une touche de blush et de rouge à lèvres, je ne suis pas très bien coiffée mais ça, c'est presque ma marque de fabrique.

C'est parti.

Je me penche en avant pour voir l'ascenseur arriver (des fois que ça le fasse venir plus vite), je me précipite dans la cabine et en refermant la porte se produit la catastrophe : les clés de la voiture s'échappent de ma main et tombent au fond de la cage.

Deux heures et demie plus tard, le dépanneur s'en va avec mon chèque et je rentre chez moi.

Sur le répondeur, un message de ma mère : « Je me disais bien qu'après tous ces petits-fours, tu n'aurais plus faim. Enfin, très bien le coup de la disparition, ça a beaucoup intrigué Thomas Holt. N'oublie pas de me ramener ma voiture ! À demain. »

« Ariane, tu dors ou quoi ? On va rater la séance ! »

Ma mère me sort de ma rêverie.

Ma mère me sort toujours de ma rêverie.

Ariane chérie,

Je suis POSITIVE*-ment fixée : 13 février, je n'aurai pas de rencard demain.*

Comme tous les autres jours, je me suis quand même pouponnée. Ce n'est pas parce que aucun abruti ne m'a invitée à dîner que je dois ressembler à une loque.

Merci pour ta tentative de me remonter le moral, j'ai bien aimé imaginer la crise de foie de Charlotte. Jusqu'au moment où j'ai appris que la pauvre restait avec sa mère qui est apparemment très malade. Inutile donc de la torturer davantage.

Au sujet d'Harry et, de ta suggestion d'aller lui dire bonjour... Sans vouloir t'offenser, c'est exactement le genre de conseils que ma mère me donnerait. Et ça fait plusieurs années que j'évite soigneusement de suivre ses conseils. Précisément depuis que, pour mes trente ans, elle m'a offert « un dimanche surprise », qui s'est avéré être... un stage chez un rabbin.

Thème : L'amour n'est pas le début, mais le résultat d'un bon mariage.

Au programme : les cinq règles d'or, soit cinq questions à se poser avant de se marier :

— avons-nous les mêmes buts dans la vie ?

— suis-je en mesure de partager mes sentiments et mes pensées avec lui ?

— est-il vraiment un homme ?

— comment traite-t-il les autres personnes ?

— y a-t-il des choses que j'espère changer chez lui une fois que nous serons mariés ?

Tu te demandes peut-être comment je m'en souviens encore. En fait, j'ai gardé la brochure parce que, dans l'ensemble, il m'a semblé que ces questions n'étaient pas idiotes.

Le problème est que lorsque ma mère m'a envoyée là-bas, je venais de me faire larguer par mon fiancé. Aussi les questions que je me posais n'étaient pas « est-ce le bon ? » mais plutôt « c'est quoi mon putain de problème ? ». J'ai passé la matinée à me dire qu'il était temps que ma vie ressemble à quelque chose et, à imaginer comment tuer ma mère. J'ai donc jugé inutile de retourner au stage après la pause déjeuner.

Quand elle a appris ça, ma mère m'a traitée d'ingrate et m'a menacée de ne plus s'occuper de rien. J'ai accepté avec empressement. (Elle a aussi essayé de se faire rembourser, mais ça n'a pas marché.)

Au fait, je crois que Chris est le diminutif de Christopher.

Quand tu seras à la soirée de Bérénice, je te suggère de cracher dans son verre de jus de carottes. Puis une navette express la ramènera à la Maison des Tortures (je t'avais dit qu'une chambre ne suffisait plus) d'où elle n'aurait jamais dû sortir.

Avant d'y aller, tu n'as qu'à commencer Jane Eyre.

Je me sens coupable pour le crachat, aussi je libère les filles en sandales.

Justine

P-S : sérieusement, j'adore les céréales. J'en mange par pur plaisir, contrairement à ma mère qui en mange pour les fibres.

Chère J.,

J'aimerais commencer par être un peu grave. Ça m'a ennuyée de voir que quand ton fiancé t'a larguée, tu t'es remise en question, pour conclure que ta vie ne ressemble à rien…

Perdre un mec, ce n'est pas perdre sa vie, j'ai l'impression que la tienne est très remplie et, que tu es plus vivante que la plupart des femmes mariées que je connais. La vie est un voyage solitaire et, être marié n'y change rien. D'ailleurs, je pense que le fait de ressentir cette solitude avec la même intensité alors qu'en théorie on est deux est une souffrance encore plus cruelle.

Il y a un facteur chance à l'origine de chaque rencontre, après on gère comme on peut ce que la vie nous donne. Or, c'est bien connu, la vie est injuste et, en plus elle a un goût douteux.

Bien sûr, moi aussi j'ai été démolie par certaines ruptures. La dernière plus particulièrement, mais ça je crois que tu l'avais deviné.

Je me suis demandé si je devais te raconter l'histoire, j'ai même commencé avant de réaliser que j'avais du mal à écrire son nom : rien que de le voir sur l'écran et je ne me sens pas très bien. Alors je l'ai effacé et, je vais arrêter de te donner des conseils, parce que j'ai relu ce que je t'ai écrit plus haut et, maintenant, je me souviens qu'aucun mot ne m'a réconfortée quand je l'ai perdu. Ça me tue d'être aussi sensible sur le passé alors que je suis mariée à quelqu'un que j'aime profondément ; franchement j'ai du mal à l'expliquer. Écoute, je te raconterai mon Big une autre fois, tu veux bien ?

En attendant, voici la soirée chez Bérénice.

J'y suis allée dans un drôle d'état, parce que j'avais fait la sieste l'après-midi et que ça ne me réussit pas du tout. Mais suite à une soirée pénible la veille avec ma mère, j'étais vidée.

(Ma mère est silencieuse devant la télé, mais très bavarde au cinéma ; et j'étais tellement occupée à m'énerver à cause de ses commentaires que je suis incapable de te dire de quoi parlait le film.)

Je me suis allongée dix minutes pour être réveillée deux heures après par Vincent. Tu connais mon obsession d'avoir toujours quelque chose à faire, donc tu comprends que je déteste l'idée de la sieste. Quand je me suis réveillée, je me sentais non seulement coupable, mais surtout complètement abrutie, donc bien plus mal qu'avant, ce qui n'est pas le but du jeu. Mais j'avoue qu'en allant à la soirée, j'avais au moins un objectif : bien observer pour pouvoir te faire un récit détaillé.

Bérénice vient d'emménager avec Jonathan dans un immeuble flambant neuf avec une terrasse, ce dont tout le monde se fout puisqu'il faisait quatre degrés hier soir. Tout est blanc et beige, un peu comme dans un magazine déco d'il y a dix ans ; et elle prévenait bien tout le monde en arrivant : « Faites comme chez vous, mais attention aux canapés ! » (Son chien aussi est blanc et beige, un caniche nain qui s'appelle Maxence.)

Je portais une des robes que je fais moi-même, savamment déchirée puis rebrodée de plumes et de perles, mais ce n'est pas le genre de soirée où l'audace est la bienvenue et les gens me regardaient d'un drôle d'œil. J'imagine que je devais faire honte à Bérénice, étant donné qu'elle m'a présentée à l'assistance en disant : « voici ma cousine Ariane, l'artiste de la famille », d'un air à la fois navré et compatissant.

Comme prévu, Vincent et moi on s'est précipités au buffet, tout le monde avait apporté du vin et du champagne, donc il y avait de quoi se consoler. D'après Bérénice, le buffet était « bio mais festif », ce qui se traduisait par exemple par des canapés soja-saumon sur pain complet. On s'est assis avec une bouteille de vin et on a observé.

Il y avait trois filles habillées exactement pareil, très tendance de cet hiver : bottes noires pointues perchées sur des talons aiguilles, pantalon noir droit avec pli, chemisier noir largement déboutonné, collier fantaisie.

Quand suivre la mode revient à porter un uniforme, c'est plutôt pathétique.

Cette salope de Bérénice avait anticipé le coup, elle était habillée dans un dégradé de beige et, avec ses longs cheveux blonds et son teint diaphane, elle sortait vraiment du lot.

Rien à signaler sur les autres invités, les petits groupes restaient entre eux et on n'a trouvé personne à qui faire la conversation. De toute façon, les gens n'ont pas beaucoup parlé vu qu'au programme des festivités, il y avait... un karaoké ! Absurde, mais conforme à la déco du siècle dernier. Comme c'est sa machine, Bérénice avait appris toutes les chansons par cœur et nous avons eu droit à un vrai récital. C'était insupportable et, nous en avons profité pour aller visiter l'appartement. Une fois dans la chambre de Bérénice, Vincent a fermé la porte à clé et m'a sauté dessus. S'envoyer en l'air dans la chambre de Bérénice (en l'entendant bêler dans le fond La Ballade des gens heureux), *c'était incroyablement jouissif. Ça m'a rappelé tout ce que j'ai toujours rêvé de faire chez mes parents sans jamais oser et, j'ai eu l'impression que Vincent et moi étions à nouveau un jeune couple.*

(En me relisant, je réalise que toi et moi, nous ne nous sommes vues qu'une fois et je suis un peu gênée. Tant pis, je n'efface pas.)

Quand nous sommes retournés dans le salon, le concert touchait à sa fin.

Bérénice a apporté le gâteau d'anniversaire de Jonathan tandis qu'il la regardait amoureusement. Ils étaient tellement occupés à se regarder qu'ils n'ont pas vu que Vincent avait recouvert le gâteau de restes de tofu. Ça pouvait passer pour du chocolat blanc et, personne n'a tiqué. On s'est bien amusés à voir les gens goûter, faire une tête bizarre, puis continuer poliment à manger sans oser faire de commentaire. Bérénice ne s'est rendu compte de rien car elle n'en a pas pris : elle fait semblant d'être naturellement maigre, mais en fait elle est perpétuellement au régime.

Elle avait organisé un cadeau commun : des sacs de voyage, sûrement sa façon de suggérer à Jonathan qu'il serait de bon ton qu'il l'emmène en vacances et, après le discours de remerciement, on s'est dit qu'on avait fait notre B.A. et qu'on pouvait partir. On est allés leur dire au revoir, Bérénice m'a regardée d'un air intrigué, puis scandalisé et, au moment de refermer la porte, m'a glissé : « Tu aurais quand même pu remettre ta robe à l'endroit ! »

Sur le palier, en réalisant qu'en effet j'avais remis ma robe à l'envers, Vincent et moi avons eu un énorme fou rire.

C'est la meilleure soirée qu'on ait passée ensemble depuis des lustres.

L'histoire aurait pu s'arrêter là, mais ce serait sans compter sur la bienveillance de Bérénice...

Dès le lendemain, elle s'est vengée en téléphonant à mon père pour lui dire qu'elle m'avait trouvée en petite forme et, qu'elle s'inquiétait pour moi et, lui demander si j'étais vraiment heureuse avec Vincent vu qu'on avait passé la soirée à picoler tout seuls dans notre coin...

Mon père s'est empressé de m'appeler pour savoir s'il devait s'inquiéter aussi.

J'ai explosé en entendant tout ça, je lui ai dit que j'en avais marre des manipulations de cette peste sournoise et il m'a répondu : « Mais pourquoi dis-tu ça, elle t'adore ! D'ailleurs elle m'a dit qu'elle te trouve toujours aussi jolie, simplement elle te préfère un peu plus ronde et moins pâlotte... »

Ta culpabilité après avoir pensé cracher dans son verre me montre à quel point tu es généreuse. Moi, j'en suis à fantasmer de l'enduire de graisse de porc de la tête aux pieds, puis de la mettre au soleil et de la regarder frire.

En attendant, j'ai attrapé froid chez elle, mon nez est aussi rouge et gonflé qu'une fraise et je vais me coucher.

Je réitère mon vœu : Bérénice reviendra sur cette terre en ravioli crevette, dans un boui-boui bien crasseux.

Bonne semaine.

A.

P-S : tu « crois » que Chris, c'est pour Christopher ??? Tu es encore plus barge que moi... Comment peux-tu douter du prénom de ton frère ? Qu'est-ce qu'il y a écrit sur son passeport ?

J'hallucine. Enfin, à la réflexion, je ne connais pas beaucoup de Christian qui soient juifs donc c'est sûrement ça.

P-P-S : Jane Eyre *est toujours sur ma table en train de recueillir la poussière. Quand je fais le ménage, j'ai pitié d'elle et je lui essuie le cul.*

Chère Ariane,

J'ai teeeeellement de choses à te raconter que je ne sais pas par quoi commencer.

Si, je commencerai par dire que taper avec un doigt est très frustrant. Dans ma tête se bousculent des pensées et des mots qui meurent d'envie d'être tapés et, mes pauvres majeurs n'arrivent pas à suivre. La deuxième chose que je constate, c'est qu'il est grand temps que je me coupe les ongles. Parce que non seulement le cliquetis qu'ils font sur le clavier m'agace, mais en plus ils m'empêchent souvent de taper sur les bonnes touches.

Passons à ta cousine.

Que penses-tu de lui verser de la cire chaude sur la tête ? Je creuse dans les profondeurs de mon imagination déchaînée pour essayer de trouver des façons de la torturer et, j'aime assez l'idée de lui épiler ses cheveux blonds et lisses.

La partie de moi qui est légèrement plus mature suggère de te dire qu'il faut tout simplement t'élever et être au-dessus d'elle. Elle essaye de passer pour un ange devant ton père et je pense qu'elle n'est rien d'autre qu'une putain de lèche-cul et une sale garce de merde. Ah oui, j'oubliais : CONNASSE !

Il faut que je me ressaisisse. J'espère que je n'ai pas choqué tes oreilles de bohémienne conservatrice.

Bon, maintenant que j'ai dit l'essentiel, voici mon analyse psychologique. Elle est jalouse. Bien qu'elle ait l'air très sûre d'elle, tu sais comme moi que tout le monde a ses complexes et elle cherche sûrement à se rassurer en brillant aux dépens des autres. Peut-être que ton côté artiste et créatif lui fait envie et que ça la rend compétitive ? Ça expliquerait qu'elle essaye de te rabaisser.

Je le répète, il n'y a qu'une solution : être tellement au-dessus d'elle qu'elle n'existe plus. C'est une personne toxique et, tu dois t'en éloigner. Et ne pas tomber dans ses petits jeux de manipulation. Fais ta vie, ignore-la et, sois aussi gentille que possible quand tu la vois ; ça l'énervera plus que tu ne l'imagines.

Je viens d'avoir une vision géniale : je pense qu'un ravioli crevette, c'est trop bien pour elle. Elle renaîtra en tant que chat de gouttière, le cuistot du resto chinois crado l'attrapera, la fera bouillir et la hachera pour en faire des boulettes.

Je crois que je commence à prendre un peu trop goût à ce petit jeu.

Allez, on respire un bon coup, moi aussi j'ai besoin de m'élever. Mon karma est déjà suffisamment pourri et, je ne crois pas que ces pensées démoniaques me feront marquer des points.

Maintenant, un sujet plus sérieux. Tu t'inquiétais parce que j'ai écrit que ma vie ne ressemble à rien. Mais il y avait un peu d'ironie là-dedans. Ma vie affective n'a pas été très remplie, alors je me suis habituée à être seule et j'ai appris à me débrouiller. J'ai eu sept ou huit relations qui ont duré plus de quelques mois et, je ne regrette aucun des hommes que j'ai connus.

Même si je dois avouer que je me suis retrouvée chez un nouveau psy à la fin de chacune de mes histoires d'amour.

À chaque fois, je m'étais donnée à 100 % et souvent on ne m'en demandait pas tant.

Mais je réalise aussi que même si je rencontrais l'homme de mes rêves, ça ne comblerait pas le sentiment de solitude que je ressens parfois. Je ne cherche pas quelqu'un qui changerait ma vie, mais un compagnon sur qui compter, une personne de confiance que j'aime assez pour vouloir fonder une famille avec lui. Une bonne relation sexuelle serait clairement un plus.

Voilà, une banale envie de construire quelque chose, parce que je ne veux plus perdre de temps. Surtout avec un type que je ne serais pas prête à épouser.

Comme mon dernier copain, Fred, un enculé de sa race ! Il n'a jamais voulu admettre qu'il était amoureux de sa meilleure amie, une salope qui m'insultait sans même me connaître. Et lui me répétait tout ce qu'elle disait de moi car ça le flattait. Bon, changeons de sujet parce que je vais recommencer à péter les plombs.

Toutes mes relations tordues m'ont appris des choses et m'ont fait grandir ; et j'aime bien la personne que je suis devenue.

Oui, j'ai de grands moments de solitude, mais j'ai ma meilleure amie et puis je t'ai toi. Je ne suis pas sûre de me souvenir clairement de ton visage, mais je sais une chose : nos échanges me font beaucoup de bien. Ils me permettent de réfléchir et de me défouler et, je suis heureuse que tu existes.

Quand je suis rentrée à New York après le mariage de Sarah, tout le monde m'a demandé si j'avais rencontré quelqu'un à Paris. J'ai dit oui. J'ai attendu le plus longtemps possible avant d'avouer que c'était toi.

J'ai encore beaucoup de choses à te raconter, mais je dois m'interrompre car je t'écris depuis plus d'une heure (quand je te dis qu'avec un doigt, ça prend du temps) et mon frère réclame l'ordinateur pour actualiser ma lettre de licenciement.

Justine

P-S : comment va ton nez ?

Ces dessins sont ratés. Il faut que j'achète du tissu et que je réalise des modèles, personne n'achètera ma collection sur croquis, ça ne rend rien du tout.

Je ferai ça ce week-end. Ou la semaine prochaine.

Y a rien à la télé.

Avant, il y avait des bons films le lundi soir, maintenant, tout est nul.

Tant pis, je vais ranger ; c'est le bordel dans les placards.

Tiens, la lumière s'allume en face, le type est rentré. J'irais bien sonner à sa porte un soir. « Bonjour, je m'appelle Ariane, j'habite en face et je m'emmerde. Ça fait des mois que je vous vois rentrer et grignoter tout seul devant la télé, je suis venue vous tenir compagnie. »

Je me demande ce qu'il penserait d'abord : « elle est folle », ou « sûrement une salope » ?

Je lui dirais :

« Ni l'un ni l'autre, mon vieux, juste une voisine bienveillante et bien seule, laisse tomber, j'aurais pas dû venir. »

Et ce putain de cadre qui n'arrête pas de tomber. C'est la troisième fois que je le remplace, le dernier que j'ai acheté est vraiment hideux, je l'ai fait exprès, juste pour voir si Vincent allait s'en rendre compte. Tu parles, il s'en fout complètement. Je pourrais remplacer tous les meubles par des trucs abominables, il ne s'en rendrait même pas compte.

Je me demande ce qu'il fout.

22 h 30 à Londres, il doit être sorti du bureau. Je suis sûre qu'il fait le beau avec la nana du Deli qui prépare son take-out.

Allez, décroche…

« Allô ?

— C'est moi.

— ALLÔ ?

— C'EST MOI !

— Ah, chérie, c'est toi. Excuse-moi, je suis au pub, y a un boucan d'enfer. Quoi de neuf ?

— Rien de spécial.

— Hein ? »

Double appel.

« RIEN DE SPÉCIAL.

— Ah bon. Ben alors je te rappelle plus tard, j'entends vraiment rien. Tu seras couchée dans une heure ou deux ?

— J'en sais rien. Je voulais juste te dire que tu me manques. »

Double appel.

« Hein ?

— TU ME MANQUES !

— Toi aussi, chérie. Je t'appelle en rentrant. Bisous.

— Bisous. »

R2.

Ça a coupé, je me demande qui c'était.

Eh, voisin, qu'est-ce que tu regardes ? On dirait « Alias » ; y a une redif' le lundi ? Attends, je vais zapper pour voir… Ah merde, c'est en VF. Allez, je m'en fous, je prends. Je vais m'enfoncer dans mon fauteuil, regarder mon écran et, un peu le tien aussi ; histoire de passer un moment ensemble.

Quand je pense à l'autre con de Vincent qui est capable de me rappeler à une heure du matin.
Je décroche, ça lui apprendra.

Ambre appuie sur « Mémoire 1 » et soupire en entendant la voix métallique lui rabâcher que son correspondant est déjà en ligne.

Allez, Ariane, décroche !… Merde, ça a coupé… J'essaye Léa.

« Coucou, c'est Ambre.

— Ça va ?

— Pas trop.

— Raconte.

— Non, je te sens pressée.

— C'est vrai, je suis hyper à la bourre. J'ai un boulot à finir pour une réunion demain à neuf heures et, ma FC3 n'arrête pas de planter.

— Ta quoi ?

— Mon imprimante. Mais on peut déjeuner ensemble si tu veux.

— Bon.

— Je passe à ton bureau. Allez, va te coucher, on se voit demain. »

Et Ariane, elle a raccroché ? Sûrement en train d'échanger des mots d'amour avec Vincent.

Merde, elle a mal raccroché. À moins qu'elle n'ait carrément décroché. Elle a eu sa dose d'amour, elle peut se passer du reste du monde.

Quelle chance.

C'était quoi déjà, ce concept allemand dont parlait Julien l'autre jour ?

Freundshaft, ou quelque chose comme ça.

Ta meilleure amie gagne un million au Loto, t'es contente pour elle et, en même temps tu peux pas t'empêcher de penser avec rage : « Pourquoi pas moi ? »

J'adore Ariane, mais quand je vois sa vie parfaite, c'est pareil. « Pourquoi pas moi ? »

J'ai horreur de penser des trucs comme ça.

Je devrais finir la maquette de l'album.

Cinq ans d'école de dessin pour devenir graphiste et, douze heures par jour devant un ordinateur. Ils auraient pu prévenir que je vivrais avec une souris dans la main, pas un crayon.

Et le psy qui me dit d'écrire.

N'importe quoi. T'as raison, je vais recommencer un journal intime, ça me rappellera mon adolescence, je serai encore plus déprimée et, au lieu de venir deux fois par semaine, je viendrai tous les deux jours.

Quand je pense à Ariane, qui se permet de décrocher…

Tiens, voilà, j'ai trouvé à qui écrire.

Ariane,

J'aime bien écrire ton nom, je prends appui sur le A, comme avec mon prénom et, le reste coule tout seul, ça me rappelle nos lettres de gamine.

Depuis quand on ne s'est pas écrit ? Tu te souviens de cette horrible colo chic où on moisissait tous les étés ? Bien sûr tu te souviens. Plein d'enfants fous de joie d'être là et, deux paumées qui pleuraient tous les soirs. Je te rappelle qu'on a passé un contrat. On ne serait plus jamais seules !

Alors raccroche ton téléphone !

Mon psy est un gros con.

« Patientez, ça ne devrait plus être long. »

Tu parles, déjà vingt minutes que j'attends et ils n'ont pas l'air de s'affoler.

C'est mon tour. C'est ma faute aussi, je dois vraiment être maso pour venir me faire humilier par cette mégère.

« Bonjour !

— 'jour. »

Elle me regarde déballer mes affaires avec un petit sourire arrogant. Allez, c'est parti, elle prend la pile et commence à détailler chaque vêtement.

« Non, on ne prend pas… (Coup d'œil méprisant.) Ça non plus… Le pantalon Joseph, cent quatre-vingts francs.

— C'est tout ?

— Plus cher on ne vendra pas.

— Bon.

— La robe Corinne Sarrut… trois cents francs. »

Mon portable sonne, ce n'est pas le moment et je décroche, complètement excédée :

« Allô ! ?

— Ariane ? Thomas Holt, on s'est vus à mon vernissage, je vous dérange ?

— Euh, non, pas du tout. »

Le pitbull aboie :

« C'est d'accord, la robe à trois cents francs ?

— Oui, oui.

— Je sens que je tombe mal, je vous rappelle si vous voulez.

— Euh… Oui, je suis en rendez-vous, mais j'aurai fini dans un quart d'heure. Rappelez-moi quand vous voudrez.

— Ça marche, à plus tard. »

« La veste là, il y a une tache, faites-la nettoyer et ramenez-la-moi. »

Thomas Holt m'a appelée, un peintre hyper-talentueux et beau gosse. Picasso. Matisse. Rothko. J'ai toujours su que j'épouserais un génie.

Je la laisse brader le reste de mes affaires, je m'en fous complètement ; puis je me dépêche, Ambre m'attend au café.

Peut-être qu'il voulait le numéro de ma mère.

Non, il doit forcément l'avoir, sinon comment aurait-il eu le mien ? « Rappelez-moi quand vous voudrez… » Quelle conne. Pourquoi pas « Où tu veux, quand tu veux », histoire de bien le convaincre que je suis hyper-intéressée.

« T'es en retard !

— Je sais, excuse-moi, j'étais à la Grande Occasion et j'ai poireauté une heure.

— T'as eu la fausse blonde sadique ? Beurk, je te plains.

— Écoute plutôt : tu te souviens, la soirée foireuse avec ma mère ? (J'attrape mon portable pour vérifier qu'il est bien raccroché.) Il vient de m'appeler.

— Il ?

— Thomas Holt, le peintre qui exposait.

— Celui que tu trouvais mignon ? C'est génial, raconte !

— J'étais au dépôt-vente (je re-vérifie que mon portable est bien raccroché), je n'ai pas pu lui parler, je lui ai dit de me rappeler "quand il voulait". J'ai les boules, ça fait trop disponible. D'ailleurs, il n'a pas rappelé…

— Mais tu viens d'arriver ! C'est normal qu'il attende un peu…

— Tu vois, c'est ça qui me tue, il y a une heure, je l'avais oublié ; un coup de fil de huit secondes et je suis dans l'attente ! C'est insupportable…

— Écoute : il t'a appelée, il rappellera, alors pour l'instant tout va bien. Garde ta crise d'angoisse pour le jour où il oubliera de t'appeler, par exemple juste après que vous aurez couché ensemble.

— Pardon ?

— Ce n'est pas ce que je voulais dire ; d'ailleurs, je ne sais même pas ce que je voulais dire. Tu sais quoi ? Fais-moi taire. »

Voilà, Justine, la suite de mon histoire ; je n'ai pas le temps de t'écrire plus et je finirai la prochaine fois. Au fait, ça existe les dépôts-vente à New York ? Au cas où tu ne connaîtrais pas, je dirai juste que quelqu'un a inventé la Chambre des Tortures avant moi et, il a mis son rêve à exécution en créant les dépôts-vente.

Mais lui c'était vraiment un malade. Parce que profiter du désarroi de femmes aux abois obligées de vendre leurs plus beaux habits pour les traiter si dédaigneusement, c'est franchement odieux.

Je voudrais te remercier de ton soutien : j'ai bien aimé ton idée d'épiler le crâne de Bérénice, puis sa réincarnation en chat de gouttière ; et je suis heureuse de voir que tu es aussi aliénée que moi (c'est un compliment).

J'aime aussi te savoir capable de jurer comme un charretier, alors n'hésite pas à t'exprimer librement et n'aie pas peur de me choquer, mes oreilles ne sont pas conservatrices mais totalement dévergondées.

À propos, je ne sais pas ce que c'est qu'une bohémienne conservatrice, moi je dirais plutôt que je suis une bohémienne libérale de la vieille Europe. Ce qui ne veut strictement rien dire. Ça ne fait rien.

Bises,

A.

P-S : mon nez va un peu mieux. Il ne ressemble plus à une fraise mais plutôt à une framboise bio : petit, rond, plein et très vulnérable.

Ariane chérie,

J'ai hâte de lire le prochain épisode !

En attendant, il faut que je te raconte ma soirée avec cette pétasse de Charlotte.

Oui, elle est à nouveau sur le gril.

D'abord, l'inquiétude à propos de sa mère n'était pas justifiée : d'après David, elle est finalement sortie jusqu'à quatre heures du matin l'autre soir. Apparemment, elle n'est pas avec Harry, ils sont simplement bons amis. Mais je l'ai rencontrée et elle est tellement odieuse qu'elle mérite une bonne dose de châtiment corporel. Et je l'ai envoyée rejoindre Barbara, Bérénice et, les autres.

Samedi soir, je suis sortie dîner avec David, qui m'a dit qu'elle lui avait proposé d'aller la rejoindre. On est allés la chercher dans un bar archibondé et, j'ai attendu dehors qu'il vienne me dire si elle restait ou partait avec nous. Au bout de quelques minutes, j'entends hurler. Je tourne la tête et, qu'est-ce que je vois ? David essayant de calmer une hystérique.

En un mot, elle hurlait que tous ces gens étaient des ringards, qu'elle leur rendait service en les fréquentant et qu'elle n'était venue que pour apporter un peu de glamour à leur soirée.

« Glamour » prononcé avec l'accent français…

Je n'en croyais pas mes oreilles. Charlotte apporte au mot « Diva » une toute nouvelle dimension.

J'ai la réputation d'avoir une grande gueule, eh bien, en deux heures passées avec elle, c'est tout juste si j'ai pu ouvrir la bouche. J'avais l'impression d'être un chaton apeuré.

La seule raison pour laquelle je ne peux pas m'arrêter d'en parler, c'est qu'elle m'a bluffée.

Je n'ai jamais rencontré une fille qui soit aussi sûre d'elle. J'étais terriblement intimidée. J'admire sa confiance, sa vivacité et, la façon dont elle semble profiter de la vie.

D'un autre côté, elle boit comme un trou, n'a aucune classe et, je tuerais mon fils s'il la ramenait à la maison.

Et hop, un aller simple pour le Michigan.

J'ai une autre victime pour la Maison des Tortures : Karen, une amie que je connais depuis le lycée. Elle s'est mariée il y a six mois et, s'est comportée de façon tellement monstrueuse que je l'ai surnommée Epouzilla. Quelques exemples : un mois avant le mariage, elle m'a téléphoné pour dire du mal de son témoin, sa meilleure amie qui lui en voulait de ne pas avoir invité ses parents. D'ailleurs, elle n'a invité aucun des parents qu'elle connaissait pourtant depuis l'enfance, sous prétexte qu'il y avait trop d'invités. (S'il y avait tellement de monde, c'est parce qu'elle a préféré inviter des gens qu'elle connaissait peu mais qui étaient riches et soi-disant cool.)

Pendant toute la soirée, elle a fait des commentaires sur le prix exorbitant de la réception.

Elle a refusé de danser et d'être prise en photo avec ses amis. Elle m'avait placée à une table de ploucs contre le mur et j'observais tout ça sans y croire… Je n'avais jamais prêté attention à ce truc de tables avant, mais j'ai réalisé que ça en disait long sur l'estime que les gens vous portent. J'ai décidé de la sortir de ma vie. La dernière fois que j'en ai entendu parler, c'est lorsqu'elle m'a laissé un message pour me dire : « Je n'ai pas de tes nouvelles, ne me dis quand même pas que mon mariage n'était pas à ton goût ! »

J'imagine que justement, après avoir lu ces lignes, tu t'interroges sur mes goûts en matière d'amis.

Ces derniers mois, j'ai réalisé que je vois les mêmes personnes depuis des lustres et qu'il fallait que je fasse un effort pour me faire de nouveaux amis. Eh bien, à chaque fois que j'ai essayé, je me suis retrouvée avec des cinglés ou des gens qui n'ont rien à voir avec moi.

Quelles sont mes options ? Me forcer quand même ? Rester chez moi ?

Au fait, c'est quoi ton numéro de portable ?

J'ai souvent pensé à t'appeler, mais en même temps ça semble bizarre. Après avoir pris l'habitude de s'écrire en se livrant de façon si personnelle, je me demande ce qu'on se raconterait au téléphone… Je crois que je serais mal à l'aise et que ce n'est pas une bonne idée.

Cela étant dit, ton numéro.

Ma mère me regarde par-dessus ses lunettes, elle adore me prendre en défaut et je ne lui laisserai pas ce plaisir plus longtemps.

À bientôt,

Justine

« Mademoiselle ! Vous n'auriez pas le même en taille 3 ?

— C'est une taille 3 que vous avez sur vous.

— C'est impossible, je connais vos modèles, ils ne taillent pas comme ça.

— Si, si, je vous assure ! Attendez, je vérifie… Oui, c'est bien ça.

— Il doit y avoir une erreur d'étiquette.

— Bon, eh bien, je vais vous passer une autre taille 3. »

Je lui passe un autre pantalon, je sais déjà qu'il ne lui ira pas et que c'est ma faute si elle a grossi.

Je regarde l'heure… Plus que dix minutes, je n'en peux plus. Le rideau de la cabine s'ouvre brutalement.

« Alors ?

— Il est mal coupé, ça n'ira pas. »

Elle s'en va, furieuse et, je vais ramasser les vêtements dans la cabine. Quand une femme quitte une cabine d'essayage frustrée, elle s'arrange toujours pour se venger, je ne suis donc pas surprise de trouver tous les pantalons par terre… Tiens, elle a aussi piqué les cintres.

Il faut que j'arrête ce boulot.

J'entends quelqu'un entrer, ouf, c'est Julien qui vient me chercher.

« Enfin ! Vite, je ferme avant que quelqu'un n'entre.

— Je vois que tu as passé une bonne journée…

— Et Léa ?

— Elle nous retrouve plus tard. J'ai lu un article intéressant en venant : d'après les statistiques, un Français sur quatre souffre d'une forme de maladie mentale. J'ai pensé à mes meilleurs potes, ils sont tous très sains. Alors je me suis dit que le quatrième, c'est moi.

— Tu en doutais ? »

On arrive au café du coin et, pendant qu'on s'installe, mon portable sonne.

Je vide tout mon sac sur la table avant de le trouver, le numéro de ma grand-mère s'affiche, je réponds mais je n'entends qu'un vague brouhaha et je devine qu'elle a encore déclenché l'appel par inadvertance.

Ce portable, quelle idée à la con, elle doit jouer avec et à chaque fois le premier numéro enregistré est composé automatiquement. A comme Ariane, c'est pour ma pomme et, c'est au moins la dixième fois cette semaine.

Pendant ce temps, Julien défait posément son duffle-coat et me regarde d'un petit air narquois.

« Si tu veux dévaliser une femme, ce n'est pas la peine de lui arracher son sac, juste tu l'appelles sur son portable.

— Et Ambre, elle vient ?

— Elle m'a laissé un message : elle n'est pas libre, elle rencontre un type par l'agence ce soir. Tu sais ce que ça donne, ses rencards ?

— Pour l'instant elle n'a rencontré qu'un homme, très sympa, mais il ne lui plaisait pas du tout. Tu ne devineras jamais… Il avait une petite sacoche. Une sacoche en cuir marron comme celle du prof de math, tu te souviens ? Dès qu'elle l'a vu, elle a su que ça ne collerait pas.

— Ça me rappelle une scène, il y a quelques années. Un homme est venu chercher ma mère pour l'emmener dîner et, en le voyant, mon frère est devenu blême. Après leur départ, il a pété les plombs, il criait qu'un type avec une sacoche c'était forcément un maniaque et qu'il fallait prévenir maman. Il a attendu qu'elle revienne pour lui dire de ne jamais le revoir.

— Et alors ?

— En tout cas, nous, on ne l'a jamais revu. Donc je pense qu'il n'a pas fait long feu. Mais je ne sais pas si c'est à cause de la sacoche. J'avais huit-neuf ans, on ne me disait pas tout.

— N'empêche que ton frère avait raison. »

Julien se masse le genou.

« T'as encore mal ! Tu ne devais pas voir un médecin ?

— C'est fait, un spécialiste, même. J'ai attendu deux mois pour avoir un rendez-vous et le type m'a dit : vous n'auriez pas dû attendre autant. J'adore…

— Et alors ?

— Massages, rééducation… Une tannée mais je fais tout très sérieusement parce que j'aimerais aller skier avant la fin de la saison. Et toi, tu ne devais pas partir ?

— Si, mais je ne sais pas où, ni quand ; Vincent n'a toujours pas ses dates de congé. Bon, t'as loué un DVD ?

— Oui, j'ai pris *Pearl Harbour*, mais Léa m'a dit d'aller choisir autre chose.

— Elle a raison ! Et toi, qu'est-ce qui te prend, ce n'est pas ton genre de film non plus ?

— C'est vrai, mais ça fait des années que j'essaye de comprendre pourquoi les kamikazes portaient un casque… »

Chère J.,

« Le jour se lève sur le Michigan.

Dans une maison chaque jour plus remplie, King Kong se réveille de très bonne humeur. Il regarde amoureusement Epouzilla qui dort près de lui et, repense à la manière passionnée dont il a célébré son arrivée. Le désir monte.

Mais il est déconcentré par le vacarme fait par Charlotte, qui vient d'arriver et s'énerve parce qu'elle ne trouve pas le téléphone et aimerait commander son petit déjeuner.

Elle ignore encore qu'il n'y a ni téléphone, ni room service dans la Chambre des Tortures.

— Bande d'abrutis ! Où est le téléphone, je veux des œufs brouillés et une vodka tonic !

— La ferme ! lui dit King Kong qui n'aime pas être dérangé.

— Personne ne me parle sur ce ton ! Qu'est-ce que c'est que cet hôtel bas de gamme qui tolère les singes... Et où est le Spa, j'ai besoin d'un massage...

— Un massage ?

King Kong éclate de rire.

— Je m'en chargerais bien mais je suis occupé, c'est pas grave, je connais des gens compétents.

Il se tourne vers Bérénice, devenue mystérieusement chauve pendant la nuit et, lui demande son portable.

— C'est pour un appel local ? demande-t-elle.

— Non, ça pose un problème ?

— Non, ça ira.

(Bérénice n'aime pas faire l'amour avec les animaux.)

Alors King Kong appelle toute la distribution de Jurassic Park, *afin de leur demander de bien vouloir venir s'occuper de Charlotte, la nouvelle venue qui a grand besoin de se détendre.*

Puis il se retourne vers Epouzilla, qui vient de se réveiller, muette mais si séduisante qu'il se dit qu'il ferait volontiers d'elle sa Queen Kong.

Pendant ce temps, toutes ces dames font mine de ne pas voir l'écran géant qui montre la sublime Justine endormie dans une suite du Ritz. Sur la table de nuit, un vase rempli de roses rouges, un billet d'avion et un mot de George Clooney lui disant qu'il ne peut pas vivre sans elle et qu'elle doit le rejoindre aussi vite que possible. »

Je suis excédée et, il fallait que je me défoule avant d'aller me coucher.

Je me réjouissais à l'idée de traîner devant la télé quand Bérénice m'a appelée pour savoir ce que je faisais. J'ai eu le malheur de répondre « rien » et elle m'a répliqué : « On est en bas de chez toi, descends, on t'emmène dîner. » J'ai voulu refuser, mais elle avait déjà raccroché et, je n'ai pas su quelle excuse inventer. Pourquoi cette gentillesse ? Pour marquer des points, voyons ! Quand on était en route pour le resto, elle a appelé sa mère – qui comme le reste de la famille a toujours rêvé de nous voir inséparables – pour lui dire : « Je suis avec Ariane, oui, elle est encore toute seule, la pauvrette et, on est passés la chercher pour l'emmener dîner... » Puis elle m'a passé ma tante qui gloussait de plaisir à l'autre bout du fil. Je lui ai parlé deux minutes, puis j'ai écourté car elle était au bord de l'orgasme et c'était trop pour moi.

Bérénice adore sa mère, mais elle ne s'infligerait pas une soirée avec moi uniquement pour lui procurer des sensations fortes et, je pense que dans les semaines qui viennent, elle aura, mettons... une nouvelle paire de Prada. Au moins, toi et moi saurons pourquoi.

A.

Chère Ariane,

Ta cousine est une morue. Décidément, certaines personnes ne restent en vie que parce que le meurtre est illégal. Je repense à mon crachat, confondant de gentillesse.

Pas de remise de peine pour Bérénice ! Elle reste dans la Maison des Tortures et, je pense que Charlotte finira par l'étrangler avec la sangle de ses nouvelles Prada.

Quant à ta tante... Je crois que ton oncle devrait mettre un terme à notre supplice en lui mettant un grand coup, afin qu'elle ait un véritable orgasme et te foute la paix.

Je suis morte de rire. Je suis barjo. Je ne peux pas croire que j'ai écrit une chose pareille au sujet de la mère de quelqu'un. Désolée. Je pense que ta famille est encore plus dysfonctionnelle que la mienne, vu qu'elle arrive à me faire disjoncter à distance.

À propos, je t'écris de chez moi et je n'irai pas travailler aujourd'hui car je me suis encore disputée avec tout le monde.

Chris d'abord, qui m'a pris la tête au sujet d'un client. Si tu avais vu dans quel état il s'est mis... Un gosse en pleine crise de nerfs ! D'ailleurs, je lui ai dit de retirer le doigt de son cul, de le mettre dans sa bouche et de fermer sa gueule. Pas très mature non plus, je sais, mais ça m'a soulagée.

Ensuite ma mère. Elle a la capacité de tout oublier quand ça l'arrange. Moi, j'ai une excellente mémoire et, je me donne un mal de chien pour lui rappeler tout ce qui l'emmerde. C'est ce que j'ai fait hier et, elle a riposté en étant cruelle. Comme d'habitude.

Il faut que je change de boulot. Mais la simple idée de changement me pèse. Tu vois, je suis une petite chose qui n'aime pas changer ses habitudes. Et aussi, comme une femme battue, j'espère toujours que ça s'arrangera. Mais il n'y a aucune chance.

Passons.

Il m'est arrivé un drôle de truc aujourd'hui.

Il y a quatre ou cinq ans, je suis sortie avec un dentiste. Pour être honnête, je n'étais pas très attirée par lui et ça m'a arrangée qu'il attende un bon mois avant de m'embrasser. D'un autre côté, tous mes amis me disaient qu'il était génial et je me suis laissé entraîner par le mouvement.

Il m'emmenait partout, m'a présentée à toute sa famille et, dans la communauté séfarade, cette façon d'officialiser voulait dire des fiançailles prochaines.

Au bout de quelques mois, je l'ai présenté à mes parents : il suffit de dire qu'il a exaspéré mon père et que ma mère l'a adoré pour que tu comprennes : deux TRÈS *mauvais signes.*

Quoi qu'il en soit, la dernière fois que je l'ai vu, il m'a dit que j'étais tout ce dont il avait toujours rêvé. Le lendemain soir, on avait rendez-vous, il m'a posé un lapin.

Et il a complètement disparu. Quel choc. Pendant les jours suivants, je pleurais tellement que Chris m'a demandé si j'étais enceinte. Enceinte... On n'avait même pas couché ensemble.

Puis une amie m'a dit que, d'après la rumeur, il était homo. Ça semblait être une explication logique.

Hier, une copine m'a appelée pour me dire qu'on allait lui présenter quelqu'un et, elle voulait savoir si je le connaissais. Le fait est que je connais beaucoup de monde. Et quand je ne connais pas la personne, je connais toujours quelqu'un qui la connaît et je m'arrange pour avoir des infos. (J'écris ça avec un sourire de satisfaction pathétique.)

Voilà enfin la partie drôle de l'histoire : le type qu'elle allait rencontrer était mon dentiste !

Je lui ai tout raconté, j'avais un peu honte, mais en même temps je n'avais pas le choix.

Il y a quelques mois, il a réapparu. Cet abruti m'envoie des mails : des blagues débiles, des pétitions... Je n'ai jamais répondu. Je lui enverrais bien un message pour lui dire de me rayer de son répertoire, mais ce serait lui accorder trop d'importance. Je pense qu'il devrait y avoir un code de bonne conduite pour les transferts de mails, comme pour le golf. La courtoisie élémentaire exigerait qu'on foute la paix aux ex qu'on a torturés, non ?

Il y a quelque chose à méditer là-dessus, je rédigerais bien une charte sur les règles internationales de bonne conduite cybernétique. Mais rien que d'écrire le titre, je suis déjà fatiguée.

Et la suite de l'histoire du peintre ? Faut payer pour que tu finisses ?

Si je t'avais connue à l'époque, je t'aurais suggéré de lui demander comment il a quitté sa dernière nana.

Car, à défaut de rédiger une charte, j'ai quelques théories sur les hommes dont celle-ci : un homme quitte toujours de la même manière.

Je t'embrasse,

Justine

Tout va bien, oui, tout se passe bien.

Je l'observe pendant qu'il règle l'addition, toujours la même désinvolture qui caractérise chacun de ses gestes et, j'aime vraiment ça.

C'est la première fois que notre conversation s'interrompt depuis le début du dîner et, je peux tenter de prendre un peu de recul.

Ça va.

L'atmosphère est légère, je me donne un mal fou pour paraître naturellcment gaie et spirituelle et, il a vraiment l'air de passer une bonne soirée.

Et maintenant quoi ?

Il va me proposer d'aller prendre un verre ou me raccompagner sagement en bas.

« On va chez toi ? »

Merde, quel con ! Ce n'est plus de la désinvolture, c'est…

Il éclate de rire.

« Fais pas cette tête, je vais pas te violer ! C'est juste qu'on est bien ensemble et, j'ai pas envie d'aller dans un bar ou dans une boîte. Enfin, si tu ne veux pas, y a pas de problème, je te raccompagne.

— Non, tout va bien, on y va. »

Ça y est, je suis minée. C'était un test, j'en suis sûre. Maintenant il me prend pour une coincée et il ne me touchera pas. Mais j'étais censée réagir comment… En sautant de joie ?

Et puis, est-ce que je veux qu'il me touche le premier soir ? En plus il connaît ma mère, il pourrait procéder par étapes. Ou alors c'est *parce qu'*il connaît ma mère ?

Pendant le trajet, je réussis à maintenir un semblant de conversation tandis que mon cerveau se laisse envahir par toutes les questions qu'il refoulait.

J'ouvre la porte d'entrée et j'ai moi-même un choc en voyant le bordel que j'ai laissé.

Putain, ça la fout mal. Enfin oui et non, au moins ça fait spontané.

Il faut quand même que j'aille ramasser toutes les fringues qui sont jetées sur mon lit, s'il voit ça, il va comprendre que j'ai essayé la moitié de ma garde-robe avant de le rejoindre.

« Choisis un CD, je reviens. »

Vite, je prends le tas à bras-le-corps, j'enfonce tout dans mon placard déjà surchargé et, je retourne dans le salon.

Il est maintenant en train de regarder ma pile de cassettes vidéo et a mis de la musique cubaine : ni trop speed ni trop romantique. Bon choix, soit il a bon goût, soit c'est un fin stratège.

« Tu as *The Player* ! J'ai adoré ce film ! Ça t'ennuie si on le regarde ? »

Ça ne m'ennuie pas du tout et, j'ai bien fait de planquer mes habits parce que le magnétoscope est dans ma chambre. Je me demande s'il a remarqué qu'il n'y a pas de télé dans le salon, ça voudrait dire qu'il sait très bien ce qu'il fait. Et sous son air nonchalant, il a quand même l'air sûr de son coup.

Quelques instants plus tard, nous voilà allongés sur mon lit en train de regarder le film.

Enfin, je suppose qu'il regarde, moi, je me contente de fixer la télé en me demandant comment tout ça va finir.

S'il repart de chez moi sans rien essayer, ce sera le summum de l'humiliation…

Drôle d'ambiance ; le film a mis fin à toute discussion et, j'ai l'impression qu'il m'entend respirer. En tout cas, moi je m'entends. Peut-être que je respire trop fort. Il faudrait que j'augmente le volume. Impossible, je vais passer pour une sourde et, ça n'arrangera pas l'ambiance. Je vais essayer de respirer tout doucement.

C'est super dur de surveiller le bruit de sa respiration. J'aurais dû aller au yoga avec Léa, c'est bien fait pour moi. Tant pis pour le bruit, j'arrête de contrôler, sinon je vais faire un malaise vagal.

J'ai soupiré drôlement fort en recommençant à respirer normalement.

Je pèse trois tonnes. Chacun de mes gestes provoque d'atroces vibrations sur le lit. Je suis sûre qu'il se demande ce qui lui a pris d'aller se pieuter avec une baleine.

Oh, j'en ai marre, c'est trop de pression pour moi.

Peut-être qu'il attend la fin du film.

Bon, on va attendre. Quelle heure il est ? Très, très périlleux de regarder l'heure maintenant. S'il s'en rend compte, il va partir en courant.

Il doit être plus d'une heure.

Bon, il va m'embrasser en partant, sur le pas de la porte. Un mec n'a rien à faire chez une fille, au beau milieu de la nuit, s'il n'a pas une petite idée derrière la tête.

Et puis sur un lit, en plus. Sans compter qu'il a forcément la télé chez lui. Et le câble. Pas besoin de moi pour regarder un film.

Je ne vais pas pouvoir supporter ça cinq minutes de plus.

Tiens, j'ai l'impression que lui aussi il fait du bruit en respirant.

Peut-être qu'il s'est endormi.

Je ne peux pas le regarder maintenant, s'il ne dort pas, ça va faire bizarre. S'il s'est endormi, je suis dans la merd…

Il ne dormait pas. Il s'est penché sur moi et m'a embrassée.

Tout simplement.

Longtemps.

Chère Ariane,

Je ne devrais pas dire ça, mais il me plaît beaucoup ton peintre ! Tu sais ce que j'ai préféré dans ton histoire ? Le fait qu'il te dise « Je t'appelle demain » en partant.

J'ai des souvenirs de tortures mentales inimaginables après une première nuit d'amour.

Je me demandais : Est-ce qu'il va appeler ? Quand ? Est-ce qu'on est un couple ou juste des gens qui couchent ensemble ? Qu'est-ce qu'il pense de moi ? S'il n'appelle pas, est-ce que moi j'appelle ? Au bout de combien de temps ?...

J'attache aussi beaucoup d'importance à la façon dont un homme se comporte quand on va chez lui. Il y a celui qui t'appelle un taxi, descend avec toi pour te sécuriser et t'ouvrir la porte... Le bonheur ! Et celui qui te laisse partir seule dans la nuit sans s'inquiéter de rien. Pas besoin d'aller plus loin pour savoir que soit il n'en a rien à foutre de toi, soit c'est un parfait goujat. Et dans les deux cas, tu es déjà bien fixée sur l'avenir de votre relation.

Je viens de raccrocher avec l'amie de ma mère qui a arrangé mon rencard d'hier soir avec un dénommé Rob.

Je me suis confondue en remerciements (alors que

j'aurais bien aimé l'assommer). Elle voulait savoir ce que je pensais de Rob, je lui ai dit que je n'étais pas pour lui. C'est plus gentil que de dire qu'il n'était pas pour moi. Ça n'a pas eu l'air de l'étonner. Rien qu'au téléphone, je suis capable de dire si ça peut coller entre un inconnu et moi. Un simple bonjour et cinq minutes de conversation suffisent à sentir si la magie prend ou non. J'aime les hommes qui ont une voix affirmée et grave, ceux qui savent ce qu'ils veulent. Le contraire de Rob ; mais j'ai accepté d'aller dîner avec lui par politesse, notamment vis-à-vis de l'amie de ma mère.

Rob est brun, assez baraqué, avec des petites mains. Grosse réussite et, un peu trop maniéré à mon goût. J'étais assise dans sa Mercedes et, je me demandais : est-ce que je pourrais ?

On m'a souvent accusée de rechercher un homme riche. Eh bien là, je contemplais le tableau de bord ultra-sophistiqué et je me disais : non, je ne pourrais pas. De toute façon, je ne crois pas que j'étais son genre non plus. La conversation se traînait et, c'était clair qu'on n'accrochait pas.

Ce matin, je devais me lever très tôt pour aller à la circoncision du fils de ma cousine. On m'a demandé de tenir le bébé, ce qui est censé être un porte-bonheur. Tant qu'à faire dans la superstition, j'ai aussi bu dans le verre à vin du kiddoush. Est-ce que chez toi, on pratique aussi ce genre de coutumes ? Ariane, si tu me voyais à certains mariages ! Je me planque après la cérémonie et, j'attends que les gens se dispersent pour aller boire en douce dans le verre du kiddoush en espérant que ça me portera chance... Je me marre en y repensant, mais, en vérité, ma niaiserie me navre.

C'est au moins le cinquième bébé que je tiens et, j'ai bu dans le verre du kiddoush à je ne sais combien de mariages et circoncisions. Mais je suis toujours là. Il *y a un terme en persan : « Torshi ». Je cherche une traduction appropriée et je pense à… Endive.*

C'EST MOI.

Il y a quelques années, une amie m'a offert un coussin sur lequel est écrit « Pour trouver le Prince Charmant, il faut embrasser beaucoup de grenouilles ». J'ai embrassé des tas de grenouilles en me disant que peut-être, avec beaucoup d'amour, l'une d'elles pourrait se métamorphoser. Mais laisse-moi te dire une chose : la merde ne change pas, elle sent juste un peu plus fort à chaque fois. Et je suis tellement frustrée par cette connerie de coussin que maintenant, en faisant mon lit, je le retourne pour ne plus le voir.

Ce truc de me faire tenir le bébé parce que je suis la plus vieille célibataire de la famille…

Ça fait mal. Je sais que j'ai beaucoup de chance : deux bras, deux jambes et tout le bordel. Mais la seule chose que j'ai en tête, c'est que le temps file et que je le gâche. Et parfois ça me met très en colère.

Je n'en veux à personne, mais j'avoue qu'il m'arrive d'en avoir marre de me réjouir pour les autres alors que je me sens si seule.

Tu sais que je pense que ce ne sont pas des sentiments qui m'embellissent, alors j'essaye de m'en débarrasser, mais j'ai du mal.

Ça y est, je me sens pitoyable. Ne fais pas attention. Tout ce que je demande, c'est une oreille et, un peu de sympathie. Pas de pitié, je me sens déjà assez pathétique comme ça.

Bises,

Justine

Chère J.,

C'est plus que de la sympathie que tu m'inspires et, tout ce que je peux dire, c'est que tu n'as pas besoin de toutes ces vieilles coutumes, tu finiras forcément par rencontrer quelqu'un de bien. Alors sois patiente, je sais qu'un Prince Charmant t'attend quelque part.

Je me demande comment se terminent vos sorties : est-ce qu'il y a une question rituelle sous le porche, du style « Est-ce qu'on peut se revoir ? », qui permet de répondre « Avec plaisir » ou « Je ne pense pas que ça va marcher » (ou quelque chose de plus original) ?

Je suis un peu soulagée de ne pas t'avoir connue au moment où je sortais avec mon peintre. D'abord, j'étais bien trop timorée pour lui demander comment il a largué sa dernière nana. Ensuite, j'aurais été obligée de prendre ma voiture tout le temps pour ne pas risquer de tiquer s'il ne m'accompagnait pas au taxi. L'un dans l'autre, j'aurais commencé à flipper avant même de pouvoir profiter de ce début d'histoire.

Désolée que la soirée avec Rob ait été aussi décevante. Moi aussi je déteste les hommes qui ont des petites mains, pas autant que les filles aux vilains pieds, donc je ne les enverrai pas dans la Maison des Tortures, mais je suis d'accord pour ne pas sortir avec eux.

Je t'embrasse,

A.

P-S : il doit y avoir au moins un P-S.

P-P-S : pour ton coussin à la con, donne-moi la taille et je te ferai une nouvelle housse.

P-P-P-S : merci d'avoir pris goût à mon feuilleton.

P-P-P-P-S : rien, je trouve que ça fait joli.

« Qu'est-ce que tu en dis ? »

Ambre chuchote pour que l'agent immobilier ne voie pas à quel point elle est emballée, mais franchement ça crève les yeux. C'est vrai qu'il est bien cet appartement, très clair, bien disposé ; bien sûr, il y a des travaux, mais c'est normal vu que le prix est raisonnable, surtout « vu l'état actuel du marché » comme n'a pas manqué de le souligner le commercial qui s'agite sous nos yeux.

« Je le trouve super.

— Vous n'avez pas vu la terrasse, venez, c'est ce qu'a préféré votre amie… La vue est spectaculaire ! »

L'agent immobilier m'entraîne, il ne s'arrête plus de parler et son babillage incessant me soûle un peu, d'autant plus qu'il fait constamment les cent pas en faisant claquer ses chaussures sur le parquet et, ça résonne drôlement fort dans un appartement vide.

« Venez voir, vous voyez le dernier étage en face ? C'est l'appartement de Jacques Balutin. »

Drôle d'argument de vente… Il arbore un grand sourire et, je me demande s'il est sérieux, j'observe Ambre du coin de l'œil, visiblement elle se pose la même question. On ne saura jamais, peu importe ; elle se décide.

« Je crois que je vais faire une offre, est-ce que c'est possible de revenir plus tard ? »

Une fois dehors, elle appelle Léa qui accepte de venir visiter le soir même et, on décide de se promener dans le quartier.

« Pour l'offre, j'ai besoin d'elle, elle est meilleure que toi pour parler d'argent.

— Un enfant de trois ans est meilleur que moi ! Dis-moi plutôt : c'est quoi l'autre grande nouvelle ?

— La fille du club de rencontres m'a appelée, ils avaient oublié de me donner une fiche. Je suis allée au rendez-vous sans rien savoir du type que je rencontrais, et tu sais quoi ? Le coup de foudre ! On s'est embrassés passionnément en se quittant, c'était… intense. On peut en dire beaucoup sur une personne juste après l'avoir embrassée, tu ne penses pas ? Eh bien, lui… On a parlé toute la nuit, je crois que c'est le bon. Enfin, je ne devrais pas dire ça. Enfin on verra bien.

— C'est génial !

— Tu te rends compte, je me revois la semaine dernière, seule, angoissée… »

Elle avance jusqu'au bord du trottoir et se met à marcher comme un funambule en mettant un pied devant l'autre. À chaque pas, elle fredonne d'un ton espiègle :

« J'ai un mec. Un copain. Un fiancé. Un soupirant.
Il faut que je me sauve, mon mec m'attend.
Un amoureux.
J'ai rendez-vous avec mon homme.
Un amant. Un compagnon.
Mon mec. »

Elle éclate de rire, m'attrape le bras et m'entraîne.

Je la regarde, la fraîcheur de son visage me rappelle notre enfance et, je serre son bras.

Tandis qu'on s'éloigne, je réalise que je ne connaîtrai plus ces moments de grâce, car si je reste sur la route que j'ai choisie, aucun début ne m'attend.

Il faut que je me concentre.

J'ai lu toutes mes fiches-cuisine *ELLE* et, rien à faire, chaque fois que j'en parcours une, ça me rappelle pourquoi je ne lis plus de bouquins de science-fiction : à cause de cette petite voix qui me dit sans cesse : « même pas en rêve ! »

C'est déjà stressant d'inviter Thomas à dîner et de le présenter à mes amis, je ne crois pas que ce soit la peine d'en rajouter en m'imposant un menu compliqué…

Je pourrais faire une salade et un plat de pâtes, acheter un dessert et, ça irait très bien. J'appelle quand même Léa pour avoir son avis…

Double appel, R2, c'est Thomas, R2 « Léa, je te rappelle ! », RI.

« Je voulais savoir, pour le dîner demain soir, ça t'ennuie si j'emmène ma petite sœur ?

— Non, pas du tout, au contraire.

— Tant mieux parce qu'elle n'a pas trop le moral en ce moment et, j'ai pensé que ça lui changerait les idées. »

Je rappelle Léa, ça se corse, j'ai maintenant deux personnes à impressionner ; elle me dit d'aller chez Picard, elle achète tout là-bas quand elle fait des dîners et, c'est vrai que c'est bon et que ça peut bluffer les gens qui ne connaissent pas. Et Thomas Holt ne va pas chez Picard, j'en suis sûre.

Je récapitule : moi, Thomas et sa sœur, Léa, Ambre et Igor, Julien + 1 et, mon pote Daniel. J'espère que Daniel vient tout seul, s'il vient accompagné, ça fera six filles pour quatre garçons, pas très équilibré et moins sympa pour la frangine. Je lui laisse un message et je pars.

Il me rappelle pendant que je grelotte au milieu des congélateurs.

« Quoi de neuf ?

— Je voulais savoir si tu viens avec quelqu'un demain, parce que mon copain vient avec sa sœur et j'ai pensé qu'elle pourrait te plaire…

— Merde, fallait me le dire plus tôt ! Ça fait deux jours que je galère pour trouver une fille à emmener, j'ai fini par en trouver une, même pas mignonne et, maintenant je vais être obligé de la baiser après !

— T'es complètement malade ! Pourquoi tu t'es donné autant de mal, tu aurais pu venir tout seul !

— Non, tu me connais, j'ai horreur de rentrer seul. Elle est comment la sœur ?

— Franchement j'en sais rien, je la connais pas, c'était juste une idée comme ça…

— De toute façon, elle est forcément mieux que celle que j'ai trouvée ; bon, je réfléchis à un bobard et je te rappelle. »

Je raccroche, médusée. Quel porc.

Ce qui me sidère le plus, c'est qu'un type puisse être à la fois un porc et un mec génial. Daniel est beau gosse, intelligent, bosseur et, il a beaucoup d'humour. Pour les filles, c'est différent : une salope, c'est une salope. Une salope sympa, c'est rare.

Mon portable sonne encore :

« C'est bon, j'ai annulé la gonzesse, je suis dispo pour la tienne.

— OK, mais tu la baises pas après le dîner !

— Même si elle en a envie ? »

« Pourquoi tu ne l'appelles pas ? »

21 heures 40 et toujours pas de Thomas. Les autres sont tous là, mes bols à apéritif sont désespérément vides et, je ne peux plus faire semblant de ne pas remarquer son retard.

« Il doit être en chemin, mais j'appelle. »

Boîte vocale, il est peut-être dans l'ascenseur. Je raccroche.

« C'est le répondeur. Encore dix minutes et on passe à table. »

Léa s'étire.

« Il fait quoi comme style de peinture ?

— De l'abstrait… Mais c'est vachement bien. Métaphysique. Poétique.

— Moi, la peinture contemporaine, j'y comprends rien.

— Il est peut-être en train de taguer l'immeuble, ricane Julien.

— Quel idiot, s'esclaffe Sibylle, sa nouvelle copine. Moi, j'adore la peinture moderne. Et encore plus tout ce qui est postmoderne. Genre minimal. »

Léa lève les yeux au ciel, Julien la regarde, un peu consterné, mais moi je l'encourage à continuer : pendant qu'elle s'emmêle les pinceaux avec des explications surréalistes, personne ne pense à regarder l'heure.

Surtout pas Ambre occupée à folâtrer avec son Igor. Elle est assise sur ses genoux, je le regarde faire du tam-tam sur ses cuisses, plus exactement sur le pantalon Joseph en PVC marron que je lui ai prêté et, ça fait tout drôle.

22 heures. Je vais à la fenêtre, quelques voitures passent sans ralentir, je rappelle. Cette fois il faut laisser un message.

« C'est moi, il est dix heures et mes invités sont affamés, je voulais savoir si vous étiez loin. Bon, on va passer à table… J'espère que tout va bien. »

Deux heures plus tard, pas de Thomas, pas de petite sœur, pas de coup de fil, rien.

Après l'indispensable moment où les filles se retrouvent à la cuisine à parler d'amour, tandis que les garçons parlent sexe au salon, il faut se rendre à l'évidence : il ne viendra plus.

« Tu veux que je reste ? demande Léa.

— Non, ça ira. Il a dû se passer quelque chose, il y a forcément une explication. On verra demain. »

Je vais voir Daniel, je suis un peu gênée qu'il ait décommandé sa copine pour rien…

« Oh, ça n'a aucune importance, je la rappellerai. Et puis c'est ma faute, je n'aurais pas dû l'annuler. Tu sais, moi j'ai l'habitude de courir plusieurs lièvres à la fois, y en a toujours un qui détale sans qu'on comprenne pourquoi, alors il faut en avoir en réserve. Tu devrais faire pareil. »

Julien m'embrasse gentiment, ça fait au moins une heure qu'il a la générosité de m'épargner ses vannes ; les filles m'aident à débarrasser et tout le monde part.

Une fois seule, je finis de ranger en essayant de positiver, après tout j'ai réussi mon repas et, même si c'est grâce à Picard, ça fait plaisir quand même. J'emballe rapidement les restes qui me rappellent les absents et, je finis tous les verres de vin pour m'embrouiller l'esprit et être sûre de m'endormir.

Je me couche, incroyablement occupée à ne pas penser et, je réussis à sombrer en me demandant pourquoi il y a une lumière dans les frigos mais pas dans les congélateurs.

Voilà, J.

C'est tout ce que tu sauras de mon histoire, car le reste ne mérite pas d'être raconté, surtout que tu devines la suite. Thomas avait bien sûr une excuse bidon de vieux potes rencontrés avec sa sœur et, de portable oublié. Et à partir de là, tout n'a été qu'une suite d'espoirs et de déceptions.

Un soir, un amant tendre et passionné, le lendemain, quelqu'un de froid qui s'ingéniait à mettre de la distance entre nous. Tu connais ce genre de personnage, je parierais même que tu en as fréquenté. Avoir une relation avec eux consiste à essayer de danser la valse avec un partenaire qui fait du cha-cha-cha. Tu tournes, jusqu'à ne plus rien voir autour, pendant que lui fait un pas en avant et, deux en arrière.

Chaque moment passé avec Thomas me donnait l'impression d'être unique ; puis il rentrait chez lui en me disant « À plus tard » et, je me rassurais en pensant à la façon dont il m'avait tenue dans ses bras pendant qu'il dormait. Je comptais les secondes jusqu'au prochain rendez-vous, tandis que, pour lui, les jours s'écoulaient sereinement.

Son aisance naturelle n'a jamais été aussi éclatante que lorsqu'il s'agissait de nous éloigner.

S'il avait au moins appelé pour dire qu'il avait un empêchement. Même sans donner de précisions, juste pour te prévenir, juste pour faire semblant d'être un peu considéré…

J'entends un « Gros enculé ! » en provenance de l'allumée qui est dans mon oreille gauche.

Je suis cinglée. Il faudra que tu t'occupes de la santé mentale de mes enfants.

Je te propose de changer de sujet : moi aussi, j'ai passé une soirée de merde et j'espère te réconforter en te la racontant.

Deux cent quarante-cinquième rencard de l'année. Cette fois, c'est une amie de mon frère qui l'a arrangé.

Steve, trente-huit ans, séparé depuis quatre mois et, très déprimé. Il a un business de recrutement sur Internet et travaille de chez lui. Je lui ai donné rendez-vous au bar de l'hôtel Royalton et je l'ai repéré dès que j'ai passé la porte. Grand, belle tignasse mais nez démesuré, très décontracté, genre Jerry Seinfeld. L'humour en moins. On parle et il me dit que son affaire ne va nulle part mais que ça ne le dérange pas trop. Tout ce qu'il veut, c'est gagner assez d'argent pour se marier, avoir des enfants et, s'installer dans une banlieue résidentielle du New Jersey. Excitant, non ?

J'ai gardé le meilleur pour la fin : il adore faire ses courses au supermarché parce qu'il compare les prix et achète les articles en promo. Ce qu'il aime pardessus tout : les grands magasins pendant les soldes. Il n'aime pas faire la queue, mais apprécie les atmosphères survoltées… Dire que la copine de mon frère a pensé qu'on irait bien ensemble… Je sais que je suis superficielle mais, Dieu me pardonne, au moins j'ai de l'allure.

Ce n'est pas fini : pendant que je l'écoutais délirer en me disant que ça ne pourrait pas être pire, la porte s'ouvre et qui entre ? Fred, mon ex et, sa grande copine, celle avec qui il avait une relation ambiguë. Ils se tenaient la main et se dirigeaient vers le restaurant ; et c'est tout ce que j'ai vu parce que je me suis planquée. (Je me suis aussi planquée parce qu'ils portaient tous les deux des manteaux en cuir noir, ça m'a fait penser à des officiers de la Gestapo. Je me suis immédiatement imaginée dans le rôle d'une héroïne en fuite. J'aime ce genre de projections, ça me permet de relativiser mon petit drame personnel.)

Inutile de te dire que je suis convaincue qu'ils sont ensemble.

Ça m'a fait un choc. J'avais mal au ventre et, en même temps je n'étais pas très étonnée. Figure-toi qu'après notre séparation, plusieurs amis m'ont raconté que pendant des dîners ou des fêtes, elle s'amusait à dire mon nom, comme ça, soudain. Juste pour le plaisir de le voir flipper. Elle criait « Justine ! » et il changeait de tête. Drôle de trip. Enfin.

J'avais mal au ventre et, l'autre con me parlait de la semaine mexicaine du Food Emporium.

Je crois que j'ai mérité le Prix de martyre de l'année. Mais je ne me plaindrai pas, c'est promis, parce que j'ai peur que tu finisses par m'envoyer dans la Chambre des Tortures.

(Il m'arrive de me demander si je n'y suis pas depuis ma naissance...)

À part ça, mon pote David n'arrête pas de m'appeler pour me proposer de sortir et, je m'amuse à l'envoyer promener. Je lui dis que je suis hyper occupée alors qu'entre mes rendez-vous foireux, j'hiberne. Je suis une menteuse, c'est nul. Mais tu sais comment ça marche : les gens t'apprécient plus si tu te rends inaccessible.

J'espère que tu réussis à gérer la situation avec

Vincent sans trop t'angoisser. Si tu sens que tu stresses, respire à fond.

Inspire. Respire. Ceci est le conseil d'une pro. Célibataire juive et trentenaire : stresser est ma spécialité.

Je t'embrasse,

Justine

P-S : tu dis que le Prince Charmant m'attend ? Il ferait mieux de me chercher au lieu de m'attendre comme un con ! S'il n'est pas plus motivé que ça, c'est mal barré.

Chère J.,

Il n'est pas question que je t'envoie dans la Maison des Tortures, tes histoires me manqueraient trop et c'est moi qui serais punie. Moi, si je me plains peu, ce n'est pas parce que je suis une sainte, mais uniquement parce que j'ai toujours entendu ma grand-mère dire : « Plus on se plaint, plus Dieu nous condamne à vivre vieux. »

Ton Steve est unique : aller au supermarché, comparer les prix et s'éclater pendant les soldes... Et c'est quoi cette folie pour les grands magasins bondés ? Ce type doit être un pervers, je suis sûre qu'il profite de la cohue pour peloter tout ce qui bouge. Le pire, c'est qu'il te raconte ça lors d'une première rencontre, je me demande quels secrets il conserve pour les confidences sur l'oreiller...

Je connais bien le mal de ventre que tu as éprouvé en voyant Fred et sa copine. J'ai eu ma dose de ces rencontres qui donnent une dimension tragique à n'importe quel moment. Une fraction de seconde et on se sent complètement perturbé, comme lorsqu'on se réveille d'un cauchemar. Mais je n'ai pas envie de les torturer. À une époque, j'ai passé un doctorat en amitiés amoureuses (j'ai été reçue avec les félicitations du jury), je sais que c'est un terrain glissant et je suis mal placée pour les juger. C'est à cause du film When Harry Met Sally *qui m'avait franchement troublée. D'ailleurs, je suis sûre que cette histoire d'amis faits l'un pour l'autre a eu un énorme impact sur l'inconscient collectif.*

Quoi qu'il en soit, je déclare ouverte la Chambre de l'Oubli et je les y envoie sur-le-champ, mais celle-ci n'est pas dans le Michigan, plutôt quelque part en Nouvelle-Zélande.

Je ne laisserai pas planer le suspense plus longtemps, voici le récit de mon épopée personnelle.

Il tient en trois lignes : V. est rentré à minuit et demi ; après son coup de fil, des types du bureau sont venus lui parler d'un problème et il a passé le reste de la soirée à essayer de le résoudre. Il était tellement absorbé qu'il a oublié de m'appeler et ne s'est pas rendu compte qu'il n'avait plus de batterie. C'est tout.

Bienvenue dans le monde du mariage.

Ce matin, je suis partie à la boutique en traînant des pieds et j'ai broyé du noir toute la journée.

Puis Bérénice m'a appelée pour m'annoncer ses fiançailles.

J'ai été obligée de l'écouter bavasser pendant une heure, tandis qu'elle me parlait de sa bague et de la joie de ses parents (ma tante a toujours cru qu'elle épouserait un énarque ou un chirurgien et, Jonathan n'est « que » courtier en assurances ; mais elle est comme tout le monde : quand Bérénice a eu trente ans, elle a revu ses prétentions à la baisse). Puis elle m'a parlé du premier dîner qui aurait lieu pour célébrer l'événement ; oui, il y a plusieurs festivités prévues, je me demande combien il y en aura pour le mariage…

J'ai battu mon propre record de stress, mais j'ai

oublié de respirer à fond comme tu me l'as conseillé, j'étais trop occupée à m'empêcher de lui crier de fermer sa gueule. Bien sûr, la voix dans mon oreille droite me conseillait de m'élever au-dessus de tout ça, mais celle de mon oreille gauche me disait : je m'occuperai d'elle dans la Chambre des Tortures.

Quelques heures plus tard, on m'a livré un bouquet de fleurs avec un mot de Vincent : « Désolé pour hier soir. »

Je te sens fulminer et, la vérité, c'est que je suis d'accord avec toi : son comportement est hyper léger et, son excuse n'en est pas une ; mais que faire ?

En tout cas, il y en a une autre qui est heureuse : mon amie Ambre.

En rentrant chez elle avec son nouveau mec (qu'elle connaît depuis huit jours !), il a commencé à lui parler mariage…

J'ai trouvé ça étrange, presque inquiétant, mais elle était tellement folle de joie en me racontant ça que je n'ai pas voulu faire le rabat-joie. Je lui ai quand même conseillé d'attendre quelques mois de vie commune avant de s'engager. (Je suis diplomate, pas comme Léa qui lui a tout simplement dit d'arrêter de fumer la moquette.)

Bon, après toutes ces émotions, je vais aller me calmer en rangeant mon placard.

À vite,

A.

Chère Ariane,

Je viens de manger trois tartines de pain avec du fromage et de la gelée, j'ai mon café près de moi et, la télé dans le fond. Y a-t-il un meilleur moyen de commencer mon dimanche ?

Non, parce que tu es là, quelque part au bout de ce mail.

Tu as raison, j'ai fulminé en découvrant l'excuse de Vincent, mais tu as choisi de laisser faire et je n'ai rien à dire.

Alors Bérénice se fiance... Même si tu t'en fous, essaye de te réjouir pour elle. Fais-moi confiance, j'ai du mal à écrire une chose pareille, mais ça fait partie du processus de lâcher prise. Moi, je devrais être heureuse pour Fred et sa copine. Bon, d'accord, j'abuse, être heureuse pour eux est un peu exagéré. IGNORE-LA. Il faut les bannir dans la Chambre de l'Oubli. Tu as raison, c'est l'endroit rêvé pour nos exilés parce que tant qu'ils sont dans la Chambre des Tortures, c'est qu'ils nous emmerdent encore. Ceux qu'on envoie dans la Chambre de l'Oubli ne nous affectent plus. Cela dit, il paraît que la Nouvelle-Zélande, c'est très beau. Alors plutôt que les envoyer là-bas, je pense qu'ils devraient être mis en orbite dans une sorte de Rien.

Un Rien très calme.

J'espère que tu as fini ton rangement. Si tu voyais mes placards, je suis sûre que tu serais impressionnée. J'ai travaillé chez Benetton un été quand j'avais dix-sept ans et j'ai appris à plier. Mon armoire est remplie de pulls, chemises et tee-shirts, tous parfaitement pliés et rangés en fonction de la couleur et du style. Je suis anale et j'en suis fière. Tous mes vêtements sont des basiques. Il y a une dizaine d'années, une amie m'a transmis son concept du shopping sensé : on peut dépenser une certaine somme quand on achète un classique, mais peu d'argent pour les articles à la mode. Mon métier m'oblige à un style relativement conservateur et, ma garde-robe est assez classique, mais je m'autorise des excès pour les belles chaussures. Ma dernière folie : des Manolo Blahnik en lézard. Absolument divines.

Je les ai achetées hier, pour agrémenter une journée épuisante.

Le matin, Chris m'a proposé d'aller essayer un nouveau club de gym. Je ne sais pas ce qui m'a pris, j'ai accepté sans réfléchir. Au bout de dix minutes de cours, j'ai cru que j'allais mourir. Comme je te l'ai dit, je n'aime que le stretching. Eh bien là, à peine arrivée et j'étais en nage : on ne faisait que sauter, courir, s'agiter dans tous les sens. Le cours s'appelait « cardio », on l'a choisi en pensant que c'était une classe douce pour les cardiaques, mais je crois qu'en fait, c'était un cours pour sportifs qui ont décidé de devenir cardiaques.

Je ne sais pas comment j'ai survécu.

En sortant, on a croisé un ami de mon frère ; je tenais à peine debout, mais comme je le trouvais mignon, je suis allée manger des sushis avec eux. J'aufbrais bien bu du saké, mais à midi et demi, ça fait mauvais genre. Puis mon frère est parti et son copain m'a proposé de faire une balade dans le Park. J'avais encore les jambes qui tremblaient mais j'ai accepté avec joie. On a marché trois heures, parlé de plein de choses et, puis soudain, il a regardé l'heure et m'a dit : « Il faut que j'y aille, ma fiancée m'attend. »

TU POUVAIS PAS LE DIRE PLUS TÔT, ABRUTI...

Je ne sais pas si tu as remarqué : je suis un aimant pour les hommes peu fréquentables.

C'est à ce moment-là que j'ai décidé d'aller faire un tour chez Bergdorf. Et j'ai acheté les chaussures.

Le soir, je souffrais trop pour sortir et je suis restée là. Une amie est passée, elle était dans un état bien pire que moi. Ça fait huit mois qu'elle essaye de rompre une relation commencée il y a neuf mois et, elle est au bord de la crise de nerfs.

Je me suis réveillée pleine de courbatures et, le fait d'être derrière mon ordinateur n'arrange rien (ça tire sur les muscles de mes bras jusqu'à la nuque).

Je vais fumer une cigarette et je crois que je vais me recoucher. Cela dit, j'aimerais bien aller à ce cours une fois par semaine. Je suis cinglée, je sais, mais bienvenue chez moi. C'est un asile de fous, mais je te promets de toujours essayer de te distraire.

J'ai hâte de savoir comment ton « V. » s'est fait pardonner. En tout cas, je crois que tu devrais avoir une bonne conversation avec lui afin qu'il comprenne à quel point son comportement est insupportable.

Ce n'est pas pour te foutre la pression, mais en me levant le matin, la première chose que je fais est de regarder si tu m'as écrit. Enfin, ne te sens pas obligée de répondre tout de suite, je suis la Madone de la Patience. Après tout, ça fait trente-deux ans que j'attends qu'un simple rêve se réalise.

Gros bisous,

Justine

P-S : c'était quoi comme fleurs ?

Chère J.,

La Madone de la Patience, quel beau titre, mais pour moi, tu es surtout la Reine des Masochistes.

Et c'est moi qui me laisse faire ? Peut-être, mais au moins, je n'ai pas (encore) subi d'abus physique !

Je me demande quel genre de supplice tu t'es imposé depuis et, j'espère que tu as laissé un peu de répit à ton pauvre petit corps endolori.

Toi aussi tu mérites des fleurs. Celles de V. étaient des roses, un bouquet de toutes les couleurs, très joli.

La Chambre de l'Oubli située dans un Rien très calme est un endroit parfait. Et je suis de ton avis : c'est l'aboutissement de la Chambre des Tortures ; on peut y envoyer les ex, la famille et, toutes les personnes toxiques une fois qu'on est guéries.

Nous avons un autre point commun : moi aussi, j'ai travaillé dans une boutique de pulls où j'ai attrapé le virus du pliage. Malheureusement, comme mes placards débordent, mes piles ne sont pas aussi ordonnées que je le voudrais. Mon classement ne tient pas compte des couleurs, mais des modèles (cols V, cols roulés, gilets) et des matières (laine, maille...).

Voilà certainement l'échange le plus intéressant de toute notre correspondance !

Je soupire, tout en me demandant que penser de nos névroses communes : d'un côté, ça me réjouit ; de l'autre, je ne peux pas m'empêcher d'y trouver un aspect affligeant.

En attendant, j'aime beaucoup ta devise : « Je suis anale et j'en suis fière. » J'ai même envisagé un moment de la broder sur la housse de coussin que je te prépare afin de remplacer celle sur les grenouilles. Mais je me suis dit que, posé sur un lit, ce coussin pourrait prêter à confusion, le jour où le Prince Charmant, ce crétin apathique, entrera dans ta chambre et découvrira le coussin.

Ton concept de « shopping sensé » me rappelle ma mère et sa devise : « Je n'ai pas les moyens de m'habiller bon marché. » J'y viens doucement, après des années passées à acheter des habits à la mode, que je trouvais hideux l'année suivante et, dont une partie continue à encombrer mes placards.

On sonne… Merde ! Ils ne peuvent pas nous laisser tranquilles ?

Ciao !

A.

P-S : je ne peux pas croire que j'ai une amie qui aime la gelée.

P-P-S : je ne peux pas croire que j'ai une amie qui aime les Manolo Blahnik ET *la gelée.*

J'ouvre la porte pour découvrir Ambre en larmes.

« C'est fini ! »

Et elle s'écroule dans mes bras. Au bout de quelques instants, je l'entraîne vers le canapé, lui tends une boîte de mouchoirs et j'attends qu'elle commence à se calmer.

« Qu'est-ce qui s'est passé ?

— Je ne sais pas, je ne comprends rien… Tous ces derniers jours, c'était le paradis. Et puis hier soir, il a recommencé à me parler de notre avenir. Je ne sais pas comment, on a dérivé sur un contrat de mariage. Et il m'a dit qu'il s'en occuperait dès demain. Il est rentré dormir chez lui et, puis vers trois heures du matin, je dormais profondément quand j'ai entendu le téléphone sonner. Le répondeur a pris avant que je décroche et j'ai entendu sa voix crier :

"T'es dingue ou quoi ! C'est moi qui aurai la garde des enfants !" »

Elle s'arrête, interrompue par un gros sanglot.

« C'est quoi ce délire ? !!! Quel besoin vous aviez de parler de contrat de mariage maintenant ?

— On a tous les deux très peur du divorce…

— C'est pas une raison ! Et la garde des enfants… Pourquoi pas la pension alimentaire pendant que vous y êtes ?! Vous êtes cinglés ! Tous les deux ! »

Je me tais, ce qu'elle me raconte est tellement absurde que je ne trouve pas mes mots. Puis les sanglots d'Ambre m'obligent à me ressaisir.

« Bon. Et aujourd'hui ?

— Aujourd'hui rien ! Pas de nouvelles ! Je l'ai appelé, j'ai laissé un message ce matin et, il ne m'a pas rappelée depuis. C'est fini, j'en suis sûre.

— J'espère bien que c'est fini ! Tu vois pas que c'est un malade ?

— Je ne sais pas, jusqu'à hier il était tellement merveilleux ! J'ai peut-être déconné aussi…

— Oui, tu as déconné en pensant que c'était l'homme de ta vie ! Écoute, depuis le début c'est bizarre. Je veux bien croire au coup de foudre, mais parler mariage au bout de quelques jours, avoue que c'est n'importe quoi ! Et maintenant, cette histoire de contrat de mariage… »

Elle ne répond pas et continue de pleurer doucement, cachée sous ses cheveux en bataille.

« Ambre, calme-toi et réfléchis. Et tu seras d'accord avec moi. S'il te rappelle, il faut que tu lui dises que tu ne veux plus le revoir. Je suis sérieuse, ce type n'a pas un comportement normal, ça pourrait mal finir.

— C'est déjà mal fini. »

Elle se calme petit à petit, reconnaît que tout est allé trop vite et que secrètement, elle avait du mal à y croire.

« Mais tu sais quoi ? Je pensais à ta mère. Et à ce qu'elle t'a dit quand elle est partie en Argentine. Tu lui disais que c'était une connerie et, elle t'a répondu : "Sûrement, mais certaines conneries méritent d'être faites." »

Une fois passée la surprise de découvrir que ma mère est en passe de devenir un modèle pour l'humanité, je parviens tant bien que mal à lui remonter le moral.

Mais une fois encore, je manque cruellement de repartie quand elle conclut qu'il y a toujours quelque chose qui cloche et, qu'elle m'avoue qu'elle n'y croit plus.

Chère Ariane,

Oui, pourquoi est-ce qu'ils ne nous laissent pas tranquilles ?!

J'ai essayé de t'écrire toute la journée, mais j'ai été sans arrêt dérangée par des clients.

Et je rentre tard, je fais un incroyable nombre d'heures sup en ce moment. On a changé d'ordinateur au bureau et je dois saisir l'inventaire sur un nouveau programme.

J'EN AI PLEIN LE CUL !

J'en ai profité pour demander une augmentation à mon père. Il a souri béatement et n'a rien répondu. J'attends le bon moment pour en parler à ma mère. Chez nous, chaque décision requiert trois avis : mon père, ma mère (mes parents vivent ensemble et travaillent ensemble tout en réussissant l'exploit de ne pas se parler) et Chris. Je précise que si mes parents ont dit oui et que Chris dit non, ils s'inclinent devant son génie visionnaire et la bonne idée (qui vient de moi) passe à la trappe.

C'est vraiment étrange, j'ai quitté la maison de mes parents à vingt-cinq ans parce que je ne supportais plus leur caractère et que je voulais être indépendante. Puis, j'ai eu la bêtise d'accepter de travailler pour eux et, à l'arrivée, je suis à la merci de Chris, qui est encore plus caractériel que mes parents.

C'est une sorte de mariage, mais sans sexe et avec l'exaspération de trente ans de vie commune. Je ne sais pas ce qui m'a pris d'aller me foutre dans cette galère.

Tu sais, mes frères ont toujours vécu d'après leurs propres règles. Chris est la star. Il a tous les pouvoirs, toute la famille le respecte (Dieu seul sait pourquoi) et, s'il dit de sauter, on doit tous sauter. Je l'admets, il est charmant, sensible, généreux et drôle.

Il cuisine comme un chef et s'habille divinement bien. À côté de ça, c'est un dilettante paresseux qui ne pointe jamais son nez avant 11 heures au bureau et, repart rarement après 17 heures. Mais visiblement, il n'y a que moi que ça dérange.

Mon second frère est typiquement l'enfant du milieu, celui qui a toujours eu besoin de plus d'attention. Il est très beau : grand, baraqué, brun, les yeux bleus… Et passe son temps enfermé chez lui. Il est asocial et, n'a pas la moindre ambition. D'ailleurs, ça arrange mes parents car les seules fois où il s'est fait remarquer dans le passé, c'était en tant que délinquant.

Et puis il y a Justine qui, en un mot, a toujours su prendre soin d'elle. Je suis probablement plus forte et plus sensée que mes frères et, je suis une bosseuse, comme ma mère. Mais j'ai la sensibilité de mon père, ce qui fait que je n'écrase pas tout le monde sur mon passage.

En attendant, je n'en peux plus. Si ma mère n'accepte pas de m'augmenter, je crois que j'ouvrirai un service gériatrique dans la Maison des Tortures.

Je vais dîner avec une vieille copine. À une époque, on était membres d'un club de lecture. Je n'y suis pas restée longtemps parce que j'avais des crises d'angoisse rien qu'à l'idée du délai limite pour lire les livres. Ce n'est pas de ma faute, je souffre de SDC (le syndrome de déficience de concentration). Je passe tout le temps d'un sujet à l'autre et, j'oublie des choses.

J'adore cette maladie, c'est mon excuse préférée pour... tout.

Et c'est un bon entraînement pour Alzheimer.

J'y vais, bisous.

Justine

P-S : j'ai fait un horrible cauchemar avec Fred et sa copine. Le Rien très calme est décidément très loin car ils n'y sont pas encore arrivés.

P-P-S : j'ai vu Moulin Rouge, *j'ai adoré. C'est très romantique donc plutôt un film de fille, vas-y avec Ambre (si toutefois elle a arrêté de fumer la moquette).*

P-P-P-S : j'ai oublié.

Encore.

Encore un coup de fil vers 7 heures ce soir pour me confirmer qu'il serait bien là pour dîner.

Encore une soirée passée à regarder l'heure tourner.

Pas question de laisser mon imagination s'égarer dans des craintes d'accident de voiture. Il va bien, je le sais.

23 heures, je suis folle de rage.

Mais qu'est-ce qu'il s'imagine, qu'il habite à l'hôtel ?

Je vais aller fermer la porte à double tour et, laisser la clé dedans pour qu'il ne puisse pas rentrer.

Je me demande comment il va réagir… Repartir ?… Pour aller où ? Pas chez ses parents, c'est la honte et, à l'hôtel ? Non, trop mélo, il va essayer de rattraper le coup. Il va me téléphoner de son portable et, je vais lui faire croire que je refuse d'ouvrir. Il va flipper… Puis je lui dirai ce que je pense de son attitude et, quand il aura compris, j'ouvrirai.

Allez, j'attaque *Jane Eyre*.

23 heures 30, clé dans la serrure ! Serrure bloquée. Allez, n'insiste pas, tu pourras pas ouvrir, appelle-moi et excuse-toi platement.

Je rêve, il sonne !

Voilà : encore un parfait exemple de différence entre les hommes, si simples et, les femmes, si compliquées.

Dans mes divers scénarios, je n'avais jamais imaginé qu'il sonnerait et, visiblement, lui n'a pas pensé une seconde à faire autre chose.

Je m'en fous, j'ouvre pas.

Mais il est dingue de sonner comme ça !

« Ariane, ouvre ! Arrête tes conneries, je vais pas sonner toute la nuit ! »

Putain, en plus il tambourine à la porte, il va réveiller les voisins…

« Ariane ! Ouvre ! »

C'est fou ce que la sonnerie est puissante, je n'en reviens pas qu'il ose faire un boucan pareil.

Quel con, j'ouvre.

Ne pas le regarder, retourner m'asseoir et me plonger dans mon livre.

« Pourquoi tu me fais une crise, j'ai été coincé dans une réunion interminable, c'est pas ma faute !

— Dans toutes les salles de réunion, il y a un téléphone.

— Tu ne te rends pas compte, c'est super délicat d'interrompre un briefing pour appeler sa femme !

— Non, je me rends pas compte.

— Écoute, j'ai passé une journée épouvantable, tu pourrais être plus compréhensive.

— Je vais me coucher, fais-moi plaisir et reste dormir dans le salon.

— T'es sérieuse ? Bon, d'accord, j'aurais dû t'appeler, mais on fait tous des erreurs…

— Les tiennes ne servent à rien puisque tu les oublies aussitôt.

— Mais tu prends un tel plaisir à me les rappeler ! Dis-moi à quoi ça servirait d'être deux à se souvenir des mêmes choses ?… »

C'est ça, fais le malin. Je ferme ma porte à clé.

Encore.

Chère J.,

La pauvre Ambre est à nouveau célibataire, son mec était complètement dingue et, je ne suis pas sûre de réussir à lui remonter le moral en l'emmenant voir un film romantique.

À part ça, V. a encore déconné en rentrant tard sans me prévenir, alors je l'ai envoyé dormir dans le salon. C'est tout ce que j'ai trouvé pour exprimer combien j'en ai marre d'être mise devant le fait accompli.

Ce matin, en me réveillant, je me suis dit qu'il y avait mieux à faire que bouder et, qu'il fallait le surprendre. Alors je lui ai préparé son petit déjeuner et je lui ai apporté. Il a eu un choc et je peux te dire qu'il se sentait vraiment minable.

Avant d'insulter l'ordinateur, laisse-moi t'expliquer.

Tu m'as conseillé d'avoir une discussion sérieuse avec lui, mais j'en ai eu tellement déjà que je sais que ça ne sert à rien. À chaque fois, il promet de m'appeler, puis il perd la notion du temps dès qu'il est au bureau.

Et la simple perspective d'une autre discussion stérile me décourage.

V. m'a remerciée avec effusion, puis il est parti à un rendez-vous et, pendant que je t'écrivais, il est revenu avec des fleurs. Je ne suis pas assez naïve pour croire que ce genre d'incident ne se reproduira plus, mais pour l'instant, je suis juste soulagée de savoir que notre week-end n'est pas gâché.

Alors la prochaine fois que tu auras envie de faire une scène de ménage, je te recommande ma méthode. En étant gentille, on peut obtenir un bien meilleur résultat qu'en faisant des reproches. Les deux sont nécessaires, le tout est de les utiliser au bon moment.

Il y a quelque temps, j'ai réalisé que j'accepte les choses avec une relative facilité (la définition de « relative » restant assez floue). Mais je ne les affronte pas.

Et je me suis dit qu'il était temps de chercher des solutions.

Peut-être que tu me trouves hypocrite ou calculatrice et, je suis consciente qu'il y a un peu de ça dans mon attitude ; aussi je ne suis pas très fière de moi.

Mais je n'ai pas trouvé comment remédier à la situation. Et je ne connais pas de mariage où la femme ne passe pas une partie de son temps à jongler entre ses sentiments et des stratégies variées pour rendre son quotidien acceptable.

En tout cas, si mes soirées d'attente ont pu te consoler un peu de ton célibat, tout ça ne sera pas arrivé pour rien.

J'espère que ton amie ne t'a pas convaincue de refaire partie d'un club de lecture ; maso comme tu es, tu serais capable d'accepter rien que pour le plaisir de te taper quelques crises d'anxiété à l'approche des réunions.

Bises,

A.

P-S : est-ce que tu as obtenu ton augmentation ? J'espère que oui, j'ai déjà commencé à la dépenser.

P-P-S : avant que tu me demandes quelles fleurs V. m'a offertes, je te réponds : des renoncules. Je les adore et il a marqué des points pour s'en être souvenu.

P-P-P-S : qu'est-ce que c'est que ce cauchemar sur Fred et sa copine ? Laisse-moi te rappeler que je t'avais laissée endormie au Ritz avec les roses et le billet d'avion de George Clooney. Et en ce qui me concerne, tu vas rester là-bas un bon moment.

Chère Ariane,

Bien vu, j'avais commencé à insulter l'ordinateur. (C'est incroyable, la facilité – et la grâce – avec laquelle les gros mots s'échappent de ma bouche...)

Mais je n'ai aucune envie de te faire la morale. Tu t'es lancée dans l'aventure du mariage et, partout où je regarde, je vois mes amies prendre sur elles. Alors je me doute bien que, dans ton cas, je ferais pareil.

Je préfère quand même l'option « va dormir dans le salon » à la grandeur du petit déjeuner au (canapé) lit. Mais quand on a épousé un bourreau de travail, on doit en subir les conséquences.

De toutes les façons, j'ai l'impression qu'il faut aller au bout des mauvaises expériences avant de se résoudre à agir.

Et je crois que toutes nos galères sont là pour une bonne raison, ne serait-ce que pour nous faire réaliser qu'il y a certaines choses qu'on ne veut plus jamais vivre.

Mon dimanche a été réquisitionné parce que c'était la bar-mitsva de mon petit-cousin à Long Island.

J'étais assise à la synagogue, au milieu de cette partie de ma famille qui est assez religieuse et, je me sentais perdue. Je regardais autour de moi et, j'ai eu l'impression de saisir quelques regards désapprobateurs. Je crois que les gens étaient un peu choqués par mes chaussures (mes nouvelles Manolo, celles en lézard, talon de dix centimètres, sublimissimes).

Je ne sais pas lire l'hébreu, alors je ne prie pas. J'ai voulu apprendre plusieurs fois, mais j'ai toujours laissé tomber. Je m'en veux un peu. Alors j'ai pensé à toi, à comment on démolirait cette sympathique congrégation si tu étais là. C'est mesquin, mais je n'ai pas honte car c'est tout ce que j'ai trouvé pour apporter un peu de saveur à cette épreuve.

Les bijoux étaient nuls, ça sentait le parfum chic et chimique, les vêtements étaient sans intérêt. Le seul beau garçon était un autre de mes cousins (vingt-huit ans et vraiment canon).

Et j'ai décidé de ne jamais leur ressembler.

Et puis on est allés déjeuner chez mon oncle (je crois que sa femme prépare un livre : Comment faire exploser son taux de cholestérol en dix repas*).*

Après ça, ils ont mis de la musique et j'ai quand même réussi à vivre un super moment.

Un jeune a mis Voulez-vous coucher avec moi ?, *la version de* Moulin Rouge, *je me suis levée et j'ai dansé comme une folle. J'avais bu quelques verres de vin et j'étais déchaînée. Un instant sans la moindre inhibition. Juste un instant. MAIS QUEL PIED !*

J'ai bien vu que plusieurs hommes me regardaient. Leurs femmes, qui avaient épuisé leurs moues de réprobation depuis longtemps, essayaient de m'ignorer. Un vieux réflexe de timidité a failli me faire arrêter net. Mais l'alcool aidant, c'est précisément le poids de ces regards masculins qui m'a permis de continuer.

En rentrant, je me suis arrêtée pour acheter la BO,

le CD passe dans mon dos et en t'écrivant, je danse autour de ma chaise.

J'avais besoin de retrouver cette énergie pour oublier que le reste de la journée a été un pur gâchis. Gâchis de maquillage, d'habits (j'ai taché ma chemise), de temps, de calories absorbées avec de la mauvaise bouffe. Gâchis d'inspirer du désir à des hommes qui ne me toucheront jamais.

J'ai vraiment pensé à toi, c'est comme si tu avais été là et, je te le répète : je ne vivrai jamais comme eux ! Je ne veux pas faire partie de ces femmes qui traînent leur petite vie rangée de banlieue, leur ennui chronique et, finissent avec des yeux qui jugent en permanence.

(Nous seules sommes aptes à juger le reste du monde, n'est-ce pas ?)

Tu te rends compte à quel point tu fais partie de mes expériences ? C'est comme mes rencards : quand j'y vais maintenant, je passe la moitié du temps à me demander comment je vais te décrire la soirée.

Je vais te dire, je crois qu'il est temps que l'une de nous deux traverse l'océan.

Au fait, comment as-tu dépensé mon augmentation ?

Je t'embrasse.

Justine

P-S : si tu lis ceci avant le dîner de fiançailles de Bérénice, j'espère que celui-ci se transformera en plaisir inattendu. (Un autre lieu à explorer avec Vincent ?)

Si tu lis ceci après, dis-moi si on l'oublie ou si on continue à la torturer.

P-P-S : plus de club de lecture, merci. Mes crises d'angoisse commençaient bien avant l'expiration du délai. J'étais en état d'hyperventilation rien que d'essayer de trouver des symboles cachés et des imageries subtiles derrière chaque phrase.

P-P-P-S : je crois que Vincent devrait entrer en partenariat avec un fleuriste, ça lui coûterait moins cher.

Mais, dis-moi, qu'est-ce qu'on va faire quand il va enfin grandir, c'est-à-dire penser à te prévenir quand il rentre tard ? Est-ce que ce jour-là signifiera la fin des fleurs ?

J'espère que non. Dieu le bénisse.

Chère J.,

Bérénice n'atteindra jamais la Chambre de l'Oubli, elle est condamnée à rester dans la Chambre des Tortures jusqu'à complète désintégration.

Son premier dîner de fiançailles a eu lieu avant-hier. (Le dîner de famille ; reste encore le dîner des amis puis celui des collègues.)

C'était un mercredi : pas de Vincent, pas d'exploration.

Comme je suis prévoyante, j'ai eu l'idée d'offrir Jane Eyre *à Bérénice en vue du jour où son mariage commencerait à se désagréger. Et dans mon infinie bonté, je lui ai pris les œuvres complètes de Jane Austen. Naturellement, l'ingrate a semblé déçue de mon cadeau, ce qui ne m'a pas empêchée de me réjouir de son expression d'ignorance béate.*

Entre deux plats, je me suis mise à jouer avec mon alliance, je rêvassais en pensant au voyage que V. et moi projetons de faire bientôt, quand Jonathan a regardé mes mains et m'a dit : « Tu t'es trompée de doigt » ; et l'ignoble Bérénice s'est écriée : « C'est parce qu'elle s'est trompée de mari ! » Tout le monde a éclaté de rire.

Je suis restée muette, stupéfaite de voir qu'elle pouvait se permettre de faire des blagues aussi déplacées en toute impunité. Est-ce que c'est moi qui suis folle et, dénuée d'humour ?

Pour la première fois, j'en viens à espérer qu'elle fasse une réflexion de ce genre devant V., il y a bien un jour où il oubliera de se contrôler et la remettra en place et, ce jour-là je me sentirai moins seule.

Toi qui voulais que je me réjouisse pour elle, je t'informe qu'après cet intermède, la seule chose qui m'ait fait plaisir, c'est de la voir manger avec culpabilité toutes les bonnes choses qu'elle ira patiemment brûler dans son club de gym bondé et empestant la sueur et la Javel. Le moins qu'on puisse dire, c'est que j'ai encore du boulot avant de réussir à lâcher prise.

Ce qui ne m'empêche pas d'encourager tous mes amis à s'élever, pour reprendre tes mots. (Moi aussi je donne de très bons conseils et, tant qu'il ne s'agit pas de les appliquer, je peux faire illusion.)

Enfin tu parlais de surprise, elle est arrivée par l'intermédiaire de ma grand-mère chérie.

En me disant au revoir, elle m'a chuchoté à l'oreille : « Dieu adore les imbéciles, sinon il n'y en aurait pas autant. » Ça me semble hautement improbable qu'elle m'ait dit ça en parlant de Bérénice, mais alors de qui parlait-elle ? Dans le doute, je décide de croire que la maladie d'Alzheimer lui a préservé quelques sursauts de clairvoyance et, son incroyable aplomb.

Je devais sortir avec mes amis hier soir, mais V. est rentré avec un jour d'avance car il s'est foulé la cheville. C'est la première fois que ça arrive et c'est la catastrophe.

Pas qu'il se foule la cheville, mais qu'il rentre plus tôt que prévu. J'avais vraiment envie d'aller à ce dîner, mais il voulait rester à la maison et j'aurais été vache de le laisser.

Note qu'il a été bien puni puisque ma mère s'est invitée à dîner. Elle s'est toujours moquée du côté rationnel de V. et adore le taquiner en abusant de sa propre exubérance. Je les ai laissés seuls, le temps de ranger la cuisine et, quand je suis revenue dans le salon, elle était en train de lui dire : « Tu dis ça parce que tu es jaloux que les Voix ne te parlent pas ! »

Il s'est levé et est parti dans la chambre avec son ordinateur portable. Sa moue d'exaspération m'a rappelé celle de mon père pendant toutes les années où il a supporté ma mère.

Évidemment, elle jubilait dans son fauteuil et, je lui ai dit que si elle avait vraiment envie de recommencer à emmerder un mari, il était encore temps qu'elle en prenne un troisième et laisse le mien tranquille.

Un jour, j'ai eu le malheur de lui dire que V. me fait parfois penser à mon père et, elle m'a répondu : « Je te plains ! » Je n'aurais jamais dû faire ce parallèle, c'était comme l'inviter à reporter ses sarcasmes sur lui.

La dernière fois que mes parents se sont vus, c'était justement à mon mariage.

Je les ai vus bavarder et je me suis dit qu'ils avaient enfin une discussion posée. Mais en m'approchant, j'ai entendu mon père dire : « Non, quand je parle de gravité, je pense à la loi, pas à l'attitude ! »

Il a tourné les talons et s'est éloigné, furieux, tandis que ma mère souriait de son triomphe facile.

Je ne sais pas comment j'en suis arrivée là, ton syndrome de manque d'attention est peut-être conta-

gieux, d'ailleurs j'ai oublié son nom. Enfin, le mien s'appelle le CALA (coq-à-l'âne).

Je file.

A.

P-S : j'ai dépensé ton augmentation en shopping et restaurants virtuels, mais rassure-toi, tu faisais partie de toutes ces fêtes.

« Tu es rentré plus tôt que prévu… C'est ton genou qui t'a fait souffrir ?

— Non, mon genou va très bien. Mais disons que si j'étais un tueur en série, je n'irais pas à Méribel en mai.

— C'était le désert ?

— Complètement et, pas de neige. Ce qui est logique pour un désert. »

Julien est venu me chercher à la boutique et m'emmène prendre un verre. Il s'assied et entreprend de défaire le triple nœud de son écharpe.

« J'ai passé trois jours à me dire que tu as raison de détester la montagne.

— Et tu as fait quoi d'autre ?

— Rien de spécial. On a essayé d'aller camper, mais on n'a jamais réussi à faire du feu. Tu peux m'expliquer comment une simple allumette peut déclencher un feu de forêt alors qu'une boîte entière ne suffit pas à démarrer un feu de camp ?

— Pas vraiment… T'es au courant pour Ambre ?

— Oui, on va dîner ensemble ce soir. Tu veux venir ?

— Non, Vincent est là. Et en plus il m'a appelée pour me dire qu'il avait une bonne nouvelle et qu'il voulait qu'on aille au resto pour fêter ça.

— Qu'est-ce que c'est d'après toi ? Une augmentation, une promotion ?

— L'un ou l'autre, peut-être les deux. Enfin si ça signifie qu'il va bosser encore plus, j'appelle pas ça une bonne… nouvelle…

— Et vos vacances ?

— Ah ! Je suis ravie : il peut prendre quinze jours le mois prochain, alors on va à Bali.

— Génial ! Eh bien, voilà toujours quelque chose à fêter ce soir. »

Il a raison et je décide qu'une fois rentrée à la maison, je me ferai belle. J'ai encore en mémoire les commentaires cinglants de Justine sur les épouses négligées et, je refuse de leur ressembler.

Chère Ariane,

Chris vient de partir déjeuner aussi j'en profite pour squatter l'ordinateur.

Dans une heure, je dois rappeler Laura (ma copine du club de lecture) qui essaye de me convaincre d'aller dîner dans un restaurant de grillades ce soir. Son argument est simple : c'est un endroit rêvé pour rencontrer des célibataires. Elle a raison d'ailleurs : les hommes sont plus volontiers carnivores que végétariens. De nombreuses femmes s'en sont rendu compte et les « steak houses » sont devenus des lieux officiels de drague, presque à égalité avec les bars.

Alors qu'est-ce qui me gêne ? Passons sur le fait que je mange casher, ce qui implique que j'ai le choix entre une petite salade verte ou une assiette de frites. Mon problème est surtout que je ne sais pas flirter. Je suis coincée. Voilà, c'est dit. Je trouve normal de rencontrer quelqu'un par recommandation parce qu'on sait toujours « d'où il sort ». Mais l'idée de brancher de parfaits inconnus me met mal à l'aise.

D'un autre côté, j'aurai bientôt fait le tour de ma communauté et il va falloir que j'élargisse mon horizon. Alors je crois que je vais accepter la non-grillade.

Je suis d'accord : Bérénice a besoin d'un traitement de faveur et je vais lui concocter quelque chose de soigné. (Si elle savait, je crois qu'elle préférerait être morte plutôt que laissée à mon imagination perverse.)

MERDE ! Mon frère est de retour.

Ciao !

Justine

Chère J.,

Chris devrait prendre plus de temps pour déjeuner, je m'inquiète pour sa digestion.

Je ne sais pas par quoi commencer.

Je viens de passer vingt-quatre heures épouvantables.

À cause de V., bien entendu.

Hier soir, on devait sortir dîner pour célébrer une soi-disant bonne nouvelle.

Je rentre, je me fais belle et, là... Devine ? Je sais que tu grimaces et, je t'emmerde.

Oui, encore un plan foireux.

J'ai décidé de ne pas tourner en rond en l'attendant et j'ai installé ma table devant la fenêtre ouverte pour faire des dessins. Il faisait bon et, quand j'oubliais son existence, je me sentais parfaitement bien. Le téléphone a bien sonné une fois, mais c'était une fille qui voulait me vendre une assurance permettant de toucher des indemnités en cas d'hospitalisation. Je lui ai dit : « Rappelez demain, mon mari ne va pas tarder à en avoir besoin. » Il y a eu un blanc et elle m'a demandé s'il était surmené, j'ai répondu « oui et, en plus je vais bientôt lui latter la gueule ».

J'ai raccroché, j'avais honte, mais ça m'a fait un bien fou.

Puis la nuit est tombée, je l'ai ignorée jusqu'à ne plus voir la pointe de mon crayon et, il a bien fallu regarder l'heure, j'ai vu 22 heures 05 et j'ai commencé à devenir folle. J'ai appelé son portable, comme d'habitude il n'avait plus de batterie et j'ai laissé un message en l'insultant copieusement.

Je me suis démaquillée, j'ai mangé un yaourt et je suis allée me coucher.

J'ai somnolé devant des séries bidon en évitant de regarder l'heure et j'ai fini par m'endormir. Quand j'ai ouvert les yeux, il était 3 heures. Toujours pas de V. J'ai pensé à t'appeler, mais il aurait fallu rouvrir mon ordinateur et chercher parmi nos vieux mails celui où tu me donnais ton numéro ; et vu mon état de nerfs, ça m'a semblé insurmontable.

Je me suis lancée dans des tâches ménagères tout en me demandant si je devais d'abord appeler la police ou les hôpitaux. J'étais en train de vider le lave-linge quand il est arrivé, à 3 heures 40.

Piteux... Et à moitié bourré. Il n'a pas arrêté de répéter qu'il n'avait rien fait de mal, simplement son boss, qui était arrivé de Londres et, ses collaborateurs avaient insisté pour fêter sa promotion (c'était donc bien ça, la bonne nouvelle), il n'avait pas pu refuser ; pensait en avoir pour une heure et bla-bla-bla... Il croyait que je dormais depuis longtemps et n'imaginait pas que je sois debout en train de m'inquiéter.

Je n'ai rien voulu entendre et je l'ai envoyé dormir sur le canapé. (Satisfaction mesquine : j'ai refusé de lui donner son oreiller quand il est venu le demander.)

Tu vas me prendre pour une folle, mais il m'arrive de me dire que ce serait plus simple s'il me trompait. Il aurait une vraie raison de rentrer tard, de me négliger et d'oublier son portable. Ce serait insupportable, mais plus valorisant que de penser : « Il m'a oubliée. »

Mais en fait, la seule fois où on en a parlé, il a écarquillé les yeux et m'a dit : « Je suis noyé sous le travail, soûlé d'allers-retours, je culpabilise d'être un mari absent et tu me parles d'une maîtresse ? Tu ne te rends pas compte qu'elle ne représenterait qu'un stress supplémentaire ? » Pas très élégant d'être reléguée au rang des tracas quotidiens, mais c'était cohérent. J'ai bien vu qu'il disait la vérité.

Je me suis réveillée ce matin, toujours en colère et, préoccupée. D'abord, j'ai peur qu'à coups de promotions et de bières après le bureau, la City ne finisse par faire de V. un alcoolique.

En France, on parle beaucoup d'alcoolisme mondain, mais je me préoccupe peu des adjectifs et, pour moi, un alcoolique, mondain ou non, n'est rien d'autre qu'un gros pochetron.

Ensuite, je me dis qu'à force de passer mes soirées à m'angoisser, je vais forcément finir par vieillir prématurément.

Aujourd'hui, il était tout minable en se levant.

J'ai eu droit à un grand discours (« C'est vrai, j'ai merdé ; mais le plus important, c'est que je t'aime. Je ne te trompe pas et, même si mon boulot me prend tout mon temps, sache que tout ce que je fais, c'est pour toi... »).

Il a vu que je n'étais pas très impressionnée car j'ai déjà eu droit à ce speech et, la seule chose qui m'importe, c'est la certitude qu'il recommencera.

Alors il a tenté une diversion en me demandant : « Tu ne trouves pas que j'ai maigri ? »

J'ai répondu : « Je ne sais pas, je ne te vois pas. »

Il a terminé de s'habiller et m'a dit qu'il sortait faire une course ; je lui ai répondu : « J'espère que tu n'as pas l'intention de m'acheter des fleurs ! » Tu aurais vu sa tête… Et je me suis permis d'être un peu sadique en ajoutant : « Mais tu peux en acheter pour ta mère puisqu'on va déjeuner chez elle. »

Il est parti, tout contrit et, est revenu avec un seul bouquet et l'air très ennuyé. Il savait qu'il était piégé : il m'offrait des fleurs, il se faisait engueuler ; il ne m'en offrait pas, il était privé d'arme pour implorer la paix.

Pendant le déjeuner, j'ai réussi à l'ignorer, ses parents n'ont rien remarqué, ils étaient trop occupés à fêter sa promotion. Puis en rentrant, dans la voiture, il m'a pris la main. Je lui ai donné un doigt (mon majeur), en lui disant : « C'est tout ce que tu mérites. »

Il a éclaté de rire et, le thermomètre de la voiture a augmenté de quelques degrés.

Le reste de la journée a été tranquille, je me détendais peu à peu quand une question m'a traversé l'esprit : « Et Bali ? »

Il s'est tortillé dans le fauteuil et m'a répondu : « À vrai dire, je n'en ai pas parlé ; mais il est possible qu'on doive repousser de quelques semaines. Juste le temps de prendre mes nouvelles fonctions. » Le mot « possible » m'a exaspérée. Je sais gérer les « oui », je sais gérer les « non » ; mais les « peut-être » me rendent dingue.

Enfin, quelques semaines, quelques mois, qu'importe, n'est-ce pas ?

Si je te raconte tout ça, ce n'est pas pour savoir ce que tu en penses (j'en ai une vague idée), c'est juste pour te rappeler à quel point la vie de femme mariée peut être pénible. Quand on s'est rencontrées, tu m'as dit que tu aimerais être à ma place ; et je crois qu'en lisant cela, tu ne regretteras pas d'être à la tienne.

Avec tout ça, je ne sais pas comment tu as passé ton week-end. Et connaissant ton goût prononcé pour le masochisme, ça m'inquiète un peu.

Enfin je devine que, dans quelques heures, tu seras courbaturée, en train de manger un bol de céréales et de fumer en regardant The Practice ; *et au moins personne ne viendra te pourrir la vie.*

Je t'embrasse,

A.

P-S : en rentrant à la maison, j'avais un message d'un vieil ami qui m'annonçait que sa copine est enceinte et, qu'ils vont se marier « afin que le bébé ait des parents normaux ». Imbéciles. Sûrement un des messages le plus bête qu'on m'ait jamais laissés. J'ai rappelé pour les féliciter et j'ai été bien soulagée de tomber sur un répondeur.

Chère Ariane,

Pourquoi seulement « à moitié bourré » ? Marre de ces hommes qui ne finissent jamais ce qu'ils ont commencé...

En attendant, j'ai bien ri en imaginant Vincent en train de rôder autour du fleuriste.

J'ai du mal à me souvenir de sa tête, mais j'ai une idée très nette de son expression, tandis qu'on discutait toutes les deux au mariage. Il affichait un sourire réjoui. Le même sourire que j'arbore quand mes amis parlent en persan, que je ne comprends strictement rien, mais que je suis heureuse, seule dans mon monde. Comme d'habitude, je digresse.

Donc, j'imaginais Vincent chez le fleuriste, parfaitement conscient d'être minable (j'allais écrire le Roi des cons, mais j'ai peur de t'offenser), en proie à une lutte terrible. Que faire d'une femme qui ne vous laisse plus la possibilité de l'attendrir avec des fleurs ? Passer outre et se mettre dans la situation du petit garçon qui a encore désobéi ? Ou tenir compte de son refus... De toutes les façons, je suis sûre qu'aucune option ne pouvait te satisfaire car un coupable sans fleurs aggrave toujours son cas, non ?

Ah, tu as raison, ce matin je ne veux pas de ta place et, j'aimerais encore moins être à celle de Vincent.

Bien sûr qu'il t'aime.

Je me demande s'il n'est pas lui-même un peu dépassé par sa promotion. Même les grands bosseurs ont parfois du mal à gérer leurs responsabilités. Et il est plus facile de se cuiter avec des potes que de rentrer retrouver une femme qu'il ne pourra pas bluffer parce qu'elle le connaît par cœur.

Enfin, félicite-le de ma part (et file-lui aussi un grand coup sur la tête).

Passons sur mon week-end, l'information la plus importante de ton mail est que le voyage à Bali semble reporté. Tu as besoin de vacances et, si j'ai bonne mémoire, tu aimes les passer en ville, alors pourquoi tu ne viendrais pas à NY ? Tu m'as bien dit que tu as une tante là-bas ? Et si tu ne veux pas aller chez elle, tu peux habiter chez moi.

Promets-moi d'y penser.

Voilà des clients, à +

Justine

Chère J.,

Comme d'habitude, tu as vu juste.

J'ai remarqué que quand V. rentre tard, c'est parce qu'il y a quelque chose qu'il a du mal à affronter. Et que je le veuille ou non, je représente la réalité à ses yeux.

Je me demande si ça fait ça à tous les couples : épouse = responsabilités. Avec toute l'astreinte que ce mot comporte. Je trouve ça très injuste, car si je passe la moitié de la semaine à oublier que je suis mariée auprès de mes amis célibataires, c'est justement pour me dégager du filet rigide qui s'est déposé sur nous sans que l'on s'en rende compte.

Et j'aimerais aussi être la copine avec qui il prend une cuite quand il en a marre d'être sérieux.

Mais ça, je ne peux pas lui dire. Les hommes comme Vincent ont une image très rétrograde de la femme qu'ils ont choisi d'épouser et, je crois qu'ils n'ont aucune envie d'en changer.

Tu m'as délaissée pour des clients, quels beaux bijoux leur as-tu vendus ?

Ça me rappelle que pour mon mariage, ma tante m'a prêté une bague sublime : un énorme diamant rectangulaire serti de très longues baguettes. Je l'ai regardée pendant toute la cérémonie. Les gens qui m'observaient devaient penser que j'avais les yeux baissés en signe de soumission et de respect envers mon mari, le rabbin, ou les deux ; mais la vérité est que je ne parvenais pas à détacher mes yeux de cette splendeur.

Je ne sais pas pourquoi, quand tu mentionnes des clients, je t'imagine derrière un comptoir, coiffée d'un petit chapeau en papier, en train de vendre du pop-corn.

Tu as raison, il faut qu'on passe du temps ensemble, j'ai envie de découvrir ton monde et, j'ai décidé de venir à NY.

Vincent approuve. Tu me diras : il n'a pas trop le choix.

Merci pour ton invitation, mais j'adore ma tante et je suis bien chez elle. Et puis avant de partager le toit de quelqu'un, ne serait-ce que pour quelques jours, il faut vraiment bien se connaître. En tout cas, mieux que par Internet. Je me demande ce qui me fait dire ça, mon côté enfant gâté ou vieille fille... (Oui, on peut être mariée et vieille fille, la preuve.)

D'ailleurs, depuis la semaine dernière, je m'interroge sur l'expression « entre deux âges ».

Je croyais qu'elle s'appliquait aux quinquagénaires, mais je n'en suis plus très sûre. J'ai des doutes depuis qu'on est allées voir Spy Games *avec Ambre. En sortant, on se demandait qui on désignerait si on devait choisir entre Brad Pitt et Robert Redford. Hypothèse peu probable, je l'admets, mais le problème n'est pas là, le problème est qu'on n'a jamais réussi à se décider. Ça lui fait quel âge, Redford... soixante-cinq, soixante-dix ? D'accord, il est toujours séduisant, mais il est clair que notre hésitation trahit un vieillissement qu'aucune crème ne peut enrayer.*

Je pense arriver dès la semaine prochaine.

Le seul problème, c'est qu'il faut que je refasse mon passeport, ce qui, en plus d'être une corvée, va me mettre une fois encore dans cette situation périlleuse : remplir la case « Profession ». Dans le meilleur des mondes, j'écrirais « Styliste », mais voilà, le monde ne s'améliore pas, loin de là et, le fait est que je passe plus de temps à vendre des habits qu'à dessiner ceux dont je rêve. Mes prototypes plaisent, ma voisine m'a redemandé un tee-shirt peint, ça fera le cinquième vendu ce mois-ci... Enfin, c'est sûr, ce n'est pas ça qui paye le loyer et mon passeport est très matérialiste... Je ne vais quand même pas écrire « Vendeuse » ! Bon, on verra, vu l'attente à la mairie, j'aurai le temps d'y réfléchir.

J'ai hâte de poursuivre nos discussions « pour de vrai », devant une bouteille de saké pour toi, un carrot cake et un verre de vin pour moi (beurk, quel drôle de mélange, je prendrai un café et je te ramasserai quand tu seras soûle...).

En tout cas, ne me fais pas recommencer à fumer !

Bises,

A.

P-S : j'ai dit à V. que tu le félicitais, il m'a répondu de t'embrasser ; et j'ai réalisé que tout naturellement et sans le moindre mot, tu avais aussi pris ta place dans son monde.

Ariane,

Je viens d'avoir ton message. Alors tu vas à New York ? Freundshaft again.

Je t'ai rappelée, je suis tombée sur le répondeur et, je me suis souvenue que c'était l'anniversaire de ta belle-mère. J'adorerais avoir une belle-mère, même une que je déteste. Quelqu'un à appeler pour organiser les fêtes – « Noël, c'est chez vous ou chez moi ? » –, quelqu'un qui te donne des mauvais conseils dont tu peux te passer, quelqu'un qui te traite maternellement en t'épargnant le pire. Quelqu'un qui est là, même si tu ne le lui demandes pas.

Tu te souviens des badges que j'avais faits quand on est parties à New York ? Je suis sûre que tu as oublié. Je serais bien partie avec toi, mais tu ne me l'as pas proposé. Oh, je ne t'en veux pas, tu ne l'as pas fait exprès, c'est juste que tu n'y as pas pensé. Et moi, je n'ai pas osé m'incruster. Si je t'avoue ça un jour, tu vas m'engueuler.

Et cet été, qu'est-ce qui va se passer ?

Je déteste l'été quand je suis célibataire. Tous ces beaux week-ends pour rien, ces ponts du 14 juillet et du 15 août qu'il faut occuper à tout prix sous peine d'être seul dans son immeuble. Et les autres filles qui sourient aux terrasses des cafés. Je ne pourrai plus le supporter. Déjà hier, à un feu rouge, il y avait ce couple qui s'embrassait dans la voiture devant. Le feu a passé au vert et j'ai klaxonné comme une folle.

Ils ont sursauté. C'est bien fait.

Ça fait un siècle que je ne suis pas partie, j'ai au moins trois semaines de vacances à prendre. Pas question de me taper encore un itinéraire absurde, juste histoire de retrouver des potes à droite et à gauche.

Je partirai avec Léa puisqu'elle me l'a proposé. Je vais lui dire que c'est d'accord, mais seulement à condition qu'elle ne prenne pas son ordinateur. Et qu'elle arrête de se plaindre parce que le soleil lui donne plus de taches de rousseur.

Si à quarante ans, je passe encore mes vacances avec une copine, je me flingue.

Tu pars combien de temps à New York ? J'aurais dû te dire de me rappeler, même tard.

C'est la troisième fois que je t'écris cette semaine.

Je ne sais pas ce que je ferai de ces lettres. Telle que je me connais, je ne te les donnerai jamais.

Ambre

Chère Ariane,

Il est 21 heures 38, je devrais sortir, mais la vérité est que je n'ai pas envie qu'on me dérange.

Si ça ne t'ennuie pas, je vais encore passer une soirée en ta compagnie. Mais comme on ne sait jamais, je ne me suis pas démaquillée afin d'être prête au cas où un besoin impérieux se ferait sentir.

J'ai mis le CD de Macy Gray et, elle va nous tenir compagnie.

Je voulais te dire que je suis folle de joie de ta venue et, aussi morte de trac. Je crois que c'est parce que j'ai réalisé que nous sommes très différentes. Tu es plus… Je ne trouve pas mes mots. Disons que tu es une Européenne éclairée par l'éducation que tu as reçue. Tandis que moi, je suis une paysanne qui a appris les bonnes manières, coincée entre un NY branché et des racines qui m'enchaînent à Téhéran et Bagdad.

Tu parles couramment l'anglais, tu as fait une école de dessin, étudié l'histoire de l'art et, tu écoutes toutes sortes de musiques. Moi par exemple, je crois que le CD de Macy Gray n'a pas quitté ma chaîne depuis deux ans. Je l'avais bien remplacé par celui de Moulin Rouge, *mais tiens, voilà, je l'ai à nouveau remis.*

Je crois que je suis horriblement conservatrice.

Je ne cherche pas à me déprécier, je connais aussi mes qualités. Mais j'ai peur qu'une fois ensemble, le charme n'opère plus. J'ai une règle d'or qui consiste à ne jamais passer trop de temps au téléphone avec un homme avant de le rencontrer. Je crois qu'il ne faut pas trop se dévoiler et conserver un maximum de fraîcheur pour la suite. J'ai fait tout le contraire avec toi en me livrant si franchement. Alors maintenant, j'espère que tu ne t'attends pas à de grandes découvertes car je détesterais te décevoir.

Demain, il y a un dîner organisé pour les soixante-dix ans de mon père. La communication étant ce qu'elle est dans ma famille, personne n'a cru bon de me prévenir jusqu'à ce soir.

Il faut dire que je ne fais pas partie des personnes à qui l'on demande de cuisiner une spécialité. Je ne saurais pas faire une omelette, même si ma vie en dépendait. J'essaye de compenser en lavant la vaisselle avec un grand sourire.

J'ai aussi une grande soirée jeudi, j'ai repéré une très belle robe, mais mon découvert est tel que je n'ai pas osé l'acheter. Voilà le paradoxe type des célibataires new-yorkaises. On a besoin de belles tenues pour parader, mais une fois qu'on les a achetées, on n'a plus d'argent pour sortir. Au pire des cas, j'irai juste chez le coiffeur. J'ai envie de changer de tête. Mais je ne suis pas sûre d'être prête à affronter le regard malveillant des autres femmes qui observent combien on est vilaine pendant les différentes phases de la coupe. Je ne sais pas si tu as remarqué, mais quand le brushing est fini et qu'on est enfin jolie, ces mêmes dames sont parties, ou plongées dans un magazine.

Macy Gray a fini de chanter, le CD entame son deuxième passage, mais ce soir je n'ai pas envie de laisser ma chaîne décider que j'écouterai le même album toute la soirée. Je vais donc me lever pour choisir autre chose et, j'en profite pour te souhaiter une bonne nuit.

Bisous,

Justine

P-S : puisque tu aimes le carrot cake, je vais me renseigner pour essayer de savoir où on en mange de bons.

Chère J.,

Ne t'embête pas à chercher de bonnes adresses, dès que j'arrive à NY, ça m'éclate de manger n'importe quoi. Je ne sais pas pourquoi, mais j'apprécie particulièrement tout ce que je ne supporte pas à Paris. Je bois des litres de mauvais café, je grignote toute la journée et je saute des repas. C'est vrai, je me gave de carrot cakes, mais pas n'importe lesquels ! Je n'aime pas les bons carrot cakes ; j'aime ceux qu'on trouve chez le Coréen du coin, les petits carrés sous cellophane.

Certaines choses sont faites pour être dégueu, sinon elles n'ont aucun intérêt.

Le trac...

C'est vrai que j'espère retrouver la simplicité et l'évidence qui nous unit ; mais je suis sûre de ne pas être déçue. Et si j'éprouve une certaine appréhension, c'est uniquement parce que je sais qu'en passant du temps ensemble, on va se dire tout ce qu'on ne s'est pas encore écrit ; aussi nos échanges de longs mails risquent de bientôt se finir.

Bien sûr nous sommes différentes, mais c'est bien cela qui nous a attirées, non ?

Téhéran et Bagdad sont des lieux très exotiques pour moi et, l'idée de les découvrir en allant à New York me plaît beaucoup.

Je n'ai pas du tout l'impression de faire partie d'une communauté et, d'ordinaire, c'est un mot qui me met très mal à l'aise. J'ignore tout de la tienne, mais quand tu l'évoques, au lieu de mon habituel réflexe de rejet, je ressens une grande curiosité.

Quant à ma pseudo-culture, je crois que tu me surestimes. D'ailleurs, j'aime bien Macy Gray (j'avoue quand même être passée à son deuxième album). Et puisqu'on parle de CD, laisse-moi te dire une chose : je n'arrive jamais à défaire l'emballage en plastique ; la petite languette me reste dans les mains et, je suis obligée de prendre des ciseaux. Alors que tout le monde les déballe aussi facilement qu'un paquet de chewing-gums. (À la réflexion, il m'arrive aussi de merder avec les paquets de chewing-gums.) Et une fois que j'ai réussi à ouvrir la boîte du CD, je la fais tomber et, en général, elle se casse.

Tu te sens mieux ?

Enfin, au cas où tu ne t'en serais pas rendu compte, je te signale que j'ai épousé un homme qui n'a rien à voir avec moi. Au début de notre mariage, j'ai tenté de me confier à lui, de lui parler des sentiments étranges et sombres que je ressens parfois. Eh bien, il n'a rien compris. Pire que ça : il ne savait même pas de quoi je parlais. Mais même s'il m'est arrivé de penser que ce n'était pas très malin d'épouser un extraterrestre, je n'oublie pas que si je l'ai choisi, c'est autant pour ce qu'il est (rationnel, généreux et optimiste) que pour ce qu'il n'est pas (instable, faussement fantaisiste et torturé).

Il me semble que toi et moi avons bien plus en commun que V. et moi (mais pour l'instant, je ne projette pas de t'épouser), aussi tu peux arrêter de stresser en imaginant que nos différences seront un problème.

Il faut que j'y aille, je dois aller chercher mon billet d'avion et faire des courses (c'est notre anniversaire de mariage).

Gros bisous,

A.

« Et celui-là ? »

Ambre m'accompagne, il m'a fallu dix minutes pour choisir des boucles d'oreilles pour ma tante Elena, mais depuis une heure je cherche un cadeau pour Justine et, la tâche s'avère quasi impossible.

J'ai écarté toutes les banalités du genre parfum ou chocolats, je tiens à lui faire un cadeau personnalisé, ce qui me permet de réaliser que je la connais à la fois intimement et très mal.

Ambre finit par me convaincre de lui offrir un sac et, nous allons faire la queue pour régler. Devant nous, le caissier note soigneusement le numéro de la carte d'identité de la personne qui nous précède et, Ambre s'impatiente.

« Tu sais quoi ? Les gens qui payent par chèque, ça me déprime. Un mec de vingt ans, en plus ! Je suis sûre qu'il met des chaussons en rentrant chez lui ! »

On quitte enfin le magasin, puis on va prendre un café. Au dernier moment, juste avant de se séparer, Ambre me tend une enveloppe cachetée.

« Qu'est-ce que c'est ?

— Mon testament. »

Je retire ma main.

« Tu déconnes ou quoi ?

— T'inquiète pas, mais maintenant que j'ai acheté cet appartement, je me suis dit qu'il fallait prévoir, c'est tout. J'ai décidé de le léguer à une association humanitaire, mes parents n'ont pas besoin de ça pour vivre, ils ne sauraient pas quoi en faire ; et du coup, j'évite de leur donner un nouveau sujet de dispute.

— Tu crois pas que tu es un peu jeune pour penser à ça ?

— Disons que c'est juste au cas où j'oublierais de me marier… »

Elle sourit et je l'imite. À nouveau elle me tend l'enveloppe et m'embrasse.

« Allez, fais bon voyage.

— Attends, je te raccompagne.

— C'est pas la peine, j'ai dit à Léa que je la retrouvais chez elle. Allez, dépêche, il est sept heures passées. »

On s'embrasse à nouveau et je me sauve.

Chère Ariane,

Vraiment tu me fais marrer.

Tu mentionnes ton anniversaire de mariage comme si ça n'avait pas d'importance, presque comme un P-S. Bon, est-ce qu'il s'en est souvenu ?

As-tu eu droit à des fleurs ? Un cadeau ? Un petit coup du matin ?

À demain !

Justine

Chère J,

Oui, il s'en est souvenu. Figure-toi que c'est moi qui ai oublié l'année dernière. Eh bien, laisse-moi te dire une chose : oublier une fois est le meilleur moyen de s'en souvenir à vie.

À demain !

A.

P-S : j'avais raison de m'inquiéter pour l'avenir de notre correspondance : je ne suis pas encore partie et, déjà nous sommes passées de trois pages à trois lignes.

Le douanier me rend mon passeport flambant neuf. La case profession indique « Assistante styliste », c'est entièrement faux, mais c'est tout ce que j'ai trouvé comme compromis entre « vendeuse, mais pas pour toujours » et « pas encore styliste ».

Je n'ai plus qu'à aller acheter des chocolats à Elena et, attendre l'embarquement.

Sûrement l'effet du 11 septembre, en tout cas je suis un peu nerveuse. Et je me demande soudain pourquoi les portes d'embarquement portent le nom de « Terminal ».

J'espère que Justine aimera mon cadeau. J'ai peur que le sac que j'ai choisi soit un peu trop exubérant pour elle, après tout, elle-même se décrit comme quelqu'un de classique. Enfin, c'est trop tard, si elle n'aime pas, tant pis. Il est temps qu'elle se rende compte que les Françaises peuvent commettre des fautes de goût.

Il y a quelques semaines, elle m'a recommandé la lecture des poésies de Walt Whitman, venant de la part de quelqu'un qui se dit inculte, j'ai trouvé ça très étonnant.

J'espère qu'elle a prévu d'autres distractions pour nos soirées, sinon j'ai peur de ne pas m'amuser autant que prévu.

Tandis que l'avion décolle, je me souviens de mon premier voyage à New York avec Ambre. Je ne sais plus comment, l'idée nous était venue de nous faire des petites pancartes, comme les enfants voyageant seuls. Ambre nous avait fabriqué de superbes badges « Jeune fille non accompagnée ». On les avait arborés fièrement en montant dans l'avion, ce qui nous avait valu un flot de sourires aussi amusés que chaleureux. C'était un super vol, on avait bavardé avec les trois rangées à la ronde et, en arrivant, on avait l'impression que la ville n'attendait que nous.

Quand Ambre est partie en vacances avec Léa l'été dernier, je lui ai suggéré de répéter l'expérience, mais elle m'a répondu que ce qui est frais et drôle pour deux filles de vingt-deux ans prend des allures pathétiques une fois passée la trentaine…

Le vol passe très vite, je ne dors pas, je suis bien trop occupée à savourer l'idée que même si je pars en terrain connu, je ne sais rien de ce qui m'attend.

À peine arrivée, je retrouve cette sensation de liberté teintée d'excitation et d'assurance. L'appréhension qui m'accompagne souvent s'est envolée. Ici seulement j'éprouve ce sentiment de confiance en moi.

Tout de suite, des flics exagérément sérieux, des files d'attente trop ordonnées, des odeurs de junk-food… Mais rien ne me gêne.

Je me souviens que lors de mes derniers séjours, j'ai rarement retrouvé ce sentiment de perfection du premier jour et, je me promets de ne pas oublier ce trajet en taxi.

Déjà les gratte-ciel se profilent et, on traverse le Triborough Bridge. J'aime cette entrée dans Manhattan car on arrive par la 96e rue et la première chose qu'on aperçoit est un terrain de basket. Derrière le grillage, des adolescents courent dans tous les sens ; ils sont si nombreux que plusieurs parties doivent se jouer en même temps. Mais aucun désordre n'est perceptible, une impression de fluidité domine et, ils nous entraînent dans leur mouvement.

Enfin j'arrive chez Elena, qui comme toujours m'accueille à bras ouverts.

Ma tante est très maternelle, ça me change de ma mère. Il suffit que j'éternue pour qu'elle sorte un thermomètre. J'adore ça.

Elena est divorcée et vit seule. Sa fille unique, Calia, qui a deux ans de plus que moi, est mariée depuis huit ans et vit tout près d'ici. Elena ne travaille pas, mais elle n'a pas le temps de s'ennuyer. Elle papillonne d'une chose à l'autre en permanence, mais paradoxalement fait tout avec intensité, ce qui lui prend un temps fou.

Je pose mes valises et elle m'emmène prendre un cappuccino chez St Ambroes, son salon de thé préféré.

L'ambiance est chic et glaciale dans cet endroit qui ressemble à un cercueil avec ses tentures en voilage gris qui recouvrent un plafond exagérément bas. D'ailleurs, les serveurs en costume noir sont si austères qu'on dirait qu'ils ont été formés aux Pompes funèbres.

Mais enfin, d'après ma tante, ils font « le seul café décent de la ville »…

À la table voisine, un couple très élégant feuillette une brochure BMW. Avec une infinie concentration, ils regardent les échantillons de couleurs proposés pour la carrosserie et le cuir.

Ils ont un air parfaitement posé, on sent qu'ils sont arrivés là où ils avaient prévu que la vie les mène.

Je ne peux pas m'empêcher de nous projeter, Vincent et moi, à leur place dans quelques années et, cette vision, loin de me plaire, me rebute. Je nous imagine, confortablement anesthésiés par notre bonne petite vie, locataires devenus propriétaires. Enfin pas tout de suite, puisque Vincent veut attendre un peu afin de « s'endetter avec tranquillité ».

« Quelle sérénité », murmure Elena en s'enfonçant dans son fauteuil.

J'essaye de faire du bruit avec mes couverts, tout est bon pour ne pas laisser l'atmosphère feutrée m'engourdir.

En rentrant j'appellerai Justine.

Je suis seule. Je suis libre. Je suis heureuse.

« Tu ne te maquilles pas ?

— Seulement pour les grandes occasions.

— C'est à toi de faire de chaque jour une grande occasion. »

Elena est sublime, c'est une dame d'une autre époque et je l'admire tout en me disant que je ne lui ressemblerai jamais.

Je l'observe avec admiration et une réelle curiosité ; les vraies élégantes sont devenues rares, même à Manhattan. Tous les jours, elle coiffe minutieusement ses cheveux noirs, jusqu'à ce qu'ils encadrent parfaitement son visage de madone. En la regardant faire sa mise en plis, je revois ce jour où adolescente, pour la taquiner, je lui ai dit : « Si tu veux faire de la moto, tu n'as pas besoin de casque, ta coiffure fait l'affaire. » Elle a froncé les sourcils en disant : « Ariane ! Du respect ! » Puis elle a éclaté de rire et m'a serrée contre elle.

Chaque détail de sa toilette est raffiné, elle ne sort jamais sans s'être entièrement pouponnée, ce qui lui prend au moins deux heures ; mais quelle classe…

L'élégance de ma mère, le cœur en plus.

J'aperçois mon reflet dans un miroir : l'air d'ici ne me va pas du tout, mes cheveux sont électriques et dressés sur ma tête et, j'ai tout le temps les joues rouges à force de marcher à grandes enjambées. Qui dit grandes marches dit chaussures confortables, qui dit chaussures confortables dit tenue confortable ; pas question de ressembler à ces New-Yorkaises qui dévalent la ville en tailleur et baskets… Je ressemble à une adolescente attardée évadée du campus. Il va falloir faire quelque chose. Et il va falloir aussi faire quelque chose de ma vie. Mais ça prendra plus de temps, donc on verra plus tard.

« Je reviendrai me changer avant le déjeuner.

— Tu as mangé, j'espère ? Tu as vu, je t'ai acheté ton muesli préféré ! »

Je n'aime pas le muesli, mais pour des raisons qui m'échappent, Elena est persuadée du contraire et m'en achète à chaque fois. Je ne veux pas la décevoir et je ne lui dirai jamais qu'elle se trompe. C'est devenu une tradition, ce bol de céréales que je mange tranquillement à l'aube ; et j'y prends du plaisir, scotchée devant la fenêtre et, cette vue du trentième étage qui n'en finit pas de me couper le souffle. Et ce matin, je le mange en pensant à Justine, qui est venue me rendre visite hier soir pour célébrer mon arrivée. On a échangé quelques mots, puis on s'est regardées, avec la même expression de surprise sur le visage. Quelques secondes de silence nous ont suffi pour comprendre qu'on s'étonnait de la même chose : notre accent respectif ; et on a éclaté de rire.

« J'avais complètement oublié que tu as un accent français ! m'a dit Justine.

— Et moi j'avais oublié que ton accent new-yorkais est si prononcé ! »

On s'y est vite fait… Elle a aimé le sac, ou elle fait très bien semblant et, on a repris notre conversation comme si on s'était quittées la veille. D'ailleurs, on s'était quittées la veille.

Maintenant, il est 9 heures, avec le décalage horaire je suis debout depuis 6 heures du matin, le muesli est déjà loin et je me sens d'attaque pour un deuxième petit déjeuner. Après, je serai assez en forme pour laisser libre cours à ma frénésie de shopping.

Bien sûr, j'ai l'alibi d'être en train d'étudier le marché de la mode, mais la vérité est que cette ville me fait perdre la tête. Tout est facile, tentant et accessible et, j'atteins des pics d'avidité qui m'épuisent.

Enfin, avant d'être épuisée, je veux m'amuser, je décide d'être tout à fait indulgente à mon égard et je descends gaiement. En bas, je croise Jerry, un voisin devenu ami d'Elena.

« Tu es de retour ? »

Les Américains embrassent peu, ils donnent des « hugs », c'est-à-dire de grandes accolades sans vraiment se toucher mais en se filant de grandes claques dans le dos. Dont acte.

Jerry est immense, mince et musclé ; il revient de son jogging et porte sa tenue habituelle : petit short bleu, tee-shirt blanc immaculé, chaussettes de sport blanches remontées jusqu'aux genoux, baskets impeccables.

« Comment ça va, gamine ? »

Toujours ce tic à la mâchoire : Jerry est membre actif d'alcooliques anonymes, mais aussi de narcotiques anonymes et, de « compulsifs du sexe anonymes ». Pour se soigner, il fait preuve d'une totale abstinence. Il a aussi arrêté le café, les sucreries et, tout ce qu'il fait abusivement.

Pas étonnant après ça que sa mâchoire claque quand il parle…

Enfin, ce qui compte aujourd'hui, c'est qu'on m'appelle encore « gamine », je me sens toute guillerette et prête à foncer.

Pas le temps de traverser la ville, je me contente de me promener dans le quartier. L'Upper East Side regorge de boutiques plus tentantes les unes que les autres et la matinée file à la vitesse de l'éclair.

Un type à moto me dépasse, sur le dos de son teeshirt est écrit « Si vous lisez ceci, ma femme est tombée ». Il faut absolument que je trouve le même pour Vincent. Cinquante boutiques plus tard, j'ai la tête qui tourne à force de regarder partout, mon cerveau surchauffe car j'ai du mal à retenir le nom des endroits où je me suis promis de revenir et, mon attente, comblée par un excès d'offres, commence à devenir oppressante.

Il m'arrive de me fatiguer moi-même, c'est précisément le cas et, je décide de rentrer.

Elena n'est pas tout à fait prête, j'ai l'habitude de ses retards indissociables de son personnage de diva, mais c'est une diva incroyablement tendre et généreuse et, comme le reste du monde, je lui pardonne tous ses excès.

Direction La Goulue, son restaurant français préféré.

Comme d'habitude, elle a réservé en précisant qu'elle voulait être assise sur une banquette, surtout pas de table en milieu de salle, « j'ai horreur d'avoir des gens assis dans mon dos ».

On parle de ma mère, ça me soulage de partager mon agacement et ma frustration avec quelqu'un qui la connaît si bien et qui en a aussi souffert. C'est la seule personne à qui je peux me confier, car j'épargne mon père depuis que j'ai réalisé que mes déceptions ne font que l'accabler davantage ; et Vincent qui a déjà bien du mal à la supporter sans que j'en rajoute.

Après le déjeuner, on se promène sur Madison Avenue.

J'aperçois des gâteaux appétissants dans une pâtisserie, je propose d'en acheter pour la maison, mais Elena n'entre jamais dans un endroit avec un néon coloré en façade, « tant de mauvais goût ne présage rien de bon ».

Je rentre faire une courte sieste avant de sortir, j'accompagne Justine à une fête et je veux être en forme.

Je vais chercher Justine à son travail, au coin de la 47e rue et de la 5e Avenue.

C'est une halle composée de comptoirs de bijoux qui se succèdent sans interruption. Seul le nom au-dessus du stand les différencie, les parents de Justine en possèdent quatre et je n'ai aucun mal à la trouver.

Lorsque je m'approche, ce ne sont pas les somptueux bijoux qui attirent mon regard, mais le vieil ordinateur qui tient tout juste sur une tablette, derrière un comptoir. J'imagine Justine en train de m'écrire et, je suis plus émue que je ne l'aurais cru.

Elle me présente à ses parents et à son frère, je discute cinq minutes avec eux en essayant d'être la plus charmante possible et, nous partons.

« J'espère que je leur ai plu…

— Bien sûr.

— C'est vrai ? Ça me fait super plaisir !

— Tu me fais rire. Tu es mariée ! Comment peux-tu encore te préoccuper de l'opinion des parents de tes amis ?

— Le mariage n'a rien à voir là-dedans. Et puis mariées ou non, on est toutes les mêmes. L'insécurité ne s'envole pas parce qu'on porte une alliance.

— Bon, je confirme : tu leur as plu. Même ma mère semble t'apprécier.

— C'est parce que j'ai l'air raisonnable. Les mères m'adorent. En tout cas les mères des autres.

— Ta mère t'adore, j'en suis sûre. Elle doit juste avoir sa propre façon névrosée de te le montrer. Tu veux qu'on en parle ?

— Pas question, j'ai envie de m'amuser.

— Bon. On a un peu de temps. Tu veux aller prendre un verre au bar du Royalton ?

— C'est pas là que tu avais croisé ton ex et sa copine ?

— Si. Enfin qui sait, si j'ai encore ce plaisir, ça te donnera l'occasion de me voir me désintégrer littéralement.

— Tu es sûre que tu veux prendre ce risque ?

— Il n'est pas question que je modifie mon emploi du temps à cause de lui. Et puis je l'emmerde ! De toute façon, il est dans la Chambre de l'Oubli et on n'entendra plus jamais parler de lui.

— Tu as raison, allons-y. »

Ambiance minimaliste et branchée à l'hôtel Royalton, refait par Starck il y a plusieurs années déjà mais toujours très à la mode.

« Je n'imaginais pas du tout que tu travaillais dans ce genre d'endroit. Vous êtes vraiment les uns sur les autres. Ça doit être pénible quand il y a beaucoup de clients.

— Très. Le pire, c'est à Noël. L'enfer avec des lumières qui clignotent. Il y a des centaines de touristes dans le coin, on les appelle les "tree people". Ils viennent pour voir le sapin du Rockfeller Plaza et on fait partie de la visite.

— Qu'est-ce que ça donne ?

— Des tas de gens qui se bousculent pour mettre des traces de doigts sur la vitrine ; ils demandent si les bijoux sont vrais et ont un choc quand on répond que oui. Puis ils demandent combien ça coûte et le choc est encore plus grand. Et après, ils décident d'essayer.

— C'est plutôt marrant, non ?

— Parfois, mais là où ça pose un problème, c'est que tout ce chahut fait fuir les vrais acheteurs... »

La sonnerie de son portable lui coupe la parole. Aussitôt, elle commence à se disputer avec son interlocuteur au sujet d'une cassette vidéo.

Elle raccroche, excédée.

« Quand on pense que tous les terroristes sont venus ici légalement, ils se sont incrustés pendant des années après que leur visa a expiré et, personne ne s'en est soucié. Mais mon club vidéo, deux jours de retard et, ils te harcèlent ! C'est eux qui devraient s'occuper des problèmes d'immigration... »

Quelques heures plus tard, nous nous retrouvons chez des amis de Justine, au pied d'un vieil immeuble du Meat Packing District. Un ascenseur pourri nous emmène péniblement au troisième étage, mais la porte s'ouvre sur un espace magnifique.

C'est un loft uniquement éclairé par des dizaines de bougies, qui donnent à l'endroit une allure d'église car il y a au moins cinq mètres de hauteur sous plafond. Impression furtive car je distingue une cuisine super équipée et un bar recouvert de plateaux généreux. Dans tout le reste de la pièce, il n'y a qu'un meuble, un vieux sofa défoncé et, les murs sont recouverts d'œuvres d'art à couper le souffle. Je fais part de mon enthousiasme à Justine, je présume que l'absence de meubles est conceptuelle et sert à valoriser les tableaux, mais elle m'explique que notre hôte est régulièrement ruiné par ses coups de cœur et qu'il n'a pas de quoi se payer une chaise.

Impossible de définir la foule qui se presse : je croise des hommes en costume trois-pièces, d'autres en short et baskets, un homme qui a tout l'air d'un SDF alors que Justine m'apprend qu'il est millionnaire. Même métissage pour les femmes, fashion-victims, bourgeoises, vulgaires ou négligées… Tout le monde ici est trop habillé, ou pas assez.

Justine connaît beaucoup de monde et je suis un peu déconcertée par la facilité avec laquelle elle échange des propos futiles dès qu'elle croise une connaissance. Elle ne ressemble en rien à la Justine que je connais. Puis elle change d'expression lors de l'arrivée tapageuse d'une brune plantureuse qui réussit à monopoliser l'attention générale.

« Oh, c'est pas vrai ! murmure Justine.

— C'est qui ?

— Charlotte, tu sais la fille insupportable que mon pote David m'a présentée, celle qui fait des scandales tout le temps et boit comme un trou. »

Elle n'en dit pas plus car Charlotte vient lui dire bonjour, assez chaleureusement d'ailleurs.

« Elle n'a pas l'air si terrible que ça…

— Attends qu'elle ait bu.

— En tout cas, on dirait qu'elle t'aime bien.

— On s'est vues à plusieurs fêtes, je ne lui fais pas d'ombre alors elle me fout la paix. Elle m'a même envoyé un mail l'autre jour, en voyant mon nom sur une liste. Tu sais ce que c'est son adresse : tropbellepourtoi76@aol.com. Tu te rends compte ?

— C'est quoi 76 ?

— L'année de sa naissance. Eh oui, quand on est née après 70, on peut encore se permettre de le crier à la face du monde ! »

J'observe Charlotte du coin de l'œil ; effectivement, elle aligne les cocktails, rit et parle fort ; mais elle est sexy, danse avec grâce et, dans l'ensemble, l'ambiance survoltée lui doit beaucoup. Elle flirte avec son escorte, un certain Max qui ne la lâche pas d'une semelle, il lui propose un joint et je l'entends répondre :

« Je ne fume plus, je trouve qu'on obtient le même effet en se levant d'un coup après s'être allongé ! » Un peu gêné, il lui fait remarquer qu'elle a une bonne descente et elle rétorque : « Chacun son truc. De toute façon, je parie que les gens hyper sains vont se sentir très cons le jour où ils seront sur un lit d'hôpital, en train de mourir de rien. »

Elle me fait rire et je la trouve plutôt sympathique, je ne peux pas m'empêcher de le dire à Justine.

« Non, c'est toi qui as raison. Mais moi elle m'intimide parce qu'elle représente tout ce que je déteste et, en même temps, je suis jalouse de sa personnalité. Ce qui revient à dire que j'envie ce que je déteste, tu dois me trouver cinglée.

— Non, je comprends ce que tu veux dire… »

Je m'interromps car de nouveau je vois le visage de Justine se métamorphoser. Je me retourne et j'aperçois Charlotte en train d'embrasser Max à pleine bouche. Justine est stupéfaite.

« Tu te rends compte, elle a dit que c'était leur premier rendez-vous et ils sont déjà en train de s'embrasser ! Devant tout le monde en plus ! » Pour toute réponse, je chantonne :

« *So-ome girls just wanna have fu-un…*

— Je suis choquée. Plus que choquée.

— Tu n'es plus jalouse, alors ?

— Si, encore plus. Moi qui suis tellement coincée, je ne pourrais jamais faire ça.

— Et alors ?

— Alors c'est ça mon problème. Je ne sais pas flirter. Je suis trop sérieuse. Quand un type essaye de flirter avec moi, j'ai toujours l'impression qu'il se fout de ma gueule. J'ai foiré une relation avec un type qui me plaisait terriblement juste parce que j'ai flippé quand il a essayé de m'embrasser. Il a cru que je n'étais pas intéressée et a laissé tomber.

— Tu ne l'as pas rattrapé ?

— Non. Je n'ai jamais réussi à faire le geste qu'il fallait. Trop timide. Pas assez confiance en moi. Pas comme elle.

— Tu sais très bien que tu détesterais lui ressembler.

— Peut-être, mais en même temps je me dis que ma vie serait plus simple.

— C'est faux… Alors c'est à cause d'elle que tu as cette attitude un peu bidon depuis qu'on est arrivées ?

— D'elle et de filles comme elle. Tu sais, ici, tout le monde cherche à faire illusion. Moi, je m'applique à paraître superficielle pour masquer mon côté sérieux et lourd.

— Tu m'as écrit un jour que tu attires toujours les cons, c'est peut-être pour ça…

— Qu'est-ce que tu veux dire ?

— Tu crées un malentendu sur ta personne et, du coup tu te retrouves avec des gens qui aiment cette image de pétasse. Faut pas t'étonner… »

Soudain, je me demande comment elle m'aurait décrit cette soirée par e-mail. Je la regarde et elle me semble fragile. Je pense à ses premiers récits, ceux où elle m'apparaissait si forte et déterminée, puis ceux où elle a commencé à me faire part de ses insécurités. Incontestablement ceux que je préfère. Ça fait si longtemps qu'elle ne triche plus, comment pouvait-elle craindre que je sois déçue ? Maladroitement, je lui caresse le bras ; j'ai envie de la rassurer, mais aussi peur de l'embarrasser. Et puis moi non plus, je ne suis pas très expansive.

Un serveur fait diversion en prononçant des mots incompréhensibles :

« Scorpino-Moldavo-Caipiruscha.

— Moldavo », répond Justine. Et devant mon expression ahurie, elle rajoute : « Deux. »

Je n'ai toujours pas compris.

« Qu'est-ce qu'il a dit ?

— Il nous proposait des cocktails, j'ai vu que t'étais larguée, je t'ai pris la même chose que moi. Il y a du gin, de la menthe et, Dieu sait quoi, peu importe, c'est bon. »

Je ne suis pas parisienne, je suis provinciale.

« Et Vincent, tu as des nouvelles ?

— Oui, il m'appelle tous les jours.

— Alors ?

— Rien. Enfin, je lui manque.

— Ça devrait te faire plaisir.

— Bien sûr. C'est juste que ce coup de fil, tous les jours à la même heure, ça a un côté… hygiénique. Ça m'énerve un peu.

— À Paris, tu crises parce qu'il oublie de t'appeler, là c'est le contraire et ça ne te va pas non plus.

— Je crois que je vais lui demander de m'appeler moins souvent, sinon je n'ai pas le temps de m'impatienter et j'ai l'impression qu'il ne me manque pas… »

Justine lève les yeux au ciel et, Charlotte nous interrompt : « On va au Lotus, vous voulez venir ? »

Elle repart sans attendre la réponse et j'interroge Justine du regard.

« C'est un club branché, tout près d'ici. La nuit, il y a plein de putes mais c'est marrant. »

Quelques minutes plus tard, Max et Charlotte semblent se disputer. Il essaye de la retenir, elle se dégage et crie :

« Toi, tu fais ce que tu veux, moi, je pars ! »

En se dirigeant vers la porte, elle repasse près de nous, fait un clin d'œil à Justine et lui dit :

« Désordre et chaos, ma mission est accomplie. »
Je me tourne vers Justine.
« Elle est sérieuse ?
— Je t'avais prévenue… Bon, on rentre ? »

Marcher, marcher, marcher. J'adore marcher dans cette ville, sans autre but que de me rappeler que je suis libre. Et puis c'est le seul endroit où les gens vont aussi vite que moi.

Je repense à ce voyage avec Ambre, qui adore flâner et regarder en l'air. En voyant les signaux WALK devant moi, je me retournais et je la voyais trente mètres derrière. Je criais : « Dépêche-toi, on va rater le feu ! » et systématiquement, quand elle arrivait, le panneau nous disait DONT WALK. Ça m'énervait ; on devient fou ici quand on se promène avec quelqu'un qui ne marche pas au même rythme.

Et puis Julien nous avait rejointes et, là c'est lui qui m'entraînait avec ses grandes enjambées. Quand on regardait derrière nous, Ambre était si loin qu'on avait du mal à la repérer. « On a perdu Ceausescu », me disait Julien, allusion à son manteau, un vieux pardessus beige-marron qu'elle adorait. Un jour, elle avait craqué : « Mais vous allez où comme ça ? Vous êtes malades ! Arrêtez de courir, j'en ai marre, on n'a le temps de rien voir ! » C'est vrai qu'on ne regardait rien, obnubilés par la seule idée d'atteindre le but qu'on s'était fixé.

On a dû en rater des trucs.

À Paris, c'est rare que je prenne le temps de regarder autour de moi et, quand je lève les yeux, c'est presque toujours pour me trouver face à une horloge qui annonce fièrement un horaire parfaitement fantaisiste.

Il fait de plus en plus chaud et je bifurque vers Central Park.

Je fais le tour du terrain de sport ovale, puis je m'arrête devant une clairière remplie de balançoires joliment ombragées par des branches d'arbres. Je m'assieds sur un banc et j'observe les mamans pousser en rythme leur progéniture. Il y a peu de temps, c'est une vision que j'aurais qualifiée de mièvre, mais aujourd'hui je la trouve idyllique ; et je me demande ce qui m'arrive.

Peu de temps après arrive un jeune homme avec une guitare, il s'assied sur le banc voisin et commence à chanter très discrètement. Dylan, Marley, Springsteen, les ballades s'enchaînent. De tout petits enfants commencent à s'approcher en titubant, poussés par leurs parents, très fiers de leur curiosité. Et là c'est encore mieux : le type s'arrête de chanter, leur prend doucement la main et leur fait toucher les cordes de sa guitare.

C'est un type comme ça qu'il faudrait à Justine, un gentil garçon qui ne se prend pas au sérieux.

Je me demande s'il est juif.

Je ne peux pas croire que je me pose une question pareille.

Enfin, moi je m'en fous, c'est pour Justine.

J'espère que c'est pour Justine, je suis horrifiée à l'idée de me poser ce genre de question, alors que j'ai toujours critiqué mon père quand il faisait la même chose. Certains automatismes sont sournois, on les attrape alors qu'on les déteste chez les autres.

« Je te souhaite d'avoir une fille comme toi », me répondait mon père quand, en pleine crise d'adolescence, je le traitais de vieux réac intolérant. Je ne me dispute plus avec mon père, on est presque toujours d'accord. C'est consternant.

Il faut que je branche le musicien pour Justine.

Encore un enfant qui s'approche, sous l'œil enamouré de ses parents. J'aimerais bien avoir des enfants, moi aussi je les pousserais vers le musicien et, comme ils seraient nécessairement plus mignons et vifs que les autres, on engagerait la conversation et je pourrais le draguer.

Il faudrait cacher mon alliance, c'est tout. Mais peut-être que je serais divorcée et que je ne porterais plus d'alliance.

Est-ce qu'on peut vraiment draguer avec des enfants en bas âge ?

Sûrement, mais seulement ceux qui en ont déjà et qui sont dans la même situation, pas les jeunes musiciens qui chantent dans les parcs.

Bon, je n'ai pas d'enfants et si je l'observe à la dérobée, c'est pour Justine… Je ne peux pas laisser mes pensées polluer mon esprit, je veux qu'elles me laissent en paix pendant ce moment qui ressemble à du bonheur.

Qu'est-ce que je peux bien lui dire, que j'aimerais lui présenter quelqu'un ? S'il a une copine, il va me jeter…

Je me lève et, en passant devant lui, je lui souris.

« Merci pour la musique.

— Oh, c'est un plaisir.

— Est-ce qu'on peut vous entendre chanter quelque part ?

— Pas encore, enfin juste au Park pour l'instant. »

J'ai le cœur qui bat. Quel enfer d'aborder quelqu'un, c'est horrible d'être célibataire, j'avais oublié. Bientôt midi, je me dépêche, Vincent va m'appeler.

Quand j'arrive chez ma tante, je trouve l'appartement sinistré. Il y a eu une fuite dans l'appartement du dessus et la chambre d'amis est inondée.

Elena est catastrophée, mais elle n'a touché à rien : « C'est comme après un meurtre, il ne faut rien déplacer jusqu'à l'arrivée des professionnels. » Je pousse quand même mon lit, transformé en aquabed et, je vais faire un café tandis qu'arrivent l'intendant et le plombier de l'immeuble.

Après leur départ, c'est au tour de Jerry, le voisin, de sonner à la porte. Il va aussitôt inspecter l'étendue des dégâts et nous rejoint dans le salon afin de nous livrer ses commentaires. Mais comme il ne boit pas de café et ne mange pas de chocolats, ses tics augmentent tandis qu'il regarde les objets interdits et, sa mâchoire claque tellement qu'on a du mal à le comprendre. Heureusement, il ne reste pas longtemps.

Elena appelle sa fille qui propose immédiatement de m'héberger.

« Carla a raison, il vaut mieux que tu dormes chez elle en attendant que la chambre soit sèche et que j'achète un autre lit. »

J'aime beaucoup Carla et, on n'a pas encore réussi à se voir. Entre son activité de psychologue et ses deux petits garçons de quatre et six ans, elle est toujours débordée.

J'appelle Vincent, puis Justine pour leur donner mon nouveau numéro.

« Tu es sûre que tu ne veux pas venir dormir chez moi ? me demande Justine.

— Oui, j'ai peur que Carla se vexe si je refuse et, puis ça me fait plaisir de passer un peu de temps avec elle ; tu sais, on se voit très peu.

— Dommage, je suis sûre que tu es une invitée parfaite. La plupart des gens que j'ai hébergés étaient mal élevés et bordéliques. L'été dernier, un ex que j'avais connu à Milan dix ans plus tôt a débarqué sans prévenir. Je vais te dire : je suis sacrément contente qu'on ne soit plus ensemble. Quel con ! Et puis quelle idée de débarquer à New York sans être sûr d'être logé ! Enfin il est gentil, Dieu le bénisse. D'ailleurs, Dieu l'a béni : il ne m'a pas épousée. Je l'aurais fait chier constamment.

— Je te fais confiance. Tu fais quoi ce soir ?

— Je vais à un gala de bienfaisance. C'est mon amie Laura qui me l'a proposé, elle a quelqu'un à me présenter et elle sait qu'il y sera. Du coup, ma mère qui a entendu l'info a insisté pour que j'y aille, elle veut même me payer la place.

— C'est cher ?

— Cinquante dollars. Enfin pour elle ça sera cent. »

Je prépare un sac avec des affaires pour deux ou trois jours et, je pars seule chez Carla ; Elena a besoin de se reposer suite aux émotions causées par le dégât des eaux.

Carla et son mari Peter, un avocat d'affaires renommé, viennent d'emménager dans un appartement situé sur Park Avenue. En descendant du taxi, j'ai du mal à en croire mes yeux. Je me trouve devant un magnifique immeuble gothique. Derrière la grille où se bousculent trois portiers empressés, un porche grandiose semblable à l'entrée d'une cathédrale.

J'ai l'impression d'être dans un hôtel : il faut donner son nom car les invités sont annoncés et, il y a un garçon d'ascenseur pour appuyer sur le bouton.

Je retrouve Carla avec plaisir, elle a hérité de la chaleur de sa mère et, fait tout pour me mettre à l'aise.

La disposition des appartements new-yorkais n'a rien à voir avec celle qu'on trouve à Paris, les architectes ont réussi la prouesse de concevoir des logements sans couloir et, les pièces s'enchaînent en accentuant la sensation de volume.

L'atmosphère est particulièrement cosy grâce à de splendides boiseries et d'épais tissus dans des tons de beige, saumon et marron ; mais la musique d'ambiance, des chants grégoriens qui résonnent dans toutes les pièces, est étrangement solennelle. La salle à manger contient une table pouvant accueillir douze couverts, mais elle est encombrée de toutes sortes de papiers et visiblement elle leur sert de vide-poche.

On finit par la cuisine et, Carla me présente deux jeunes femmes qui bavardent en mettant la table, ce sont Maria et Jane, les deux nounous. Quand on se retrouve seules, je ne peux pas m'empêcher de demander : « Pourquoi deux ? » et, Carla répond, le plus naturellement du monde : « Une pour Elie, une pour Ben. »

Dès l'arrivée de Peter, on passe à table ; ici, on dîne tôt, avec les enfants et sans télé, faisant mentir tous les clichés sur l'absence de rigueur des parents américains.

À la fin du repas, on sonne à la porte : c'est le professeur de piano des enfants.

« J'avais oublié ! s'exclame Carla. J'espère que tu n'es pas trop fatiguée, le piano est dans le salon, tu ne pourras pas te coucher tout de suite…

— Tu plaisantes, il est super tôt ; je vais bouquiner tranquillement.

— Viens dans ma chambre, il y a un grand fauteuil très confortable et toutes sortes de revues. »

Je m'installe et commence à feuilleter les magazines en m'attardant sur les pages mode, à peu près similaires à celles des magazines français. La mise en scène irréelle et le prix des vêtements rendent toute projection invraisemblable et, comme toujours, je me demande à qui s'adressent ces photos. Une pub m'interpelle : GAP Maternity. Incroyable, ils ont fait une ligne pour femmes enceintes ! Je vais enfin pouvoir faire un bébé.

Carla passe la tête par la porte.

« Ça va ?

— Bien sûr !

— Alors encore un peu de patience, c'est à Peter et moi maintenant.

— Ah, vous aussi vous prenez des leçons ?

— Non, enfin oui : on apprend la même chose que les enfants. C'est pour mieux les faire travailler pendant la semaine. »

Je contemple la pub pour GAP Maternity. Je ne sais pas si je serai une bonne mère.

Une demi-heure plus tard, le professeur s'en va, Peter et Carla partent coucher les enfants. Maria et Jane sont toujours dans la cuisine et poursuivent leur discussion autour d'une tisane.

Je fais mon lit sur l'épais canapé du salon et je me couche. Deux heures plus tard, Carla et Peter ne sont toujours pas sortis de la chambre des garçons et, je me demande combien de temps il faut pour coucher ses enfants. Je ne crois pas que je serai une bonne mère.

À la télé, une publicité pour un détergent démontre avec quel succès il enlève les taches de sang d'une chemise. Tandis que je m'assoupis, bercée par les chants grégoriens, je me dis que si ma chemise était pleine de sang, j'aurais d'autres préoccupations que ma lessive.

Je me réveille vers 7 heures et, toute la maison est déjà sur pied. Quelqu'un a déjà mis le CD de chants grégoriens, à moins qu'il n'ait joué en boucle durant toute la nuit.

Je vais dans la cuisine et je retrouve Maria et Jane en train de préparer le petit déjeuner des enfants. Carla entre, déjà prête et pimpante, prend une assiette et part nourrir et habiller son fils aîné pendant que Maria et Jane s'installent pour prendre leur petit déjeuner, tout en m'invitant à me joindre à elles.

Vingt minutes plus tard, Maria se lève, décroche le téléphone et prononce quelques mots étranges, « K23B dans cinq minutes ». Devant mon expression intriguée, elle m'explique qu'elle prévient le voiturier afin qu'il conduise la voiture à l'entrée dans cinq minutes. Je suis bluffée. Même pas besoin d'aller au parking. C'est vraiment comme à l'hôtel ici, quand je vais raconter ça à Vincent… Puis c'est au tour de Peter de faire une apparition, lui-même attrape la deuxième assiette et part s'occuper de son fils cadet.

Carla revient avec Elie, on a tout juste le temps de s'embrasser et ils s'en vont avec Maria.

« Prends ta douche dans ma salle de bains ! » me crie Carla avant de fermer la porte.

Jane me propose un autre café que j'accepte avec empressement, tandis qu'on aperçoit Peter courir après Ben, une fourchette à la main. Une demi-heure plus tard, Maria téléphone pour prévenir Peter qu'elle est en bas. Jane l'appelle, il arrive en tenant Ben dans ses bras et, le plaque au sol pour lui mettre ses chaussettes et ses tennis pendant que le petit hurle et se débat farouchement, froissant sensiblement le beau costume de son père.

Jane se prépare un autre toast.

« Euh… Tu n'interviens pas ?

— Non, on ne peut pas s'approcher des enfants quand leurs parents sont là.

— Et c'est comme ça tous les matins ?

— Le coup des chaussettes ? Oui, il veut rester pieds nus.

— Et là, qu'est-ce qui va se passer ?

— Oh rien, la routine. Maria a déposé Elie à l'école et, Carla à son cabinet. Maintenant elle va déposer Ben qui est dans une autre école et, puis Peter au bureau.

— … Et toi ?

— Moi je vais ranger leur chambre.

— Ah ! C'est toi qui t'occupes de la maison ?

— Oh non, seulement de la chambre des enfants. Il y a Nancy, pour le ménage et la cuisine.

— Ah… Et ensuite ?

— L'après-midi, on va les chercher après l'école et, on les emmène au Park.

— Ah… Bon, je vais aller me doucher. »

Elle se lève aussitôt pour me remettre une pile de serviettes moelleuses et, je rentre dans la salle de bains de Carla.

Tiens, il y a des haut-parleurs quelque part et, les chants grégoriens prennent une drôle de résonance à cause du marbre qui recouvre tout du sol au plafond.

Une douche multi-jets qui doit bien faire cinq mètres carrés m'attend avec bienveillance et, je me prépare mentalement à passer un moment savoureux.

Vingt minutes plus tard, je suis toujours sèche et je commence à avoir froid.

J'ai tourné tous les robinets, touché tous les boutons, pas la moindre goutte d'eau ne s'est écoulée.

Dépitée, je m'enroule dans une serviette et je pars me doucher dans la salle de bains des enfants. Je croise Jane à qui je crie : « J'ai pas trouvé comment ça marche ! », elle propose de me montrer, mais je décline poliment.

Quand j'ai fini, je retourne dans le salon pour m'habiller, je passe devant le bureau et Jane m'interpelle. Je rentre et la trouve installée devant l'ordinateur, en train d'écrire un mail.

« Elena vient d'appeler.

— Merci, je vais la rappeler. Dis donc, je réalise que j'ai oublié de demander un double des clés à Carla.

— Personne n'a de clé ici, la porte d'entrée est toujours ouverte.

— Ouverte… Pas complètement ?

— Si, si ! Tu verras, tu n'as qu'à tourner la poignée et ça s'ouvre. Cet immeuble, c'est Fort Knox, on ne risque rien avec une sécurité pareille, alors on ne s'encombre pas. »

Le téléphone sonne, Jane répond et me passe Justine.

« Alors, le gala de bienfaisance ?

— Une catastrophe.

— Et le type que Laura voulait te présenter ?

— Il était canon et, devine : elle a dansé avec lui toute la soirée. À la fin, elle est venue me voir et me demander ce que j'attendais pour venir leur parler. Je lui ai dit "Pour quoi faire ? Tu ne le lâches pas d'une semelle !" et elle m'a répondu : "Bien sûr ! Je te le garde, pour que personne d'autre ne puisse l'approcher." Je lui ai répondu que son but était parfaitement atteint.

— Et les autres hommes ?

— J'ai eu un succès fou auprès d'un type qui m'a collée toute la soirée. Je ne lui ai pas demandé son âge, mais tiens-toi bien, il avait un audiophone ! Tu imagines ? Enfin il a du mérite, peu d'hommes de soixante-dix ans ont un tel culot… Qu'est-ce que tu comptes faire aujourd'hui ?

— Je vais me faire l'expo sur le Brésil au Guggenheim et, puis il faudra bien aller dépenser l'argent que Vincent est en train de gagner.

— Je les ai vus, tes sacs de shopping, y a que des cadeaux pour lui ! N'essaye pas de te faire passer pour une salope, avec moi ça ne prend pas. »

J'entends la voix de sa mère dans le fond :

« Alors, comment c'était ?

— Nul ! Tu me dois deux cents dollars !… Il faut que j'y aille, je voulais juste te dire de réserver ton dimanche, je t'emmène prendre un brunch avec des amies. Comment ça se passe chez ta cousine ?

— Très bien. Va bosser, je te rappelle plus tard. »

La porte d'entrée vient de s'ouvrir, j'entends la voix de Maria : « Coucou, je suis rentrée ! Qui veut du café ?

— Moi, moi ! crie Jane en se levant. Elle a dû ramener des bagels, tu viens ? »

« Donc je note : un sommier Rêverie Enchantée à lattes recouvertes, spécial dos sensibles. Pour le matelas, je vous mets un Dorsodynamic ressorts ou un Dorsolatex 100 % ?

— Comment vous appelez-vous ?

— Bill.

— Enchantée, moi c'est Elena. Bill, vous me posez des questions qui me laissent sans voix. Laissez-moi plutôt vous demander ce que vous prendriez pour vous.

— Disons que les deux sont équipés de zones de soutien placées au niveau des lombaires, ainsi que d'une double face Été-Hiver en biolaine vierge Microstop…

— Microstop ?

— C'est révolutionnaire : la laine est traitée "à cœur", c'est plus stable dans le temps.

— Je vois. Pardon, je vous ai interrompu.

— Mais dans le Dorsodynamic ressorts, il y a six mousses de renforts centraux, plus une mousse de confort pour plus de fermeté. Il est garanti 7 ans, c'est vraiment la tranquillité.

— Eh bien, on va prendre celui-là.

— Vous voulez le modèle Confort ferme, Grand confort ferme, ou Grand confort ferme anti-acariens ?

— Bill, vous recommencez !

— OK, OK. Prenez le dernier. Sa face Hiver fait 300 g/m^2 et, sa face Été 400 g/m^2 en ouate Hollofil Allerban : c'est une fibre anallergique possédant un composant actif empêchant la prolifération de bactéries et de moisissures.

— Vous voulez dire que les moisissures tendent à proliférer dans les matelas ?

— Vous n'avez pas idée ! »

Elena me cherche des yeux, je n'ai pas bougé du fauteuil où je suis installée depuis que j'ai compris que l'achat du nouveau lit était en train de se transformer en véritable épopée.

C'est un fauteuil pivotant et, quand je ne tiens plus en place, je fais un tour complet, histoire de prendre du recul. Je viens de faire cinq tours d'affilée et, en m'arrêtant, j'ai la tête qui tourne et des visions étranges de tous ces lits, recouverts des couvertures rondes de ma grand-mère.

« Tu entends ça, chérie ? Bon, Bill, je vous suis, je n'aime pas du tout cette idée de prolifération de moisissures… »

Près d'une heure plus tard, puisque tant qu'à changer de lit, autant changer aussi les oreillers et le traversin, on quitte enfin Bill et, j'entraîne Elena avec empressement.

« Viens, c'est l'heure de prendre un cappuccino et un gâteau.

— À cette heure-ci, on va avoir du mal à trouver un taxi pour aller chez St Ambroes.

— Laisse tomber St Ambroes, j'ai pas déjeuné et je meurs de faim, on va trouver un endroit dans le coin.

— Mais tu sais bien que seul St Ambroes fait un…

— … Café digne de ce nom. Je sais. Je sais aussi qu'ils ferment à la fin du mois et que de toute façon tu vas devoir te trouver un nouveau salon de thé. Alors fais pas chier.

— Ariane, du respect ! »

On éclate de rire. Puis Elena soupire. La fermeture prochaine de sa retraite préférée l'affecte énormément.

Je réussis à la convaincre d'entrer chez Nora, un endroit sans néon dans lequel on aperçoit toutes sortes de pâtisseries. On en choisit trois ou quatre, histoire de se faire une idée et, Elena va s'asseoir ; c'est un self-service et je lui propose d'aller m'attendre à une table pendant qu'on nous prépare les assiettes et les cafés.

Quand je la rejoins, Elena gémit, tout en entamant son huitième sablé.

« La décadence sans le bien-être…

— Enfin, avoue que c'est plutôt bon…

— Oui, mais ce genre de lieu me déprime, tout le monde est pressé, personne ne savoure ce qu'il mange. Voilà tout ce qu'on trouve désormais dans cette ville : des coffee shops avec trois tables minuscules et des chaises inconfortables et, une rangée de tabourets de bar en vitrine… Comme ça les gens regardent dehors et oublient qu'ils n'ont rien à se dire. Et franchement, leur café est imbuvable…

— On trouvera mieux la prochaine fois. Pourquoi on ne va pas dîner chez Elio's ce soir ?

— Oh, chérie ! Je crois que la nuit dernière, j'ai rêvé de leurs spaghettis à l'ail… Peut-être même aussi de leur tarte au citron… Je me demande quelle machine à cappuc…

— Passe-moi ton portable, je vais appeler Carla pour voir s'ils sont libres, j'aimerais vous inviter tous les trois. »

Carla est ravie, elle va appeler Peter pour le prévenir.

Cinq minutes plus tard, le portable d'Elena sonne, je la vois grimacer avant de raccrocher.

« C'était Carla. Peter était d'accord mais quand elle a appelé à la maison, Jane et Maria lui ont dit qu'elles avaient prévu d'aller au cinéma, donc il n'y a personne pour garder les enfants. Elle propose qu'on y aille demain… »

Elle entame un autre sablé.

« Je vais te confier quelque chose : il m'arrive de me demander s'ils sont bien organisés… »

« Trente degrés en mai, on aura tout eu cette année ! »

Justine fouille dans son sac, sort un élastique et s'attache les cheveux tandis qu'on continue à marcher.

« J'en ai un autre, tu le veux ?

— Non, merci, je ne relève jamais mes cheveux, c'est à cause de mes oreilles.

— Qu'est-ce qu'elles ont ?

— Elles sont décollées. Enfin juste un peu mais ma mère m'a foutu un complexe quand j'étais petite. J'étais interdite de barrettes, c'était hyper dur.

— N'importe quoi ! Tes oreilles sont très bien, même pas un peu décollées ! Ça me fait penser à ma mère, toujours en train de me dire que je suis petite. Personnellement, je me trouve adorable. Tu sais pourquoi ? Parce que je suis proportionnée.

— Bien dit, la naine ! Bon alors, y aura qui à ce brunch ?

— Laura et ma copine Nasreen, ma plus vieille amie. Elles ont aussi invité Gina, qui faisait partie de notre bande avant mais que j'ai cessé de voir. Elle était trop compliquée. Jalouse et compétitive. Une très mauvaise combinaison. Enfin, peut-être qu'elle t'amusera. Elle vient d'avoir quarante ans, mais elle dit qu'elle en a trente-neuf plus frais de port et d'envoi.

— Elles sont toutes célibataires ?

— Oui. Nasreen sortait avec quelqu'un depuis un an, il l'a invitée à dîner chez ses parents et, elle est arrivée avec un beau bouquet de fleurs. Les parents l'ont remerciée et ont quitté la pièce. Une heure après, elle était toujours dans le salon avec son mec et, les parents n'étaient pas revenus. Il est allé voir ce qu'ils faisaient : ils finissaient de dîner tous les deux, sans les avoir invités à passer à table !

— C'est pas vrai ! Qu'est-ce qu'elle leur avait fait ?

— Rien, c'était la première fois qu'ils la voyaient ! Ils ont sûrement jugé qu'elle n'était pas assez bien pour leur fils. Et lui, il a fait comme si de rien n'était. Elle était mortifiée et, il lui a proposé de rentrer commander une pizza. Elle a disjoncté. Il y a trop de malades en liberté dans les rues de New York… Voilà, on y est. »

Devant nous se trouve le restaurant Pastis, c'est un endroit à la mode et il y a une longue file dehors, mais Justine joue des coudes, elle connaît la personne qui place les gens et on réussit à s'asseoir sans attendre.

Pastis n'a rien d'un petit bistro méridional, c'est un endroit très vaste et incroyablement bruyant. La clientèle est visiblement constituée d'habitués venus voir et se faire voir et, pendant les premières minutes, je suis saisie par la diversité de la scène.

« Qu'est-ce que tu regardes ? me demande Justine.

— Toute cette faune… Tiens, là, les trois brunes qui viennent d'entrer : elles sont hyper apprêtées, mais essayent de donner une image cool. Sauf que ça ne fonctionne pas du tout, elles sont ridicules. »

Justine éclate de rire.

« Tu leur diras quand elles seront assises, elles vont beaucoup aimer. »

Et devant ma mine atterrée, elle rajoute : « Le plus drôle, c'est que si on ne se connaissait pas, tu m'aurais regardée entrer avec elles et tu aurais sans doute pensé la même chose…

— Jamais de la vie, tu n'as rien à voir ! »

Son rire redouble devant ma confusion et quand les filles arrivent à notre table, elle est franchement hilare.

« La fameuse Ariane… Eh bien, au moins une chose est sûre : tu dois avoir beaucoup d'humour, dit Laura en me détaillant.

— Même moi j'ai entendu parler de toi ! s'exclame Gina. Pourtant Justine me snobe. »

Diplomate, Nasreen change de sujet.

« C'était comment le gala de bienfaisance ?

— Nul, répond Justine. Et il y avait trop de filles.

— Tiens, c'est drôle, moi j'étais à une fête hier et c'est exactement la réflexion que je me suis faite : trop de filles !

— Si tu es venue chercher un mari à New York, me dit Gina, autant te le dire tout de suite : c'est mal barré !

— Je suis déjà mariée.

— Ah bon ? Il est où ton mari ?

— À Paris, il travaille.

— Ah bon. Et toi, tu travailles ?

— Oui, bien sûr.

— Ici, il y a plein d'hommes qui font tout pour que leur femme reste à la maison. Ma sœur s'est mariée à vingt-quatre ans, avec un diplôme d'expert-comptable en poche. Son mari a insisté pour qu'ils aient un enfant tout de suite, puis un deuxième et, les années ont passé sans qu'elle commence à travailler. Maintenant elle fait tout pour trouver un job, mais personne ne veut d'elle car elle n'a pas d'expérience… Au fait, tu connais la position préférée de 80 % des couples mariés ?

— Non.

— La position du chien. L'homme s'assied et halète, sa femme lui tourne le dos et fait la morte. »

Tout le monde sourit, moi y compris, mais Justine me regarde et ses lèvres articulent en silence : « Jalouse et compétitive. Très mauvaise combinaison. »

« Souviens-toi, dit Nasreen, quand ta sœur s'est fiancée, tout le monde lui a dit que c'était risqué d'épouser un type du West Side.

— C'est vrai, répond Gina, mais à l'époque on disait ça en plaisantant, maintenant on parle en connaissance de cause.

— Vous êtes sérieuses ? »

J'ai du mal à croire ce que j'entends.

« Absolument, me dit Laura. À New York, on dit qu'il vaut mieux épouser un étranger qu'un type qui habite de l'autre côté du Park.

— Pourquoi ? Dans le West Side, on trouve le même type d'immeubles, les mêmes boutiques et, quand on se promène, on dirait qu'on croise les mêmes personnes.

— Peut-être, mais l'état d'esprit est différent.

— C'est vrai, confirme Justine, plus le temps passe, plus la différence me saute aux yeux. »

Pas le temps d'essayer de comprendre, notre attention est détournée par un brouhaha que j'identifie immédiatement. Je tourne la tête et j'aperçois Charlotte qui vient d'entrer. Elle s'approche de notre table et salue Justine, je lui fais un petit signe de main et elle me dit :

« T'inquiète pas, moi aussi j'ai oublié ton prénom… Je cherche David, on avait rendez-vous, je suis en retard, il devrait être là…

— Il est dans le fond, à la grande table ronde, répond Justine.

— Ah bon, il est avec qui ? Bon, je vais aller voir. De toute façon, je préfère qu'il y ait du monde, j'ai fait exprès d'oublier de me réveiller parce que j'avais peur de m'ennuyer avec lui.

— Et Max ?

— Oublie. Il me rappelait mon ex, qui assimilait une érection à une forme d'évolution personnelle. Je l'ai baisé. Et il m'a traitée de garce, comme si c'était une insulte… Bon, à plus ! »

Elle tourne les talons et disparaît.

« Je n'arrive pas à croire que vous soyez amies, dit Nasreen à Justine.

— On n'est pas amies, elle est partout, alors on se croise, c'est tout. À propos d'amie, c'est l'anniversaire de Rachel la semaine prochaine.

— Encore ! s'exclame Laura.

— Comment ça, encore ?

— Je ne sais pas, j'ai l'impression que certaines personnes ont plus souvent leur anniversaire que d'autres.

— C'est parce qu'elle le fête à chaque fois. Et là, elle a réservé au Domicile.

— Fais chier, râle Gina, un resto plus un cadeau, encore une soirée à cent dollars. J'ai pas les moyens, moi…

— Tu te fous de qui, lui dit Nasreen, rappelle-moi, c'était combien ta consultation chez la voyante ?

— Ça n'a rien à voir.

— Dis toujours.

— Cent soixante-quinze dollars.

— Et voilà ! Tu peux dépenser cent soixante-quinze dollars chez une voyante, mais pas la moitié pour une amie.

— Tu peux critiquer, toi tu n'as pas besoin de voyante, tu as ta grand-mère avec toutes ses potions magiques…

— Potions magiques ? »

J'ai presque crié.

« Tu sais bien, me dit Nasreen, les vieilles méthodes d'envoûtement…

— Non, justement, je ne sais pas.

— Par exemple, pour récupérer un mec, on dit qu'il faut mettre un peu d'urine dans son verre…

— Ça, ça ne marche pas, coupe Laura, j'ai essayé. Mais ma grand-mère m'a suggéré de piler un cheveu, un bout d'ongle et des poils pubiens. J'ai appelé Phil pour qu'on aille dîner, il a refusé, mais il a accepté de prendre un café, on a rendez-vous demain. »

Je suis effarée, Nasreen et Gina surexcitées, je me penche vers Justine et je chuchote :

« C'est quoi, ce délire, le Moyen Âge ?

— Non, juste le Moyen-Orient. Le sens du merveilleux.

— Tu fais quand même pas des trucs pareils ?

— T'es dingue ou quoi ?

— C'est bien ce que je disais : tu n'as rien à voir avec elles. »

À la fin du brunch, Justine et moi allons nous promener, je la raccompagne chez elle, puis je décide de rentrer. En se séparant, je lui dis : « Il faut que tu saches : quand je te regarde, je ne te trouve pas pathétique et, en fait, tes amies non plus ; je me demande juste par quel miracle j'ai échappé au célibat. C'est tout. »

On s'embrasse, je marche jusqu'au coin de la rue et, au moment où je m'arrête pour héler un taxi, quelqu'un m'attrape doucement le bras.

Je me retourne et il est là, juste devant moi.

Six ans se sont écoulés, mais il n'a pas changé ; six ans se sont écoulés et j'ai un trou dans le ventre.

« Thomas… »

C'est tout ce que j'arrive à dire. Heureusement il enchaîne et répond aux questions que je ne lui pose pas.

« Il y a une expo de mes toiles dans une galerie de Soho. Ça se passe plutôt bien, j'ai plein de nouveaux contacts, donc pour le moment je reste… Tu es en vacances ?

— Oui.

— Chez ta tante ?

— Oui… Tu habites dans le quartier ?

— Non, je suis chez un ami, plus haut, sur Lexington.

— Ah… »

Je le regarde. Il doit y avoir des tas de choses à dire pour meubler, mais je n'en trouve aucune. Je m'étais toujours dit que si on se rencontrait un jour, je serais très fair-play, je poserais des questions sur sa carrière, je montrerais que j'avais dépassé notre échec.

Je le regarde encore, je souris bêtement et aucun son ne sort de ma bouche.

« Ariane, il faut que je te dise, j'ai souvent pensé à toi. J'ai eu envie de t'appeler, mais j'ai su que tu étais mariée alors je n'ai pas osé… Dîne avec moi ce soir. »

J'ai très, très, très mal au ventre.

« Je ne crois pas que ce soit une bonne idée.

— Je sais ce que tu crois. Juste un dîner. Quand je t'ai vue ce matin, j'ai su que ce n'était pas par…

— Ce matin ? »

Il s'arrête, semble un peu gêné et se ressaisit aussitôt.

« Ce matin, oui. Tu es entrée chez Starbucks pour prendre un café, j'étais dans le fond et je t'ai suivie.

— Tu me suis depuis ce matin ?

— Oui.

— Mais pourquoi ?

— D'abord je ne savais pas. J'ai vu que tu étais seule et je t'ai suivie. Et puis tu as retrouvé ta copine et, j'ai continué. Je suis allé chez Pastis, toujours pas de mari, donc je me suis installé au bar et j'ai décidé d'attendre que tu sois seule.

— Mon mari est à Paris.

— Je m'en doute. »

Toujours ce petit sourire désinvolte.

Quelques heures plus tôt, pendant le brunch, Nasreen se plaignait de ne jamais avoir su quoi attendre de son dernier compagnon et, je lui ai dit : « Quand on ne sait pas où on va dans une relation, il suffit souvent de demander à l'autre ce qu'il veut. Le tout, c'est de ne pas avoir peur de la réponse. »

« Qu'est-ce que tu veux, Thomas ?

— Juste dîner avec toi. »

J'avais oublié que « l'autre » ne répond pas toujours franchement. Mais en l'occurrence, ça m'arrange ; je ne suis prête ni pour une déclaration enflammée, ni pour l'humiliation d'un serment d'amitié.

Il voit que j'hésite et décide pour moi.

« À huit heures, au Velvet Bistro. C'est sur la 67e, près de la 3e Avenue. »

Il tourne les talons et s'éloigne sans attendre ma réponse.

Quatre heures passées à retrouver mes sentiments, le fameux bonheur de l'anticipation si cher à Justine, quatre heures passées à me sentir vivante.

Et la culpabilité, écrasante.

Quatre heures d'enfer.

Quatre heures dont une au téléphone avec Justine, d'abord très emballée, puis vite très ennuyée.

« Le Velvet Bistro ? Oui, bien sûr, je connais. C'est très… aïe aïe aïe ! Lumière tamisée, gros canapés de velours, super cosy, super intime… Il sait ce qu'il fait. Y a un grand bar, ils passent de la world music dans le fond, en fin de soirée les gens dansent. Écoute, il faut que je te dise : je suis contre l'adultère.

— Mais moi aussi, Justine !

— Cela dit, je n'ai jamais eu l'occasion d'essayer. Sérieusement, tu fais ce que tu veux. »

Dommage, ce serait si facile que quelqu'un décide à ma place. Et Vincent qui n'appelle pas. Heureusement, je serais dégoulinante de gentillesse. Écœurant.

19 heures 45.

Je demande à Elena :

« Qu'est-ce que je fais, j'y vais ou je reste ?

— Vu la façon dont tu t'es habillée, il me semble clair que tu y vas », dit-elle en souriant.

Cinq minutes plus tard, je suis en train de descendre la 3e Avenue d'un pas décidé. Je préfère marcher, c'est la seule liberté qui me reste. Il faut que j'y aille, sinon je ne saurai jamais.

85e Rue, encore un quart d'heure et j'y serai.

Et puis quoi ?

79e Rue, je me demande s'il sera à l'heure.

Oui, bien sûr qu'il sera à l'heure aujourd'hui.

Aujourd'hui. Mais demain ?

72e Rue, les blocks défilent au rythme de mon impatience.

Je vais chercher quoi au juste ?

Les souvenirs des mois passés ensemble se succèdent, se mêlent aux rues que je dévale, accentuant mon sentiment d'être sur une montagne russe. Je suis à bout de souffle.

Je repense aux derniers mots d'Elena, me regardant partir.

« Moi, ma chérie, tout ce qui m'importe, c'est que tu sois heureuse. »

Je ralentis, tandis que naît en moi l'absolue certitude que je suis en train de marcher vers mon passé.

67e Rue.

Je fais demi-tour.

Quand je rentre chez Elena, elle semble m'attendre et ne pose aucune question sur mon retour prématuré.

« Il faut que tu rappelles Vincent, c'est urgent. »

À peine une sonnerie et il décroche.

« Qu'est-ce qui se passe ?

— C'est Ambre, elle a pris des cachets. Elle est à l'hôpital, ils ne savent pas si elle va s'en sortir. »

Je reste un moment prostrée, puis je me rends compte que je n'ai qu'une chose à faire.

Il reste une place sur le vol de 22 heures, j'ai une chance d'arriver à temps et, Elena m'aide à préparer mes bagages.

« Bœuf ou poulet ?

— … Poulet. »

Je ne sais même pas pourquoi j'ai répondu, je n'ai pas faim.

Je regarde les petites coupelles en plastique sagement réparties sur le minuscule plateau.

Ma vie ressemble à ce plateau. Chaque bol représente un aspect de mon existence : Vincent, la famille, les amis, le boulot…

Et tandis que j'observe sans envie les plats qui m'attendent, je me demande combien de temps encore je vais supporter le repas quotidien que je me suis imposé.

Tous ces gens que j'aime et, le sentiment de ne rien avoir choisi.

Je rends le plateau à l'hôtesse.

Effervescence du lundi matin à Roissy.

Une femme me pique mon chariot pendant que je retire ma valise du tapis roulant, l'agressivité est palpable et je préfère me taire et en chercher un autre. Pourvu qu'il n'y ait pas trop de gens qui attendent un taxi.

Avant même de sortir, je devine qu'il fait frais, les gens font la gueule ; je suis rentrée.

Puis je le vois, tout au bout.

Vincent qui m'attend, Vincent qui n'a pas pris son Eurostar, Vincent qui m'aperçoit et ouvre grands les bras. Je suis chez moi.

Vincent qu'il est si facile de blâmer pour mon manque d'ambition.

Chères toutes,

Je dédie ce mail à mon amie Ariane qui a, dans son imagination, une place spéciale pour les femmes affligées de vilains pieds et, qui ose les exhiber au reste du monde.
Un petit rappel pour vous, Mesdames, maintenant que l'été est proche...

Justine

S'il vous plaît, levez le pied droit et répétez après moi :

« En tant que membre de la confrérie des jolies filles, je fais vœu de suivre les règles suivantes quand je porterai des sandales :

Je porterai toujours des sandales à ma taille. Mes orteils ne dépasseront pas jusqu'à toucher le sol et, mon talon ne débordera pas à l'arrière. Rien de dodu n'apparaîtra entre deux lanières.

Je ne porterai pas de vernis, ou promets de le conserver intact et sans la moindre écaille.

Je ne tricherai pas en retouchant uniquement le gros orteil.

Je poncerai chaque petit amas de peau avant qu'il ne devienne jaune et dur.

Si nécessaire, j'épilerai mon gros orteil.

Je ne porterai pas de collant, même si ma (très mal informée) meilleure amie me soutient que la couture ne se verra pas si je la coince sous mes orteils.

Si une lanière casse, je ne la collerai pas, y compris avec de la Super Glu. Je la ferai réparer, ou je jetterai la paire.

Je n'achèterai pas de "crabes" ou autres sandales en plastique, même si mon pied est assez petit pour entrer dans les modèles Enfant et, même si elles coûtent moins de dix dollars.
Je dois considérer ma sécurité et celle des autres. Personne ne peut marcher convenablement en se tenant dans un bac à sueur et, je risquerais d'entraîner quelqu'un dans ma chute.

J'enlèverai l'anneau que je porte à l'orteil si, en fin de journée, la chaleur fait enfler mes orteils de telle sorte qu'ils ressemblent à des petites saucisses.

Je serai cruellement honnête avec ma collègue quand elle me demandera si ses pieds sont trop laids pour qu'elle porte des sandales. Il faut bien que quelqu'un lui dise que ses orteils sont aussi longs que ses doigts et, que c'est une vision véritablement effrayante.

Je n'oublierai pas que mon ami, le Dr Scholl, est là pour que mes pieds se reposent et se débarrassent de leur corne à la maison. »

Je remercie Justine qui sait toujours me faire sourire, puis mes yeux retombent sur le paquet de lettres qu'on a retrouvé chez Ambre.

« Un véritable appel au secours, m'a dit le médecin. Il faudra bien la surveiller ! ».

Bien sûr qu'on va la surveiller ; j'ai l'impression qu'il me juge, j'ai envie de lui dire que j'ai toujours été là…

La preuve que non.

Je prends la dernière lettre, je l'ai lue cent fois au moins, mais je ne peux pas m'empêcher de la relire une fois encore, comme happée par le vertige de souffrance qu'elle me procure. Atroce sentiment de gâchis et d'inutilité, qui m'évoque pêle-mêle des images de vacances sous la pluie, de fêtes sabotées par ma mère et, cet écriteau inachevé, sur une route où je m'étais perdue.

Ariane,

Nous sommes vendredi soir.

Il fait très beau et je viens de boire un verre avec Julien à la terrasse du Dôme. Je l'écoutais tranquillement me raconter ses vacances, quand soudain je l'ai vue. Une fille qui sortait du Monoprix. Dans son sac en plastique transparent : une pizza individuelle, un paquet de gâteaux, un Coca light.

C'est idiot, n'est-ce pas, juste un petit sac de courses, mais la vision de sa solitude m'a submergée. J'ai eu très peur de lui ressembler, puis j'ai réalisé que je lui ressemblais déjà.

Je n'ai rien dit à Julien qui partait à un dîner, j'ai acheté à manger pour deux et je suis rentrée. J'ai appelé plusieurs amis, mais personne n'était libre.

Je repense à Igor, le seul avec qui j'ai cru être à ma place. J'ai toujours dit qu'on était heureux et, que je n'avais pas compris notre rupture ; mais à la fin, je ne disais « Je t'aime » que pour déguiser ma solitude. C'est affreux de se toucher quand on réalise que même nos mains n'ont plus d'affinités. J'aurais dû risquer la vérité, mais je n'ai pas su. Je me suis accrochée à ses aumônes, puis à celles des autres et, je déteste ce que je suis devenue.

Quand j'étais petite, j'ai entendu un jour que vivre, c'était recevoir et donner. Et je ne fais ni l'un ni l'autre.

Mes jours ressemblent de plus en plus à de lourds moments de conscience entre des nuits agitées.

Tout ça est confus sans doute. Je cherche mes mots pour t'exprimer ce que je ressens mais je n'y arrive pas. Les mots ont du temps, pas moi. Plus le temps d'attendre qu'il se passe quelque chose.

Enfin, demain ça ira mieux et, j'oublierai tout ça.

Ambre

Et je reste avec mon silence.

Il faut qu'il se passe quelque chose.
Il faut que je bouge.

Après la Chambre des Tortures
et la Chambre de l'Oubli,
la Chambre des Remerciements :

À Olivier : pour m'avoir offert ma liberté.

À Jérôme : pour tout. Et le reste.

À Jacqueline : pour ce qu'elle est.

À tous ceux qui, de près ou de loin,
figurent dans ce livre.

MES AMIES, MES AMOURS,
MAIS ENCORE ?

Merci à mes trois piliers : Olivier, Jérôme, Laurent.

Et à :

Delphine, Cécile, Véronique, Coralie, Lionel, Laurence, Nicolas, Isabelle, Orli, Carole, Lisa, et Sylviane Lévy.

« Tu vas voir, dit Victor tandis qu'ils montent sur la péniche, je suis sûr que l'endroit te plaira. »

Jeanne descend l'escalier en colimaçon en plissant les yeux, car la pièce est très mal éclairée. Au moment où elle commence à distinguer quelques silhouettes, les lumières s'allument et une cinquantaine de personnes hurlent : « Joyeux anniversaire ! »

Elle recommence à cligner des yeux, cette fois parce qu'une énorme lampe est braquée sur elle. Au bout de la lampe, une caméra vidéo ; au bout de la caméra, un homme qui la filme en souriant.

Tout le monde chante et applaudit. Victor jubile, il enlace Jeanne qui répond maladroitement à son étreinte, puis il cède la place aux proches qui se pressent autour d'elle.

En embrassant chacun, elle découvre avec stupeur leur accoutrement : Elvis, une bonne sœur, quelques hippies, un couple de Marquis, Madonna, Cléopâtre, Tarzan et Jane… Il lui faut parfois plusieurs secondes pour deviner lequel de ses amis se trouve face à elle.

Victor lui glisse fièrement :

« Le carton disait : "déguisement obligatoire" ! Ne t'inquiète pas, j'ai prévu quelque chose pour toi aussi… »

Il l'entraîne dans une cabine où l'attend un sac posé sur un lit. Elle l'ouvre et en sort une minijupe en skaï, un débardeur très décolleté, et une paire de sandales dorées à talons aiguilles.

« Qu'est-ce que c'est que ça ? souffle-t-elle.

— C'est ton costume ! Tu ne devines pas ? C'est *Pretty Woman* ! Tu avais adoré le film, et le type de la boutique m'a dit que c'est un de leurs modèles qui marchent le mieux ! »

Du bout de son pouce et de son index, Jeanne, l'air franchement dégoûté, extirpe une perruque du fond du sac.

« Et ça ?

— La touche finale pour faire Julia Roberts. Sinon, tu ne serais pas crédible avec tes cheveux courts. Allez, dépêche-toi, tout le monde t'attend… »

Il sort de la cabine.

« Et toi, tu ne te changes pas ?

— Je suis déjà déguisé, dit-il, en désignant l'impeccable costume Cerruti qu'il porte. En Richard Gere ! »

La porte se referme derrière lui.

Lorsque Jeanne vient rejoindre ses invités, le volume sonore augmente encore, et une voix tonitruante retentit :

« Allez ! Tout le monde sur la piste pour accueillir Jeanne ! »

Elle découvre un DJ qui tape dans ses mains en rythme, juché sur une estrade, tandis que plusieurs personnes la poussent malgré elle au milieu de la piste.

Inutile de résister ; elle danse en essayant de s'abandonner à l'exaltation ambiante.

Quand elle estime qu'elle peut enfin souffler un peu, elle s'approche du bar pour prendre un verre d'eau, et regarde autour d'elle, encore occupée à détailler les costumes de chacun. Tout le monde a l'air de s'amuser.

Violette Meyer et sa sœur Maud bavardent dans un coin.

Maud va danser et Violette vient rejoindre Jeanne.

Longue et fine, des yeux noirs et de longs cheveux épais et bruns, Violette semble très à l'aise dans un costume de gitane. Jeanne admire le mélange de douceur et de féminité qui se dégage d'elle.

« Tu es splendide ! s'exclame Jeanne.

— Tu trouves ? C'est ma fille qui m'a donné l'idée, elle trouve que je ressemble à Esméralda.

— Au fait, vous ne deviez pas repartir quelques jours ?

— On part demain pour La Baule, juste Élise et moi, la rentrée est un peu plus tard dans son école… Alors, c'est une belle surprise, non ?

— Bien sûr. Simplement, j'ai un peu de mal à danser avec des talons pareils. Et puis j'ai horriblement chaud avec cette perruque. Et surtout, je me trouve vulgaire…

— Enlève la perruque si tu craques. Mais sinon, tu es très bien ! Tu ne manges rien ? Goûte, c'est délicieux, c'est Natacha qui a conseillé Victor pour le buffet…

— C'est vrai, je plaide coupable ! » renchérit une voix derrière elle.

Natacha Fernet se tient derrière Jeanne en souriant. Son costume de fée Clochette sied parfaitement à sa petite taille et ses cheveux blonds relevés en chignon.

Jeanne regarde le buffet ; une petite pile de serviettes indique le nom d'un excellent traiteur et, effectivement, il y a toutes sortes de plats appétissants.

« C'est sans doute pour ça qu'il y a tout ce que j'aime, lui répond Jeanne. Il est adorable, ton costume !

— Taille 12 ans au Disney Store ! J'ai un peu honte, en même temps, c'est un vieux fantasme… En revanche, le DJ, je te promets que je n'y suis pour rien ! »

Jeanne et Violette éclatent de rire. Comme pour leur donner raison, celui-ci choisit ce moment précis pour reprendre son micro :

« Allez ! Tout le monde saute ! Je veux de l'ambiance !... On saute plus haut, allez ! Je veux qu'on coule le bateau.

— Non mais, il va se calmer ! dit un homme portant un masque à l'effigie de Chirac. D'où il sort, l'allumé au micro ? ! J'espère que ce n'est pas à ma femme qu'on doit sa présence...

— Philippe ! Je ne t'avais pas reconnu... Non, Natacha n'y est pour rien...

— C'est qui, les types en Blues Brothers ? demande Violette.

— Des collègues de Victor, répond Jeanne.

— On va trouer le plancher ! hurle le DJ.

— J'appelle "Sainte-Anne" », dit Philippe en s'éloignant.

Jeanne enlève sa perruque, la jette sur un divan, et ébouriffe ses cheveux courts.

Une heure plus tard, sur les ordres du DJ, tout le monde encercle Jeanne pendant qu'elle souffle ses trente-cinq bougies. Le cameraman s'approche si près d'elle qu'il la brûle avec sa lampe, puis on l'escorte jusqu'à une table couverte de cadeaux.

« Bon anniversaire, ma chérie », lui dit Victor.

Sa mère, qu'elle vient seulement de reconnaître, lui met un cadeau à l'enseigne de la marque Tiffany dans les mains.

« Ça commence très fort ! crie le DJ, qui exulte à l'idée de commenter les cadeaux. Jeanne, montrez bien les cadeaux à tout le monde, s'il vous plaît ! »

Elle a juste le temps d'apercevoir sa cousine retirer

discrètement un sac Étam de la pile avant que ne commence l'ouverture des sacs griffés.

Quand le grand déballage prend fin, le DJ lui met son micro dans les mains. Elle peut enfin remercier Victor et ses invités pour cette soirée inoubliable.

Les invités s'en vont par petits groupes. Jeanne finit la soirée, comme tant d'autres auparavant avec Natacha, Violette et Maud, tandis que leurs maris prennent l'air sur le pont de la péniche.

Les trois amies enlèvent leurs chaussures, allongent leurs jambes sur des chaises, et picorent sans honte des morceaux de gâteaux dans les assiettes abandonnées.

J'aurais dû m'en aller.

Quand je pense qu'ils ont tous été obligés de se déguiser… Ma mère, en Tina Turner… Mais quelle honte ! Je ne lui pardonnerai jamais.

Déguisement obligatoire, je rêve ! Ils auraient dû désobéir. Ou rester chez eux.

Comment a-t-il pu penser une seconde que cette soirée me ferait plaisir ? Moi qui n'aime que les petits comités… Il devrait le savoir, depuis le temps, à croire qu'il l'a fait exprès.

S'il savait… S'il savait que, pour la première fois de ma vie, je me suis sentie vieille. Jusqu'à présent, j'étais protégée par nos années d'écart, je me croyais éternellement jeune.

Mais, cette fois, c'est sûr, je suis vieille, ce n'est pas normal de se sentir si mal à une fête organisée pour me faire plaisir.

Et tout ça pourquoi ? Parce que j'ai vieilli.

J'ai vieilli et qu'est-ce que j'ai appris ? Qu'une foule de choses qui m'auraient plu avant m'écœurent, désormais.

Pas envie de voir tous ces gens. Toujours les mêmes gens. Un peu plus abîmés. Comme moi.

J'ai vieilli aujourd'hui comme tous les jours, mais un peu plus, dit le calendrier.

Et c'est une raison pour faire la fête, sans doute… Pendant la soirée, j'ai regardé les femmes autour de moi en me demandant à quelle catégorie j'appartenais. Je n'ai pas trouvé ma place. J'ai dû changer sans m'en rendre compte, comme tout le monde. Dans certains cas, il vaut mieux ne pas voir.

J'aurais dû partir. Partir, dès que j'ai compris ce qui m'attendait : le DJ foireux, les gens que je n'avais pas envie de voir… Mais qu'est-ce qu'il lui a pris d'inviter les Schmitt ? Et d'oublier Fabrice et Anne… Quel con ! J'aurais dû me sauver, dès que j'ai vu l'abruti qui filmait avec sa grosse lampe aveuglante.

D'ailleurs, je suis sûre que si j'étais partie, personne n'aurait remarqué mon absence. Pas avant un bon moment, en tout cas. À part les filles, bien sûr.

C'est affreux de se dire que l'homme qu'on a épousé vous connaît si mal… Qu'il n'a rien appris, rien compris de moi. En dix ans ! C'est qu'il ne comprendra jamais rien.

Pourtant, moi, je le connais. D'ailleurs, c'est facile, il n'a pas changé d'un pouce.

Au début, je le trouvais parfait. Alors, qu'est-ce qui a changé en moi ?

Je suis encore émue quand je revois notre rencontre, son arrivée providentielle à ce dîner mortel. Son élégance. Ma fierté quand j'ai vu qu'il me regardait… Ce moment où il m'a demandé pourquoi je le vouvoyais. « Pardon, c'est à cause de mes parents qui m'ont dit qu'il faut toujours vouvoyer les personnes plus âgées. »

Son sourire, imperturbable malgré ma gaffe.

Notre premier baiser, le soir même. À l'époque, rien n'allait trop vite pour nous.

Je sais aujourd'hui que lorsqu'il m'a demandée en mariage, je n'ai pas vraiment réfléchi.

Le « oui » s'imposait, ne serait-ce qu'à cause du nombre de personnes qui me disaient quelle chance j'aurais d'épouser un homme pareil. « Un si grand médecin… »

De toutes les façons, il n'y avait pas de place pour mon hésitation : il avait décidé.

Peut-être que je fais partie de ces gens qui dépendent des certitudes des autres.

Ma frustration, chaque début d'année, en remplissant la page de garde de mon agenda, à cause de la case « Personne à prévenir en cas d'accident ». Comme c'était humiliant d'écrire le nom de mes parents…

Mais je ne me suis pas mariée pour ça.

Non, je le trouvais parfait.

Pourtant il y avait des signes.

Je les vois maintenant.

C'est toujours facile après coup.

Jeanne verse du lait dans les bols. Charlotte et Lucas sont sagement assis à leur place, Lucas bâille, Charlotte lit pour la centième fois les informations inscrites sur le paquet de céréales.

Jeanne attend qu'ils aient commencé à manger, puis elle va dans sa chambre et commence à s'habiller. Victor se rase dans la salle de bains adjacente. Il la regarde dans le reflet du miroir.

« Tu es bien silencieuse. Hier soir, déjà, tu as à peine ouvert la bouche.

— Je suis crevée, et je ne me sens pas très bien. Je crois que j'ai une crise de foie.

— Ah bon ? Tu n'as pas aimé la soirée ?

— Mais si, bien sûr.

— Alors, dis-le !

— Je suis contente, je te remercie, c'était une très belle fête…

— Eh bien ! On ne dirait pas.

— C'est juste que pour mon déguisement, franchement, je ne sais pas ce qui t'a pris ! J'étais hyper mal à l'aise…

— Je ne vois pas pourquoi, ça t'allait très bien !

— Un déguisement de pute, Victor ! Il n'y avait rien d'autre susceptible de m'aller ?

— Tu exagères ! Pour moi, tu étais Julia Roberts…

— Et pour le reste de l'assistance, j'étais une pute !

— C'est tout ce qui te préoccupe, ce que les gens ont peut-être pensé ?

— Oui, ça me préoccupe. Et ce n'est pas peut-être, c'est sûrement. Sans compter les réflexions déclenchées par ton cadeau ! Est-ce que tu étais vraiment obligé de m'offrir de la lingerie devant cinquante personnes ?

— Tu adores la lingerie !

— Cinquante personnes, Victor !

— Cinquante amis !

— Quelques amis, des relations, ma mère, sans compter certains de tes confrères…

— Tu sais quel est le problème ? Tu n'es jamais contente. Je me donne un mal de chien pour te faire plaisir, mais tu n'es jamais contente !

— Non, Victor, tu te donnes un mal de chien pour te faire plaisir, ce n'est pas du tout pareil. »

Ils se regardent sans rien dire. Puis Jeanne rompt le silence.

« Je file, les enfants aiment arriver en avance le jour de la rentrée. »

Jeanne coince le téléphone dans le creux de son épaule, pour mieux inspecter sa collection d'orchidées.

« … Oui, vraiment une surprise totale ! Oh ! je sais, Victor est exceptionnel. Enfin, je voulais vous remercier, j'ai été très heureuse de vous voir, et franchement vous m'avez gâtée, il ne fallait pas… La semaine prochaine, pourquoi pas ? Il faut juste que je consulte mon mari, c'est lui le maître du logis et du calendrier… »

Jeanne glousse, du petit rire de gorge qu'elle emploie systématiquement quand elle parle aux relations de Victor.

« Je vous rappelle pour convenir d'une date, je dois vous laisser, on sonne. »

Elle raccroche et ouvre la porte à Natacha. Son amie porte un carton ouvert qui déborde tellement de victuailles que seuls ses yeux et le haut de sa tête sont visibles. Ainsi chargée, elle semble encore plus petite.

« Tout ça pour trois tartes ? s'étonne Jeanne.

— C'est pas trois, c'est… autant que tu peux ! répond Natacha en laissant tomber le carton par terre. La bonne femme m'a rappelée, il y a plus de monde que prévu… Mais le budget reste le même, évidemment…

— Il faut que tu arrêtes de bosser comme ça ! Franchement, faites une grille de prix en fonction du nombre de personnes !

— Bien sûr, c'est ce qu'on fera, dès qu'on sera bien implantés… T'en fais une tête, ça va ?

— Oui, je suis crevée.

— Pas encore remise de la fête ? Il est incroyable, ce Victor ! Un mois qu'il préparait la soirée en cachette. »

Jeanne lui tourne le dos, occupée à sortir les plats d'un placard. Soudain, elle s'arrête net et fond en larmes.

« Mais qu'est-ce qui t'arrive ?… J'ai dit quelque chose ?

— Non, c'est pas toi… C'est rien.

— Non, c'est pas rien ! »

Natacha s'approche d'elle, complètement décontenancée.

« Dis-moi ce qui se passe, dit-elle doucement.

— Cette fête, c'était… C'était tout ce que je déteste…

— Je m'en doutais un peu, répond Natacha en souriant. Ce n'est pas grave, tout le monde s'est amusé, et ça partait d'un bon sentiment.

— Si, c'est grave, c'est grave d'être mariée à un

étranger. C'est grave d'être marié à quelqu'un qui est incapable de te faire plaisir…

— Qu'est-ce qui t'aurait fait plaisir ?

— … Je ne sais pas… Quelque chose pour moi, plus petit, avec les gens que j'aime vraiment… Quelque chose pensé pour moi. Tiens, le prof d'anglais des enfants, il m'a offert un livre. Ça m'a touchée, tu ne peux pas savoir. Juste un livre.

— Écoute, tu connais Victor ! Il prend des décisions et après, rien ne l'arrête…

— Il décide aussi pour les autres. Il sait tout mieux que tout le monde, et surtout mieux que moi ! J'ai toujours détesté cette suprématie de celui qui est plus âgé… J'ai l'impression de ne jamais avoir fait le moindre choix… Rappelle-toi notre mariage : le lieu, le menu, la musique, le photographe, il a tout choisi sans me demander mon avis ! Toutes mes amies fiancées se plaignaient que leur mec s'intéressait à peine aux préparatifs, et pour moi c'était l'inverse.

— Qu'est-ce que tu veux, c'était son second mariage…

— Mais pour moi, c'était le premier ! Il m'a volé ma soirée.

— Mais il a accepté de faire une soirée à thème…

— Parce qu'il aimait l'idée de sortir des sentiers battus, et que l'Inde était à la mode. Mais ce que tu ne sais pas, c'est que quelques jours avant la réception, il m'a annoncé qu'il s'était commandé un costume traditionnel avec babouches, turban, etc. J'étais effondrée ; je lui ai dit que je croyais épouser James Bond, pas Aladin. Il m'a dit que j'étais trop sérieuse, que ce serait plus marrant si on jouait le jeu à fond ! “Plus marrant” !… Le plus beau jour de ma vie !

— L'organisation du mariage est toujours une

source de disputes. Pour tous les couples. C'est ce qui se passe avant et après qui compte.

— Avant, c'était difficile. Avec son fils. Il se méfiait de moi, c'est normal. Au début de notre relation, lorsque Paul venait passer le week-end chez son père, il dormait dans notre chambre, sur un lit de camp ! Et moi, je n'osais rien dire, je voulais juste me faire accepter.

— Ça a duré longtemps ?

— Jusqu'à notre mariage.

— Tu ne m'en as jamais parlé.

— J'avais honte ! Je savais que ce n'était pas normal ! Après, j'ai quand même réussi à convaincre Victor qu'il fallait habituer son fils à dormir dans sa chambre. Il a fallu qu'il se batte pour lui faire comprendre qu'il ne pouvait pas nous accompagner en voyage de noces, et encore, Paul a déclaré que si on faisait des voyages sans lui, on devrait les refaire avec lui…

— Ce qui compte, c'est que Victor t'ait donné raison…

— Tu sais, j'ai de drôles de souvenirs de notre voyage de noces. Quand on s'est retrouvés seuls au début, c'était très étrange. Ça ne nous était presque jamais arrivé puisque les week-ends où Paul n'était pas là, on voyait toujours plein de monde. Eh bien, on n'était pas franchement à l'aise, il y avait déjà des blancs pendant les repas. Déjà. La deuxième semaine, on est allés dans le Midi, chez mes parents. C'était super. De toutes les façons, je ne pense pas que j'aurais supporté qu'on soit deux semaines en tête-à-tête… Je crois que c'est pour ça que j'ai été d'accord pour faire un bébé tout de suite : on n'était pas faits pour être deux. Paul nous accompagnait en vacances, on n'avait pas d'intimité, alors, tant qu'à faire, autant avoir mes propres enfants.

— Mais après ?

— Après, rien ne s'est passé comme prévu. On est entrés dans une sorte de spirale : les petits sont nés, un garçon, une fille, "le choix du roi", n'est-ce pas ? Et je souriais bêtement... Je n'avais plus qu'à être une bonne épouse et élever mes enfants en visant la perfection. On s'est dit que je travaillerais plus tard, quand ils seraient grands. La suite, tu la connais...

— Qu'est-ce qui t'arrive ?

— Je ne sais pas. Viens, on va faire les tartes.

— Tu n'es pas heureuse ?

— Oh ! Je n'irais pas jusque-là...

— Pourtant, c'est ce que tu es en train de me dire !

— Je suis fatiguée, ne fais pas attention. Allez, les tartes !... Tu veux bien ? »

Sans attendre la réponse, Jeanne s'enfuit vers la cuisine où l'attendent ses moules et ses casseroles, si régulièrement astiqués qu'ils semblent neufs.

Elle sort rapidement les ustensiles dont elle aura besoin. Cet étalage d'objets utiles sagement alignés sur la table la rassure. Une image idéale.

Elle voudrait simplement que sa vie soit à l'image de ce spectacle harmonieux.

25 degrés sur la plage de La Baule.

Violette Meyer essaie de se concentrer sur un article de la revue *Nature* portant sur le calcium intracellulaire. Elle est biologiste, et ne perd jamais une occasion de se documenter sur sa spécialité. Un peu plus loin, sa fille Élise fait des pâtés de sable avec d'autres enfants.

Soudain, Violette entend Élise pleurer, et se précipite vers elle pour la découvrir aux prises avec un petit garçon qui lui a jeté du sable dans les yeux. Un homme blond l'a devancée, il gronde l'enfant en allemand tout en lui jetant à son tour du sable dans les yeux. Puis il laisse son fils à ses larmes, et s'éloigne dignement après avoir salué Violette de la tête.

« L'Allemand est efficace, se dit-elle en lui rendant son salut. Un peu radical, mais efficace. »

Violette prend sa fille dans ses bras, et la console en lui caressant les cheveux. Elle adore ces petits accidents qui donnent lieu à des câlins fortuits.

« Allez, viens, on va manger une glace. »

Élise refuse, mais Violette insiste. L'été précédent, le jeu préféré d'Élise était d'aller voir toutes les mères sortant le goûter de leurs enfants et de leur dire d'un air implorant

« Madame, s'il te plaît, je meurs de faim ! »

Violette avait beau démentir, rien n'altérait les regards chargés de doutes ou de reproches des autres mères. Une humiliation dont elle ne s'est toujours pas remise. Et qui sait s'il n'y avait pas une part de vérité ? Elle préfère désormais gaver sa fille plutôt que lui laisser l'occasion de se plaindre de malnutrition.

Elle rassemble leurs affaires, et entraîne sa fille vers le marchand de glaces.

Tandis qu'elles font la queue, Violette change sa montre de poignet, un pense-bête censé lui rappeler d'acheter un parfum à sa belle-mère. Élise observe les bacs remplis de crème glacée, très absorbée.

« Tu as du mal à choisir ? demande Violette.

— Non, je prends chocolat et chocolat. » Elle serre sa poupée contre elle.

« Et pour Miyayi, ce sera la même chose.

— Non, ma chérie, je n'achète pas de glace pour ta poupée. »

Élise va protester, mais, sentant sa cause perdue, elle préfère abandonner.

« Dis, maman, ça fait longtemps qu'on n'a pas vu ton mari !

— Tu veux dire ton papa, chérie. C'est parce qu'il travaille, mais tu vas le voir demain, dès notre retour, et…

— Et quand t'étais petite, ça existait, les autobus ? »

Plus tard, à l'hôtel, Violette regarde sa fille dormir, puis elle attache ses longs cheveux et commence à faire les valises en vue de leur retour.

Ranger lui est facile ; un plaisir, même. Très méthodique, Violette trouve la paix dans l'ordre et la logique. Il y a des règles pour tout, y compris pour faire sa valise.

Le rangement de fin de voyage est simple : un sac pour le linge sale, un autre pour ce qui est propre, il ne reste qu'à plier et disposer consciencieusement ce qui n'a pas été utilisé, une activité suffisamment mécanique pour réfléchir en même temps à l'article de *Nature* et établir la liste des points à soulever lors de la prochaine réunion au laboratoire.

Les valises du départ sont plus difficiles à faire. Violette choisit ses vêtements avec soin à partir de deux couleurs dominantes, en général le noir et le blanc. Chaque bas doit aller avec au moins deux hauts, car un vêtement qui ne serait porté qu'une fois la chargerait inutilement. Violette déteste le superflu.

Puis elle finit avec deux ou trois corsages de couleurs vives. Ce sont les règles.

Elles lui viennent de son père, qu'elle a souvent observé se préparer avant un voyage d'affaires. Lui finissait toujours par les cravates, assez fantaisistes pour suggérer une certaine personnalité mais affirmer sa sobriété.

De même, au dernier moment, Violette se force à insérer quelques touches de couleur pour égayer sa sélection, obéissant alors à un ordre dont elle a oublié la provenance.

Pas de choix draconien pour les affaires d'Élise. Violette choisit avec tendresse ce qui lui va le mieux, c'est-à-dire tout, en fin de compte. Puis elle complète chaque ensemble d'un petit gilet afin qu'elle n'ait pas froid, même si elle sait d'avance qu'en aucun cas, sa fille n'acceptera de le porter. L'odeur de sa fille conjuguée à celle du linge propre lui procure un bien-être absolu.

Violette referme le dernier sac, elle observe à nouveau sa fille qui n'a pas bougé, puis s'allonge près d'elle avec son bloc-notes.

Élise, mon ange,

Aujourd'hui, en t'observant, je pensais à plein de choses que je ne peux pas encore te dire. Alors j'ai décidé de te les écrire, pour garder un peu du temps qui court.

J'aime les matins de nos vacances, lorsque tu te réveilles et viens te blottir contre moi, toute gorgée de soleil et dorée comme un abricot. J'aimerais que tu restes toujours comme aujourd'hui. Ma toute petite fille qui a tellement hâte de porter des « trian-gorge ».

Bientôt ce sera la rentrée des classes, et cette fois je ne pleurerai pas. Même quand ta main lâchera la mienne sans regret, et que tu me lanceras un petit « Bye ! », je ne pleurerai pas.

Je me dirai que j'ai de la chance d'avoir un enfant épanoui, plutôt qu'une pleureuse qui s'accroche à mes jupes. Je me répéterai que non, ça ne veut pas dire que tu n'as plus besoin de moi. C'est promis, je ne pleurerai pas.

Je ne sais pas pourquoi on pense seulement aux enfants quand on demande comment s'est passée la rentrée. L'épreuve la plus terrible est pour les mamans.

Le commencement de la fin, le jour où la société établit que leur tout petit ne leur appartient plus.

Je sais qu'il y aura de multiples occasions de craquer mais je tiendrai bon : spectacles, chorales, Carnaval de l'école... À chaque fois, j'y vais mi-réjouie, mi-tendue parce que je sais qu'une fois encore, je serai au bord des larmes.

Je dois être la seule, car lorsque je regarde autour de moi, je ne vois que des parents souriants, détendus. Certains filment ou prennent des photos ; d'autres profitent simplement de l'instant. Moi, je baisse la tête pour cacher mon trouble, je respire à fond pour tenter de réduire l'étau qui m'oppresse. Je me demande si c'est ma petite fille qui me bouleverse, ou le souvenir de celle que j'ai été.

Le pire, c'est le club des Poussins, l'été. Je t'emmène à tes cours de natation le matin, puis au miniclub l'après-midi. Tu rapportes des magazines à colorier, et surtout des jouets en plastique dont l'odeur me plonge aussitôt vingt-cinq ans en arrière. Tandis que je m'époumone à essayer de gonfler un gros ballon multicolore, l'odeur chimique que j'inspire à plein nez me projette instantanément dans mon enfance.

C'est lors de moments pareils que je comprends tout ce que je traîne à mon insu, lorsque je te fais vivre des instants de mon passé. Je me vois à la place de ma mère, et cette place m'offre un nouveau lien pour m'unir à elle. Je tisse ce lien, je l'entretiens précieusement. C'est tout ce qui me reste d'elle.

Natacha Fernet est attablée devant une montagne de nourriture.

Elle vient de finir de préparer des toasts au beurre d'anchois, et commence à couper du saucisson. Son associée, Lola, remplit des paniers de crudités soigneusement épluchées.

Armée de gants en caoutchouc, la mère de Natacha prépare des plateaux de saumon fumé.

Les trois femmes ont mis une pince pour retenir leurs cheveux et portent un tablier.

« Bon, dit Lola, je vais faire un premier voyage.

— Tu emmènes quoi ? demande Natacha.

— Tout ce qu'on déballe sur place, plus les boissons.

— Y'a au moins vingt packs, je viens avec toi. »

Son portable sonne.

« Allô ?… Oui, madame Morelle… Des huîtres ? Ah non, je ne pense pas… Si, c'est une bonne idée, mais c'est trop tard, il aurait fallu les commander à l'avance, ne serait-ce que pour qu'ils aient le temps de les ouvrir et de préparer les plateaux… La prochaine fois, oui… On ne va pas tarder, j'arrive avec Lola pour commencer à préparer le buffet. »

Elle raccroche et regarde son associée d'un air entendu.

« Elle me reparle d'huîtres encore une fois et je l'envoie balader.

— Pourquoi ? demande sa mère. Ce n'est pas forcément une mauvaise idée ; ça ne demande aucune préparation et les gens adorent ça.

— Justement, ils aiment trop ça, il faudrait doubler le budget. Avec les moyens dont on dispose, il y en aurait deux par tête, c'est inenvisageable.

— Souviens-toi du trophée de golf d'Étretat ! renchérit Lola… C'est notre hantise, explique-t-elle à la mère de Natacha. On était à un cocktail, il y avait un buffet de fruits de mer, et trois types ont fait un concours d'huîtres. Le gagnant en a mangé sept douzaines, le buffet était dévasté, c'était une horreur !

— Bon, maman, on fait un premier voyage et on revient. Tu peux t'occuper des canapés au concombre, en attendant ? »

Quatre allers-retours sont nécessaires pour emporter la nourriture et les cartons de bouteilles sur le lieu de la réception. Enfin, Natacha et Lola reviennent, exténuées, en nage.

« C'est combien, déjà, votre marge, sur une soirée comme ça ? demande la mère de Natacha en leur remettant le dernier plateau de canapés.

— Ne sois pas mesquine, maman, on a dit qu'on ne faisait aucun calcul de ce genre avant l'année prochaine ! »

Elles effectuent la dernière livraison et se séparent, le temps de se faire belles.

Le soir venu, le bluff doit être total.

Lorsque Natacha arrive, Lola est déjà là. Glamour. Méconnaissable. Elle est en train de photographier le buffet.

« Qu'en penses-tu ? demande-t-elle à Natacha. Je le trouve particulièrement réussi, je pense qu'on pourra mettre les photos dans notre book.

— Désolée d'arriver si tard. J'avais une piqûre à faire et le cabinet d'infirmières était bondé. Tu as raison, le buffet est superbe. Et sinon, comment ça se présente ?

— Très bien, ne t'inquiète pas.

— Je voulais aller chez le coiffeur, mais je n'ai pas eu le temps.

— Tu n'en as pas besoin. Elle vient d'où, ta robe ?

— Vintage. Elle n'est pas trop triste ? Toute noire comme ça…

— Oh non ! Quand on est blonde comme toi, c'est joli, au contraire… Ne te retourne pas tout de suite, mais il y a un jeune qui a attaqué le buffet !

— Ah bon ? Il faut lui dire d'attendre !

— J'ai peur que ce ne soit le fils de madame Morelle…

— Bien vu ! Je vais me renseigner et je reviens. »

Les premiers invités arrivent.

Rapidement, les gens se bousculent, l'étudiante engagée pour s'occuper du vestiaire n'est pas là et Lola est obligée de la remplacer, tandis que Natacha passe derrière le buffet déjà saccagé pour tenter d'y faire régner un peu d'ordre.

Une des invitées qui n'a pas compris que Natacha est l'organisatrice la prend pour une serveuse et vient la rejoindre, compatissante :

« Ma pauvre, vous êtes toute seule, laissez-moi vous aider ! »

Natacha retrouve Lola, deux heures plus tard. Elle est épuisée et lui raconte le quiproquo en riant nerveusement.

« …Tant qu'à être prise pour une serveuse, la prochaine fois, je mettrai un petit tablier blanc, j'arriverai peut-être à choper quelques pourboires ! »

Lola tend fièrement la main et exhibe quelques pièces :

« Moi, j'en ai eu !

— Deux euros cinquante ! s'esclaffe Natacha… Il faut qu'on change de métier ! »

Natacha pousse la porte et regarde autour d'elle, un peu mal à l'aise.

Elle remarque aussitôt un énorme fauteuil en cuir bleu, un de ceux dans lesquels on s'enfonce indéfiniment avec la crainte de ne jamais pouvoir se relever. Le genre qui lui fait se sentir encore plus petite. Elle déteste ça. Elle reste debout, et lisse machinalement le bas de sa robe trapèze.

« Je me mets où ?… Le fauteuil bleu ? Ah ! Enfin, tant mieux, j'avais peur d'être obligée de m'allonger…

C'est mon gynécologue qui m'envoie.

Parce que je n'arrive pas à avoir d'enfant. Ça fait six ans que j'essaie.

Je viens de changer de médecin, en fait le docteur Dumas est le quatrième gynéco que je consulte. Vous le connaissez ?… J'espère qu'avec lui, ça marchera, on m'en a dit beaucoup de bien et c'est mon dernier espoir.

Pendant notre premier rendez-vous, il m'a demandé si j'avais déjà vu un thérapeute, j'ai répondu que non, et il m'a dit que ça valait la peine d'essayer, au cas où je ferais un blocage. Du coup je me suis dit qu'effectivement, au lieu de changer régulièrement de gynéco, il valait peut-être mieux trouver un bon psy. Et me voilà…

C'est vrai, je me suis déjà posé la question concernant un blocage éventuel, d'autant qu'on n'a trouvé aucune cause médicale à notre infertilité.

Avec Philippe, mon mari, on a d'abord essayé naturellement pendant un certain temps. Au début, je n'étais pas vraiment pressée, je me voyais bien poursuivre mon adolescence pendant quelques années encore. Mais, au bout de dix-huit mois, je me suis dit que ce n'était pas normal et j'en ai parlé à mon gynéco. Il m'a juste demandé de prendre ma température pour connaître le jour de l'ovulation. En découvrant mes courbes de température chaotiques, il m'a dit que j'avais une faiblesse au niveau de l'ovulation. J'ai fait des examens, il n'a rien trouvé, et m'a prescrit des hormones et des piqûres de stimulation pendant dix jours, avant qu'on fasse d'autres tentatives de conception naturelle. J'ai pris six kilos d'eau avec son traitement, autant vous dire que je me sentais très mal.

J'ai décidé d'aller voir un spécialiste dès le deuxième essai, parce que j'ai réalisé que mon gynéco n'avait même pas fait faire de tests à mon mari avant de me prescrire son traitement.

Je vous ennuie avec tous ces détails ?... Je me sens obligée de tout vous raconter pour que vous sachiez quel est mon parcours. C'est l'accumulation de toutes ces déceptions qui fait que je me retrouve chez vous aujourd'hui. Je n'avais jamais envisagé de consulter avant...

Le second gynéco a testé Philippe, il a décelé une petite défaillance, et nous a recommandé l'insémination.

Je ne me sentais pas très à l'aise avec ce médecin, j'ai voulu un troisième avis. Philippe a refait le test, et cette fois les résultats ont été bons. On ne comprenait plus rien et on a décidé de tout reprendre à zéro.

Je me suis fait opérer : le nouveau médecin voulait regarder à l'intérieur si tout allait bien. Il en a profité pour rectifier mon canal qui était "en chicane". Ça veut dire tout tordu. Vous le saviez ?...

Après l'opération, on s'est dit que tout irait bien.

Le programme était simple : trois mois d'essais avec des cachets de stimulation et une conception programmée au meilleur moment. Voire à la meilleure heure.

Mais Philippe n'est pas arrivé à se conformer à l'horloge, l'idée de programmer nos rapports sexuels le rendait dingue. Il a fait un blocage, il n'y arrivait pas...

Pour moi ? C'était différent. Moins pénible, sans doute, mais ce n'était pas évident non plus. J'étais complètement ailleurs. Quand on faisait l'amour, je pensais sans cesse aux films sur la reproduction qu'on nous passait au lycée. On y voyait des petits spermatozoïdes à l'assaut de l'ovule, et c'était la grosse bagarre pour arriver en haut. Ils avaient une tête très sympathique, certains avaient des épées et des armures, d'autres étaient à ski ou en rollers... L'ovule, c'était un œuf, avec à l'intérieur une petite dame qui attendait en tricotant.

C'était super mignon... mais pas très romantique ! D'ailleurs, ça n'a pas marché.

Et on a commencé les inséminations.

Six mois d'insémination. Une par mois ! Depuis, tout le monde m'a dit que c'était de la folie de les faire si rapprochées, mais je n'en savais rien, j'ai suivi les directives du médecin. Ces six mois ont été de la pure frénésie. J'ai cru devenir folle.

Je n'étais pas préparée, je n'ai pas anticipé le choc physique et psychologique du traitement.

En plus, quand le médecin déposait les spermatozoïdes, il me triturait avec la pipette et il me faisait saigner à chaque fois, c'était horrible. Moi, je n'osais rien dire, j'avais l'impression d'être prise en otage puisque mon avenir dépendait de lui.

J'ai commencé à perdre les pédales après la quatrième insémination, j'en ai fait encore une, et puis la grande question a commencé à m'obséder : pourquoi moi ?

Je me sentais coupable, et diminuée en tant que femme. C'était forcément ma faute, mais il n'y avait pas la moindre explication, pas la moindre réponse aux "pourquoi" et aux "comment".

Le gynéco a vu que j'allais mal, il m'a arrêtée trois semaines avant la dernière insémination, pour me permettre de me reposer…

Je suis attachée de presse. C'est stressant, mais j'aime ça. Avant, je travaillais dans une agence, mais, il y a trois mois, j'ai monté ma boîte avec une amie, Lola. Nous sommes spécialisées dans l'organisation de soirées privées…

Cette boîte, c'était mon idée. J'y pensais depuis le mariage de mon amie Jeanne, la réception a été un véritable fiasco. Rien ne s'est passé comme prévu, parce qu'il n'y avait personne pour s'assurer que ses demandes étaient respectées. Et je me suis dit que j'aimerais être cette personne-là, pour d'autres gens…

L'été dernier, on est partis en vacances sur la Côte avec Lola et son mari, et on a passé notre temps à s'inviter partout où il y avait des réceptions pour pouvoir observer.

C'est facile, même aux mariages, parce que la famille croit toujours que vous êtes invitée par "l'autre côté", donc on ne vous pose pas de questions… Qu'est-ce qu'on a pu rire !

Notre boîte marche plutôt bien, mais c'est un travail épuisant parce qu'on accepte de tout petits budgets pour se faire connaître dans le milieu. Les petits clients sont aussi difficiles que les gros, alors qu'ils ont dix fois moins d'argent… Mais on se défonce pour se faire une bonne réputation… Et on se fait aider : nos familles, nos amies, tout le monde met la main à la pâte…

Avant les inséminations, je n'avais pas encore ma boîte, mais je travaillais déjà beaucoup, et, quand le gynéco m'a arrêtée, ça a été pire. J'avais plus de temps pour me poser des questions. Mais toujours pas de réponse.

Ma mère m'a dit que peut-être, inconsciemment, je ne souhaitais pas vraiment avoir d'enfants. J'étais sûre du contraire, mais ça m'a fait douter de moi, douter de tout.

Douter d'être normale.

Je ne pouvais pas m'empêcher de penser que si je n'étais pas capable d'être mère, alors je n'étais pas vraiment une femme. Dans notre société, aujourd'hui encore, on n'est pas tout à fait une femme si on n'a pas d'enfants. Vous n'êtes pas d'accord ?

Mais si je n'étais plus une femme, je n'étais plus rien. Une sous-femme, peut-être… En tout cas, c'est l'impression que j'ai eue.

J'ai décidé d'arrêter les traitements pendant quelques mois, et on est partis en vacances avec Philippe. En rentrant, j'allais mieux, je me sentais apaisée, déculpabilisée, je me suis dit qu'on y arriverait peut-être tout seuls.

Le temps avait passé, je ne doutais plus : ma mère avait tort. Je veux vraiment avoir un bébé. J'en suis sûre.

J'ai recommencé à aller mal au mois de mai dernier, c'est le moment où fleurissent les femmes enceintes.

Elles me font un effet terrible. Je ressens des réactions épidermiques et je n'arrive pas à les contenir…

Je ne les déteste pas toutes, seulement les moches, c'est odieux, n'est-ce pas ?

Avec Philippe, le dimanche, on va faire notre marché, et on prend un café en terrasse quand il fait beau. Et là, je suis aux premières loges. Je regarde les femmes passer, la plupart sont grosses, je me demande si elles sont enceintes ou encore gonflées suite au dernier bébé…

J'en prends une au hasard, et je ne la quitte plus des yeux. Elle tire un gros caddie et derrière elle, il y a déjà deux enfants qui pleurent avec de la morve plein le visage.

Elle ne les regarde pas. De temps en temps, elle se retourne juste pour leur hurler dessus. Elle doit être méchante, il faudrait la dénoncer aux services sociaux.

Je suis sûre qu'elle fait des enfants uniquement pour toucher des allocs. Je la méprise.

Je regarde Philippe, et je me dis qu'avec nous, tout serait différent. Nous, déjà, on est beaux… Je vous choque ?… En vérité, aujourd'hui je suis à l'aise avec mon physique, mais ça n'a pas toujours été le cas. J'avais le syndrome de la jolie blonde qui essaie de prouver qu'elle n'est pas idiote. J'ai passé une partie de ma vie à m'habiller des couleurs passe-partout en espérant faire oublier mon physique.

Remarquez, on m'a toujours dit que j'étais jolie, mais jamais que j'étais belle. Du coup, je pense que je suis "bien, mais pas assez". Il y a quelque chose qui manque.

Parfois, je me dis que c'est peut-être ce même petit quelque chose en moins qui m'empêche d'être mère…

Enfin, aujourd'hui, j'ose me mettre en valeur, je me moque de ce qu'on peut penser de moi. Mais j'avoue que je continue à être plus audacieuse pour les autres que pour moi-même… Parce que moi… il y a quelque chose qui manque.

J'en étais où ? Ah oui, avec nous, ce serait différent…

Enfin, je ne dis pas ces choses-là à Philippe, vous savez, je suis lucide, je sais que c'est nul de penser à des choses pareilles, j'aurais honte s'il savait ce qui se passe dans ma tête…

De toute façon, quand on prend notre café, il lit le journal, il ne regarde pas les gens passer. Je crois qu'il fait exprès de ne pas penser aux autres couples…

En septembre, on est passés à la vitesse supérieure : la fécondation *in vitro*. Un terme froidement technique pour désigner une spirale infernale.

Dès la première FIV, les problèmes ont commencé entre Philippe et moi.

Pendant toute la durée du traitement – trois semaines quand même ! –, je suis tendue parce que c'est l'enfer. Il faut gérer l'emploi du temps médical, et le concilier avec le travail, c'est super difficile. Et épuisant. J'ai trouvé une infirmière près de chez moi, pour les piqûres quotidiennes, mais c'est quand même très contraignant.

Moi qui déteste les piqûres… Je ne sais pas si vous savez, mais, au bout de dix jours, on passe à deux piqûres, et même parfois trois à la fin s'il faut rajouter des hormones de croissance.

Tous les jours, à la même heure. Surtout ne jamais en rater une, pas le droit à l'erreur.

Vous n'imaginez pas dans quel état de stress je suis quand je dois quitter le lieu où l'on prépare une réception, me taper les embouteillages pour arriver avant huit heures chez l'infirmière, rentrer chez moi me changer…

Et quand je retourne sur place, je suis censée être fraîche et pimpante.

Cette comédie m'épuise.

Philippe, lui, râle tout le temps. Avant chaque FIV, il me demande pendant une semaine : "Alors, ça tombe quel jour ?" Et à chaque fois, je réponds la même chose : "Je n'en sais rien, ça dépend des ovocytes, c'est le médecin qui décide, c'est lui qui sait quand c'est prêt."

Pendant toute cette période, je me sens mal. Je suis gonflée à cause des médicaments, donc je n'ai pas faim, je suis fatiguée, nerveuse, irritable. Lui, on dirait qu'il a oublié mon état, ou qu'il ne réalise pas.

Souvent, le soir, je reste allongée dans le canapé en me tenant le ventre. Et Philippe me demande ce que j'ai mangé, ou si je fais la gueule. Ça me désespère de voir qu'il n'a pas la moindre idée de ce que je ressens. Et je me dis que c'est inutile d'essayer de lui expliquer.

Parfois, je pense même qu'il n'en vaut pas la peine.

Quand je m'endors devant la télé, il me dit : "T'es tout le temps crevée, t'es chiante !"

Ça fait trois fois que, deux jours avant la FIV, il me dit tout à coup : "J'ai réfléchi, ça ne va pas… Je crois que tu ne m'aimes plus… Tu es sûre qu'on fait bien d'être ensemble ? On ne s'entend pas… C'est peut-être mieux qu'on n'ait pas d'enfant." J'ai l'impression de devenir folle. Alors j'explose. Ces derniers temps, on se quitte verbalement la veille de chaque FIV…

Et le lendemain, le grand jour arrive, on part tous les deux à sept heures du matin pour l'hôpital. Parfois, il y a déjà une vingtaine de personnes qui attendent quand on arrive, et on a vraiment l'impression d'être un numéro. Surtout que l'approche de l'équipe médicale est purement technique. Je ne sais pas si c'est parce qu'ils sont blasés, ou pour se protéger, en tout cas, les rapports humains sont terriblement froids. J'ai bien essayé de parler au psychologue de l'hôpital une fois, mais il était débordé, il m'a dit de revenir une autre fois…

Quand c'est mon tour, on me fait la ponction des ovocytes. Vous savez ce que c'est ?

Oui, bien sûr, après tout, vous êtes médecin. Pendant longtemps, j'ai vu ces mots passer dans les magazines féminins, mais ça ne m'évoquait rien… Maintenant je suis la spécialiste.

Enfin, bref, pour la ponction, on me fait une anesthésie générale, enfin, très courte, ils appellent ça un flash, mais j'avoue que ça m'impressionne quand même.

Pendant ce temps, Philippe donne son sperme. Quand c'est fait, il part pour le bureau et il revient me chercher une fois que moi, j'ai le droit de sortir…

Comment ?… Non, on ne va jamais nulle part après, pas même prendre un café ; il me ramène à la maison, c'est tout. Moi, je suis crevée à cause de l'anesthésie, et lui, il repart travailler.

En rentrant, je me mets au lit et je commence à rêver. Je sais que les ovocytes les plus faibles mourront, et que d'autres ne seront pas fécondés. Quand il pleut, je n'ose même pas regarder par la fenêtre. Surtout si c'est un lundi. Normalement, la réimplantation a lieu au bout de deux jours. J'attends en faisant des projets.

Enfin, j'attendais en faisant des projets, maintenant je n'ose plus. »

Le laboratoire où travaillent Violette et son mari, Gilles Meyer, est en effervescence. On célèbre l'agrandissement de leur unité de recherche : cent mètres carrés supplémentaires au sein de l'hôpital Lariboisière où les deux époux travaillent.

Les nouvelles pièces sont encore vides en attente du nouveau matériel, et les équipes en profitent pour y organiser une réception.

Le budget étant assez mince, Violette a suggéré de mandater la société de son amie Natacha pour le cocktail. Un peu en retrait, elle regarde son amie se démener autour du buffet.

Puis elle se concentre sur l'arrivée des invités : pour les membres du labo, cette soirée est l'occasion d'inviter les proches. Violette attend Maud, sa petite sœur, elle a hâte de lui faire découvrir son monde.

Elle regarde sa montre. Est-ce qu'Élise a bien mangé ? Elle s'était promis de rentrer l'embrasser et de passer un moment avec elle avant de ressortir, mais ça n'a pas été possible.

Ne pas culpabiliser, la petite adore son baby-sitter et en profite certainement pour faire la folle avec lui. Est-ce qu'il reste des crèmes à la vanille ? Il faudrait vérifier. Sans rien pour écrire à proximité, elle change sa montre de poignet.

Elle cherche Gilles des yeux et le trouve, en grande conversation avec son directeur d'unité. Il surprend son regard et lui sourit. Elle s'apprête à les rejoindre, lorsque sa sœur arrive, escortée de son compagnon, Laurent, que Violette rencontre pour la première fois.

Âgée de quatre ans de moins que Violette, Maud lui ressemble beaucoup. Les mêmes cheveux longs et noirs encadrent son visage, mais, à la différence de sa sœur, elle ne cherche pas à les discipliner. Elle porte des vêtements amples aux couleurs vives.

À côté de Violette, elle semble en être un portrait plus débridé.

Violette fait visiter les lieux au jeune couple, puis les emmène au buffet. Un jeune étudiant en thèse, membre de son équipe, vient les interrompre timidement.

« Madame Meyer, excusez-moi de vous déranger. Il se trouve que j'ai appris que votre père dirige le groupe Valcorp, et j'ai un service à vous demander. C'est pour mon frère. Il doit faire un stage en entreprise et il rêverait d'intégrer celle de votre père. Vous pourriez peut-être faire quelque chose pour lui ? »

Violette repousse une mèche qui lui barre le visage.

« Je suis désolée, mais ce n'est pas possible. Mon père est résolument opposé à toute forme de parrainage. C'est un principe immuable. Il me dira qu'il faut que votre frère adresse son C.V. au directeur des ressources humaines. Je regrette... »

Une autre personne vient la saluer, et Laurent en profite pour entraîner Maud discrètement.

« Pas très sympa, ta frangine, elle pourrait essayer, on ne sait ja...

— Tu ne connais pas mon père ! C'est une tige de fer... Question principes, il se situe légèrement à la droite de Goering...

— Ah bon ? Ça doit être drôle, chez vous...

— C'est vrai. Enfin, maintenant, on se voit rarement et, quand on se voit, on fait en sorte de ne parler de rien. Plus on s'ignore, mieux ça va.

— Ah…

— Mon père zappe les gens. C'est comme ça. Depuis qu'il s'est remarié, on se croise environ deux fois par an… Il a l'habitude de virer ses employés ; un jour, il a décidé de virer ses enfants. Il n'est pas fâché, il ne nous déteste pas, il nous a congédiés, c'est différent. »

Violette vient les rejoindre et Laurent s'éloigne pour aller chercher à boire.

« Tu as vu Gilles ? demande Violette à sa sœur.

— Oui, vite fait, il est scotché avec un type plus âgé. Je me suis demandé si c'était votre patron, celui qu'il espère remplacer un jour ?

— Oui, on peut dire ça comme ça. Enfin, tu sais, tous les directeurs de recherche cèdent leur place au bout de douze ans, et Gilles a de bonnes raisons de prétendre lui succéder.

— Je ne comprendrai jamais pourquoi tu le laisses récolter tous les honneurs alors que tu es au moins aussi compétente que lui…

— Je t'ai déjà expliqué, Maud ! Il n'y a pas de compétition entre nous. Quand il récolte des honneurs, comme tu dis, ça me fait plaisir. Et je trouve ça logique. Je suis un peu moins présente puisque j'ai besoin d'être disponible pour Élise. Et, de toute façon, je ne suis pas sûre d'être capable d'assumer davantage de responsabilités.

— Bien sûr que si !

— Non, franchement, ça m'arrange de me retrancher derrière quelqu'un. J'aime le travail d'équipe, je n'ai pas besoin de monter plus haut dans la hiérarchie. Ma place me convient.

— C'est faux. Je suis sûre que tu te diminues pour valoriser Gilles.

— Je lui dois bien ça.

— Qu'est-ce que tu veux dire ?

— Il m'aime tellement… Et puis, c'est sans doute un vieux réflexe : l'habitude de voir un homme prendre beaucoup de place. Tu connais ça aussi bien que moi…

— Ce n'est pas parce que papa écrase tout le monde qu'il faut laisser Gilles te marcher dessus !

— Mais Gilles ne me marche pas dessus ! Qu'est-ce que tu racontes ? »

Maud soupire.

« Rien, j'aimerais qu'on te reconnaisse à ta juste valeur, c'est tout.

— Je ne sais pas de quoi tu parles. Et je t'assure que je suis très contente de ma place. »

Maud la regarde sans répondre. Violette s'éloigne.

Le petit appartement de Violette est encore mieux rangé qu'à l'ordinaire. Les quelques papiers qui traînaient sur la table ont tous été classés dans les boîtes de rangement étiquetées qui garnissent entièrement une grande étagère dans le salon.

Violette dispose avec soin de la vaisselle en carton sur la table ronde. Elle sourit en entendant le bruit de la clé dans la serrure, lui indiquant l'arrivée de Quentin.

Depuis un an, c'est lui qui va chercher Élise à l'école et il s'occupe d'elle en attendant le retour de Violette, vers dix-neuf heures. C'est aussi lui qui la garde le soir quand elle sort avec Gilles. Violette sait combien il est attaché à sa fille, elle lui fait entièrement confiance et il fait maintenant partie de la famille.

Ce mercredi, Violette a pris son après-midi car c'est l'anniversaire d'Élise ; Quentin n'est venu que pour le plaisir d'assister à la petite fête organisée. Il entre et contemple la petite fille avec ravissement.

« Bon anniversaire, mon poussin ! »

Il l'embrasse et se tourne vers Violette.

« Il pleut un peu, tu veux que je me déchausse ?

— Mais non, c'est du parquet…

— Tu es sûre ? Parce que mes chaussettes sont neuves ! »

Quentin enlève son blouson, il jette un coup d'œil dans le miroir, et ajuste son T-shirt Petit Bateau moulant à souhait, ainsi qu'une mèche de ses cheveux châtain clair retenus par un catogan. Un porte-clés Maya l'Abeille est accroché à l'un des passants de son jean.

Il s'agenouille pour ouvrir un gros sac contenant un cadeau pour Élise, et du matériel de coiffure : Quentin est étudiant en BTS, Violette et Élise lui servent parfois de modèles.

« Et si je vous faisais un petit chignon ?

— Oh oui ! s'exclame Élise.

— C'est gentil, mais je n'aurai pas le temps, dit Violette. J'ai encore des choses à préparer pour le goûter. »

Quentin prend son matériel et ils se dirigent tous trois vers la salle de bains. C'est un endroit exigu mais bien rangé, et ils sont habitués à le transformer en mini-salon de coiffure. Violette installe un tabouret devant le miroir, et Élise grimpe gaiement dessus.

Quentin se lave soigneusement les mains et commence à la coiffer.

« J'ai posé des faux ongles à une copine, hier, et je lui ai fait une french. C'était terrible !

— Ah bon, c'était moche ? demande Violette.

— Non, magnifique ! Je me suis inspiré de Barbra Streisand.

— Vraiment ?

— Tu sais bien que je l'adore. C'est grâce à elle que je suis devenu coiffeur et manucure prothésiste. Elle a été l'élément déclencheur de ma carrière… Enfin, j'essaie de ne pas trop saouler les gens à son sujet parce que mon copain dit que je suis obsessionnel… Au fait, mon voyage à Miami est confirmé, je pars pour le Nouvel An. Tu vas pouvoir t'arranger ?

— Sans problème, la mère de Gilles a dit qu'elle te remplacerait volontiers.

— Tant mieux. Ce voyage, c'est mon rêve. Et puis, tu sais, je vais prospecter, voir quelles sont les possibilités pour moi sur place…

— C'est-à-dire ?

— Je rêve de m'installer aux États-Unis. Là-bas, les femmes prennent encore soin d'elles : toujours un beau brush, une manucure impec… J'adore ! Je mets de l'argent de côté tous les mois dans l'espoir de partir un jour. »

Encore quelques minutes et le chignon d'Élise est fait, elle pousse un cri de joie en découvrant le résultat, puis descend lestement du tabouret.

« Maman, je peux manger un bonbon en cachette ? » Sans attendre la réponse, elle déguerpit, retourne dans le salon et allume la télévision.

Le générique de *Princesse Sarah* retentit, et Élise commence à chanter, la bouche pleine. Violette réussit à ne pas ciller, tandis que Quentin entonne la mélodie avec enthousiasme.

Une heure plus tard, la fête bat son plein. La fée exigée pour l'occasion contrôle parfaitement la situation : les enfants ont joué dans le plus grand calme et l'écoutent maintenant raconter une histoire.

On sonne, Violette ouvre la porte et découvre son père qui porte un cadeau.

« Tu t'en es souvenu ! s'étonne-t-elle.

— Oui, ma secrétaire l'avait noté sur mon agenda.

— Entre, on allait souffler les bougies…

— Non, merci, je n'ai pas le temps, dit-il en lui tendant le paquet. Tu le lui donneras. C'est éducatif, tu me connais.

— Viens au moins le lui donner toi-même…

— J'ai une réunion et je suis garé en double file, je t'appelle. »

Violette referme la porte derrière lui et retourne dans le salon retrouver les enfants, bouche bée.

« C'était qui ? demande sa sœur Maud à mi-voix.

— Papa.

— Il a déposé son cadeau et il a filé, c'est ça ? »

Violette hoche la tête. Maud va lui répondre, mais le conte s'achève sous de joyeux applaudissements.

« C'était qui ? demande Élise à son tour.

— Ton grand-père, il était très pressé, mais il t'a…

— Et Christophe, il vient quand ?

— Je ne crois pas qu'il viendra, c'est impossible, il travaille…

— Christophe ? demande Maud.

— Le livreur du supermarché, explique Violette ; elle l'a invité, elle l'adore.

— C'est mon copain ! confirme Élise avant de tourner les talons.

— Et Gilles, demande Maud, il ne peut pas passer ?

— Il est bloqué au labo, ils font une manipulation très importante aujourd'hui. »

La fée suggère d'apporter le gâteau, Violette s'exécute, Élise souffle les bougies avant que sa mère n'ait le temps de prendre une photo, et elle refuse de recommencer car c'est l'heure d'ouvrir ses cadeaux.

À travers le brouhaha, on entend un concerto de piano.

« Qui est-ce qui joue ? demande Maud.

— C'est le voisin du dessus, il est pianiste. »

Maud secoue la tête en découvrant les cadeaux reçus par sa nièce.

« Je n'en reviens pas de tous ces gens qui achètent des Barbie ! Ils ne sont pas au courant que Mattel fait travailler des enfants de l'âge des leurs en Chine ? s'exclame-t-elle, révoltée. Moi, je lui ai acheté un petit lit en bois pour poupée, un jouet ancien, tu vas voir la merveille… »

Il est dix-sept heures. Au grand désespoir de Violette, la fée quitte le navire, bientôt suivie par Maud qui doit retourner travailler, et Quentin qui s'éclipse pour aller à un cours. Violette commence à regarder nerveusement sa montre en priant pour que les parents soient à l'heure.

La première maman à venir chercher ses enfants est Jeanne.

« Ça s'est bien passé ? demande-t-elle en entrant.

— Oui, et puis tes enfants sont plus grands, c'est plus simple avec eux. Je te sers un café ?

— Non merci, je suis très mal garée et il faut qu'on rentre faire les devoirs. »

Violette, qui comptait sur du renfort, laisse son amie partir à regret.

Les autres parents se font attendre et, en un temps record, tout l'appartement est submergé par un immense désordre.

Enfin, le premier coup de sonnette. Violette accueille une maman et les enfants détalent pour continuer à jouer dans la chambre d'Élise.

Un quart d'heure de conversation polie, la maman repart avec sa fille. Ça hurle dans la chambre d'Élise, et Violette s'y précipite.

Elle manque de défaillir en découvrant le chaos : les enfants ont déballé tous les cadeaux, une petite fille est occupée à étaler consciencieusement de la pâte à modeler par terre, une autre a entrepris de vider entièrement l'armoire. Les autres sautent sur le lit en hurlant.

Dans la salle de bains : atelier maquillage. Le poudrier de Violette est renversé sur le carrelage, un petit groupe se farde mutuellement à l'aide de ses produits préférés.

Violette renonce à faire quoi que ce soit dans l'immédiat.

Pendant l'heure qui suit, les parents arrivent au compte-gouttes.

Une fois la porte refermée sur le dernier invité, Violette se laisse tomber dans un fauteuil, accablée. Le salon est sens dessus dessous.

Élise vient s'installer sur ses genoux, aux anges.

« Maman, on fera d'autres fêtes, pas vrai ? »

Oui, faire absolument une fête l'année prochaine. Ne serait-ce que pour vérifier que certains enfants sont pires que les siens.

Élise, ma chérie.

Tu as eu quatre ans aujourd'hui.

Quatre ans de bonheur, quatre ans d'amour fou qui ont changé ma vie.

Je me souviens encore du moment où j'ai deviné que j'étais enceinte.

J'étais en voiture, j'écoutais la radio, ils ont passé la chanson d'Émilie Jolie et j'ai fondu en larmes. Ça ne me ressemblait pas du tout, et je me suis dit que je devais couver quelque chose. Ce qui était exactement le cas, en fait.

C'est seulement depuis que je suis mère que j'ai appris à dire non, c'est en toi que je puise ma détermination quand je dois être forte. Dans les moments de doute, je cherche l'inspiration sur ton visage, je la trouve toujours.

Je ne sais pas pourquoi je suis si grave, surtout quand j'écris, il faut que j'apprenne à être plus légère pour toi. J'essaierai aussi de répondre aux questions que tu ne tarderas pas à me poser.

Tout à l'heure, je t'ai regardée t'amuser, j'envie ta démesure. J'espère que tu la garderas longtemps. Moi, j'ai oublié de m'amuser en grandissant, j'étais bien trop occupée à tenter d'être la meilleure. Mon père ne nous laissait pas souffler, Maud et moi. Peut-être parce qu'il n'avait pas eu d'enfance lui-même…

Il a grandi à Nice avec ses parents. Son père gagnait bien sa vie, mais il avait la passion du jeu. Il est mort à quarante-cinq ans, d'une crise cardiaque, en laissant sa femme et son fils sur la paille. Le Casino de Monaco leur a même versé une pension parce qu'il s'était ruiné chez eux ! C'est sans doute pour cela qu'il a toujours eu la rage de réussir et qu'il est tellement rigide.

Pour lui plaire, je me suis lancée dans une course aux diplômes. Je cherchais aussi à affirmer une forme de supériorité, j'avais besoin d'être rassurée. Tout a très bien marché, mais je me suis retrouvée très seule. Jusqu'à ce que je rencontre ton père, le rayon de soleil de mes dix années d'études.

Quand j'ai passé ma thèse, mon père a trouvé ça normal. Je suis devenue chercheur en biologie cellulaire, j'ai été admise au CNRS. C'était une grande victoire pour moi, mais pour lui, cela signifiait surtout que j'aurais désormais le statut et le salaire d'un fonctionnaire moyen. Et il m'a juste dit : « Au travail, maintenant. Tu feras ce que tu pourras, tout le monde ne peut pas être Pasteur ! » Puis, maladroitement, il a ajouté : « Ta mère serait fière de toi. »

J'ai eu envie de lui répondre que ma mère avait toujours été fière de moi. Elle était fière avant que je ne réussisse quoi que ce soit, fière avant même que j'essaye, et elle l'aurait été même si j'avais tout raté.

Cela s'appelle l'amour inconditionnel, il paraît que certains pères le ressentent aussi.

Toi et moi, c'est comme ça, je t'aime quoi que tu fasses, quoi que tu deviennes.

Il ne faut pas m'en vouloir, j'ai jeté le cadeau qu'il t'a apporté. Tu aurais peut-être aimé Pierre et le Loup, *mais cette histoire évoque pour moi des souvenirs cauchemardesques.*

Rien qu'en regardant la pochette, j'ai revécu l'angoisse que je ressentais à ton âge, en l'écoutant.

Un sadique, ce Prokofiev. Je frissonne en me remémorant l'intensité qui croît au fil de l'histoire...

Pierre, le grand-père, l'oiseau, le canard, ça va. Mais ensuite : le loup qui avale le canard. Et les chasseurs.

C'est terrifiant. Tu n'as pas besoin de ça. Pas maintenant.

Pas toujours avisé, mon père ; tu te serais mieux entendue avec ma mère.

Quand j'avais ton âge, elle venait m'embrasser, le soir, avant de sortir. J'étais subjuguée par sa tenue, la hauteur de ses talons et la perfection de son chignon.

Déjà, l'observer et la trouver belle était la seule activité dont je me jugeais digne.

Quand je viens te souhaiter bonne nuit, c'est avec les vêtements que j'ai portés toute la journée, ou avec un pyjama pas vraiment chic. Autre génération, autre vie, surtout.

Il ne faut pas comparer, je sais.

Mes parents impressionnaient aussi beaucoup mes amis. Il y avait quelque chose dans leur personnalité, leur réussite, l'amour qu'ils se portaient, qui faisait rêver. J'ai profité de leur éclat, sûrement, mais, d'une certaine manière, je suis restée clouée à leur empreinte.

J'ai mis des années à savoir ce que j'aime réellement, parce que pendant longtemps, je n'ai fonctionné que par mimétisme. Par exemple, j'ai mis un petit vase Daum sur ma liste de mariage car il y en avait un sur une commode, chez mes parents. Je l'ai toujours connu au même endroit chez eux, et je n'aurais pas pu envi-

sager de décorer mon propre appartement sans qu'il y en ait un, posé au même endroit. Jusqu'au jour où je l'ai regardé pour la première fois. Vraiment regardé. J'ai réalisé que je n'aimais pas cet objet. Je n'ai pas été capable de m'en débarrasser, je l'ai rangé dans un placard.

Depuis, je m'interroge sur mes véritables goûts. Qu'est-ce qui est moi, qu'est-ce qui est eux ? Qu'est-ce qui m'appartient, qu'est-ce qui leur revient ? Je ne trouve pas toujours la réponse.

À la maison, mon père éteignait toutes les lumières en sortant, et ma mère laissait toujours tout allumé. Aujourd'hui encore, la main sur l'interrupteur lorsque je quitte une pièce, ma main hésite. Puis mon cœur choisit. Je laisse la lumière.

Pourtant, j'aime cet homme que je ne comprends pas. Il y a quelques années, il a sonné à la porte alors que je ne l'attendais pas, et il est monté avec un bouquet de fleurs. Ça m'a tellement émue, j'en ai pleuré. J'ai compris combien j'avais besoin de lui. Lui aussi. Il est reparti, invoquant un mauvais prétexte.

J'aimerais pouvoir justifier ses actes, mais j'en suis incapable.

Un drôle d'individu, qui juge ses interlocuteurs en fonction de leur comportement chez lui : ceux qui posent leur verre sur les livres d'art de la table basse du salon perdent instantanément des points. Il leur donne un sous-verre, mais certains ne comprennent pas et reposent leur verre sur un livre. Ceux-là ne seront plus jamais invités. Bien sûr, il pourrait retirer les livres, mais je le soupçonne de les laisser là exprès car ils constituent un test.

Pendant toute mon adolescence, je l'ai observé trier les gens en fonction de ses exigences. Untel était trop désordonné, celui-ci trop familier, celui-là ne ferait jamais rien de bien... J'ai détesté ça. Puis je me suis rendu compte que j'avais malgré moi hérité certains de ses réflexes : quand mes copains venaient à la maison, si l'un d'eux me plaisait, je ne pouvais pas m'empêcher d'observer son attitude à travers le filtre paternel, et je priais pour qu'il ne pose pas son verre sur un livre.

Encore aujourd'hui, j'ai parfois du mal à regarder les gens avec mes yeux plutôt qu'avec les siens.

Je sais qu'il y a plein de choses que tu ne supporteras pas en moi, et je me demande lesquelles tu te surprendras à reproduire. En même temps, je crois que tu échapperas à ce cycle, parce que tu es déjà toi-même, avec une facilité déconcertante.

J'ai trente ans de plus que toi, mais je cherche toujours à me définir, tandis que tu t'imposes avec une assurance que je ne connaîtrai jamais.

Les quatre verres de vin s'entrechoquent. Fabien, l'assistant de Victor, et sa femme Sophie sont très flattés de recevoir Victor et sa femme pour la première fois.

« À votre venue chez nous ! s'exclame Fabien.

— Et surtout à votre joli bébé ! reprend Jeanne en souriant.

— On espère surtout qu'il sera bien élevé… répond Fabien.

— Oh ! tu sais, c'est du travail ! dit Victor. Les enfants sont merveilleux, mais si on ne les structure pas, on n'arrive à rien. C'est un combat quotidien. J'ai été intraitable, d'abord avec Paul, mon fils aîné, ensuite avec les deux petits, pour que les horaires soient respectés, pour qu'ils ne regardent pas trop la télé… Et aussi pour que leur alimentation soit saine…

— C'est formidable !

— Oui, c'est une chose à laquelle je tiens. J'ai toujours insisté pour qu'ils mangent de tout, les repas sont très équilibrés à la maison. »

Il s'adosse dans son fauteuil en savourant le regard impressionné de ses hôtes. Quant à Jeanne, elle se contente de le fixer avec une telle intensité qu'il préfère détourner les yeux.

« Vous connaissez les Borel, n'est-ce pas ? demande Sophie.

— Oui, répond Victor, Jean-Louis est un vieil ami.

— Vous êtes au courant que sa femme le quitte ?

— Oui, bien sûr… Le pauvre, il va très mal.

— Il faut dire qu'elle est dure avec lui, c'est normal qu'il soit chiffon… Je n'en reviens pas. Pourtant, on a dîné chez eux le mois dernier, et tout semblait aller parfaitement bien. Elle avait fait une très jolie table, avec son service vert et blanc. »

Elle se tourne vers Jeanne.

« Vous voyez lequel ?

— Pas du tout.

— Il y a le beige avec des fleurs blanches, c'est celui de tous les jours… »

Sophie regarde Jeanne d'un air interrogateur et attend un encouragement qui ne vient pas. Elle prend une grande inspiration et continue patiemment :

« Le vert et blanc, c'est son service de mariage, il y a des merles sur le contour ; c'est celui des dîners chics.

— Avec ou sans les merles, c'est fini, intervient Fabien. Excuse-moi, mais quelle salope !

— Écoute, c'est un peu facile de dire ça, dit Sophie ; si elle ne l'aime plus, qu'est-ce que tu veux faire ? Et puis, il a exagéré, il dînait tous les soirs dehors !

— Pour des raisons professionnelles !

— Peut-être. D'ailleurs, elle m'a dit que ce qu'elle ne supportait plus, ce n'était pas son absence, c'était le fait de manger toute la semaine les plats qu'elle avait préparés pour lui. Elle m'a tout énuméré : quatre jours de poulet, une semaine de couscous. Un jour elle a craqué, après cinq jours de gigot.

— Comme quoi le mariage tient à peu de chose ! s'exclame Fabien. Quand même, quelle salope ! Après tout ce qu'il a fait pour elle…

— Et vice versa ! Tu te rends compte à quel point elle l'a aidé au début de sa carrière ?

— Ouais… Elle l'a soutenu, c'est vrai. Enfin, elle lui a bien pourri la vie aussi. »

Il se tourne vers Victor.

« Tu sais ce qu'il m'a dit, hier ? “Depuis que je suis marié, je sais ce que c'est que le bonheur : c'était avant !” »

Les deux hommes rient, Jeanne se lève.

« Je reviens tout de suite. »

Elle entre aux toilettes, s'appuie contre le lavabo, et s'observe dans la glace : elle est décomposée.

Le bonheur, c'était avant.

Quelle phrase à la con ! J'ai essayé de rire avec eux, c'est resté coincé dans ma gorge.

Et Victor qui a l'air ravi.

J'ai toujours insisté pour qu'ils mangent de tout... Je rêve. Ce n'est pas lui qui a élevé Paul, c'est sa première femme. Tout comme c'est moi qui élève Charlotte et Lucas. Il est vraiment gonflé. La prochaine fois qu'il ose donner des leçons de paternité, je lui rentre dedans...

Et leur truc de s'extasier devant la réussite des hommes, en admettant avec condescendance que leur femme y est peut-être pour quelque chose... Le petit lot de consolation pour les femmes qui ont passé la moitié de leur vie à s'effacer derrière un égomaniaque...

S'ils s'entendaient... Il faudrait que je leur parle de Ginger Rogers. Leur rappeler qu'elle a tout fait comme Fred Astaire, sauf qu'elle, c'était à reculons et sur des talons hauts...

J'ai cru que leur discussion sur les fonctionnaires ne finirait jamais. Encore un dîner où ils parlent du montant de leurs charges, ou des 35 heures, et je m'en vais.

À quoi ça sert de ressasser les mêmes sujets quand on est d'accord ? Ça me fout le cafard, tous ces gens qui pensent la même chose.

Qu'est-ce que ça doit être bien d'être d'accord avec tout le monde, de ne pas être en décalage…

Quel con, ce Fabien ! Et plutôt cassant avec sa femme. Je suis sûre qu'en privé, il est odieux avec elle…

La pauvre, qui divague toute seule, avec ses histoires de vaisselle. Deux solutions : soit elle est stupide, soit elle fait une dépression nerveuse. C'est pathétique. Au lieu de parler d'assiettes, elle ferait mieux d'en casser quelques-unes.

Moi aussi, d'ailleurs, je devrais essayer.

Étrange, ce que j'ai ressenti en regardant ma tasse, je me suis sentie comme mon sachet de thé. Juste un petit catalyseur, et il révèle son intensité.

Il faut que je continue à me sentir forte, même si ça m'étourdit.

Un vrai vertige, à l'idée de ne pas savoir quoi faire de tout ce que je ressens.

Plus forte, ne serait-ce que pour ne plus me sentir diminuée au moindre nuage.

Ne plus jamais me sentir si petite sous la pluie.

« Ah, chérie, te voilà ! dit Victor en se levant. On va y aller, je me lève très tôt demain.

— Merci pour ce repas, c'était délicieux, dit Jeanne.

— Ravi d'avoir fait votre connaissance, lui dit Fabien.

— Il faudrait qu'on se retrouve au Bois un de ces week-ends, lui dit Victor. On jette les enfants et ils vivent leur vie !

— Enfin, le nôtre, il a six mois, alors, si on le jette, il retombe très vite…

— Il faut excuser Victor, dit Jeanne, c'est un expert en pédagogie infantile, mais certaines notions lui échappent encore. »

Les derniers sourires s'échangent tandis que l'ascenseur se met en route.

« Comment trouves-tu Fabien ? demande Victor en démarrant la voiture.

— Antipathique. Il m'a exaspérée avec ses réflexions homophobes.

— Oh, ça ? C'était bête, mais pas méchant…

— Pas méchant ? Quel abruti ! J'espère que son fils sera pédé et qu'il l'enculera ! »

La voiture fait une embardée, Victor évite de justesse l'accident.

« Jeanne, tu es ivre ?

— Pas du tout. J'étouffe. Et ça ne ressemble pas du tout à de l'ébriété.

— Alors, qu'est-ce qui te prend ?

— Rien ! Tu te glorifies de l'éducation des enfants alors que tu n'es jamais là, ton assistant est un gros con et sa femme est idiote. Mais sinon, ça va, excellente soirée. »

Le reste du trajet se fait en silence.

En entrant dans le salon, Victor se dirige vers une petite table couverte de papiers et de journaux.

« J'attends une lettre de l'assureur, elle n'est pas arrivée ?

— Je ne sais pas, je n'ai pas ouvert le courrier.

— Comment ça se fait ?

— J'ai été débordée.

— Je vois bien que tu es débordée, dit-il en écartant une pile de revues de décoration. Tu n'as même plus le temps de lire les magazines essentiels auxquels tu es abonnée ! »

Jeanne tourne les talons et disparaît.

Victor la rejoint dans la chambre quelques minutes plus tard.

« Excuse-moi », dit-il en la prenant dans ses bras.

Il l'embrasse et commence à déboutonner sa chemise.

« Pas ce soir », dit-elle en s'éloignant.

Il la suit tandis qu'elle se démaquille dans la salle de bains.

« Laisse-moi deviner : tu as tes règles. Ça fait combien de fois ce mois-ci, quatre ? C'est beaucoup… Je suis peut-être con, mais quand même, je suis médecin ! »

Jeanne ne répond pas.

« Jeanne, parle-moi. Quand tu fais cette tête, j'ai l'impression que tu me détestes. »

Elle va s'asseoir sur le lit, sans le regarder.

« Ce n'est pas toi que je déteste, c'est ce que notre mariage est devenu.

— Qu'est-ce que tu veux dire ?

— Tu veux que je te dise à quoi ressemble ma vie ? Je vais essayer de te l'expliquer, le plus simplement possible. La journée, on ne se voit pas. Le soir, tu rentres tard, on échange trois mots et tu vas manger. Quand tu as fini, tu vas t'enfermer aux toilettes avec un journal, et quand tu en ressors, tu vas regarder la télé dans le salon. Je m'endors avant toi. Le matin, je rentre dans la cuisine, pour m'attaquer patiemment au bordel que tu y as laissé. Parfois tu n'as pas aimé ce que j'ai préparé la veille, alors c'est toujours là, sur la table. Ton assiette est pleine. Elle me regarde et elle me dit merde. Ensuite, tu pars avec les enfants, et je vais ramasser tes fringues sales qui traînent dans le salon. J'essaie de me détendre en buvant mon café. C'est en général quand je commence à me calmer que tu m'appelles pour me demander de faire une course pour toi. À ton avis, je pense à quoi quand je fais ressemeler tes chaussures ? À la prochaine fois qu'on fera l'amour ? À un dîner aux chandelles ?

— … Tu noircis le tableau.

— Non. C'est comme ça que je vois les choses, c'est comme ça que je les vis.

— C'est pareil pour tous les couples.

— Je ne crois pas. Et tu sais quoi ? Je me fous de ce qui se passe chez les autres.

— Tu penses que c'est facile pour moi ? Je subis une pression énorme, je travaille quinze heures par jour. J'ai besoin d'être soutenu.

— Mais je suis là, Victor.

— Tu es là, mais tu fais tout le temps la gueule. C'est peut-être pour ça que je préfère passer mes soirées dans le salon.

— Je fais la gueule parce que tu me blesses. Je fais la gueule parce que je suis frustrée.

— Tu as quand même une vie très confortable !

— Tu parles d'argent ? »

Elle le fixe, glaciale.

« Je parle… de confort de vie, c'est tout. Je fais tout pour te gâter, j'espère que tu t'en rends compte… Enfin, je t'ai entendue. Je vais faire un effort. Excuse-moi. »

Il l'embrasse et caresse ses cheveux.

Elle le laisse faire sans dire un mot.

Il se lève et s'apprête à sortir, mais se retourne.

« Et toi, tu ne t'excuses pas ? »

Jeanne réfléchit un moment.

« Je suis désolée, je ne sais pas de quoi. Ce n'est pas que je ne veux pas, c'est juste que je ne vois vraiment pas de quoi je dois m'excuser… »

Un long silence.

« Qu'est-ce que tu veux, Jeanne ?

— Je ne sais pas.

— Tu n'as jamais rien su. »

Il quitte la chambre, laissant à son mépris le soin de la submerger.

Elle reste longtemps assise au bord du lit, à entendre malgré elle les bribes de voix provenant de la télévision que Victor a allumée dans le salon.

Quand Victor est enfin couché et endormi, Jeanne se relève et va dans le salon.

Elle fume une cigarette en inspectant ses orchidées.

Elle tourne en rond un moment, puis se rend dans la cuisine et décide de faire des sablés. Une fois qu'ils sont prêts elle les range sagement, et mange machinalement tous ceux qui ne rentrent pas dans le bocal.

Soit une vingtaine de biscuits.

Tant qu'à étouffer, autant s'étouffer.

Natacha est assise sur son bureau, elle a planté un crayon dans ses cheveux blonds pour les relever en chignon. Elle appuie sur la touche *haut-parleur* et pose le combiné pour chercher son carnet, caché sous une montagne de papiers.

« … Juste deux tartes aux framboises et deux au citron, alors ? »

La voix de Jeanne résonne dans la pièce.

« Oui, ça devrait suffire pour le sucré. En revanche, j'ai peur que tu ne manques de salé, je peux te faire deux cakes aux olives, si tu veux.

— T'es géniale, Jeanne, merci. Attends, quitte pas, mon portable sonne… Allô ?… Non, laisse tomber et prends deux taramas de plus. T'as trouvé les mini-blinis ? Bon, ça ne fait rien, j'irai chez Ed. Et vas-y mollo sur les cacahuètes, ça donne soif ! Je suis au bureau, le comptable est là, tu viens ?… À tout de suite. »

Elle repose son portable et se rapproche à nouveau du téléphone.

« C'était Lola, elle est au Franprix pour voir les promos.

— Je me faisais sûrement une idée trop romantique de votre milieu, s'étonne Jeanne, je voyais ça… moins artisanal.

— Rassure-toi, on est hyper pro, c'est juste que là, on a un budget de cinq cents euros pour quatre-vingts personnes… »

Natacha raccroche en voyant arriver monsieur Li, le retoucheur du quartier, qui se charge de rafraîchir les vêtements vintage qu'elle achète aux Puces.

« Ah, monsieur Li ! C'est gentil d'être passé !

— Je passais dans votre rue, alors je vous l'ai apportée : elle est prête depuis la semaine dernière, dit-il en lui tendant une robe.

— Je sais, j'ai été débordée. Merci beaucoup ! Je peux l'essayer maintenant, j'aimerais voir comment elle tombe…

— Ici ?

— Oui, pourquoi pas ? Je vais me changer aux toilettes et je reviens.

— D'accord. »

Elle réapparaît deux minutes après.

« Alors ? lui demande-t-elle.

— Très joli !

— J'ai l'impression qu'elle est un peu longue…

— On peut toujours raccourcir un peu. Vous avez des épingles ?

— Ici ? Non. »

Le comptable frappe et entre dans le bureau.

« Madame Fernet ?

— Oui ?

— Je m'excuse de vous déranger, j'ai fini. On peut se voir cinq minutes ?

— Je suis à vous tout de suite.

— Vous n'auriez pas des épingles ? demande monsieur Li au comptable.

— Je vous présente monsieur Li, lui dit Natacha.

— Euh… bonjour.

— Alors, les épingles ? insiste monsieur Li.

— Ah, je n'ai pas ça du tout, je regrette… À la rigueur des trombones, si ça peut vous dépanner.

— Je veux bien.

— Monsieur Li, vous êtes sûr ? s'inquiète Natacha.

— Oui, juste pour marquer la longueur. Il y a un miroir ici ?

— Non.

— On va descendre, on regardera dans le miroir de la boulangerie.

— Oh non ! Ça me gêne…

— Mais pourquoi ? Je vous la renvoie dans deux minutes ! » dit-il au comptable.

Natacha prend son portable et descend. Elle fait son possible pour ignorer le regard curieux des clients de la boulangerie. Le mobile vibre et le prénom LOLA s'affiche.

« J'arrive, je cherche une place. J'ai l'épreuve du carton d'invitation. C'est magnifique ! Vraiment élégantissime, très réussi, les couleurs, l'équilibre, la photo sublime, très chic et branché ! J'ai hâte que… oh !

— Qu'est-ce qu'il y a ?

— Tu ne vas pas me croire, mais il y a une fille qui te ressemble en train d'essayer une robe devant la boulangerie et un petit monsieur à quatre pattes qui…

— C'est moi.

— Pardon ?

— Tu m'as très bien entendue.

— … Et le comptable ?

— Il nous a prêté des trombones.

— Comment ?

— Il nous attend, je remonte tout de suite. »

De : Natacha Fernet
À : Violette Meyer
Objet : Help !

Ma chérie,

Tu as beaucoup de boulot en ce moment ? J'ai terriblement besoin de toi en vue d'un cocktail le samedi 11.

Pourrais-tu me faire quelques fondants au chocolat ?

Ah, et ce n'est pas toi qui fais des quiches délicieuses ? Je viendrai t'aider si je peux (j'ai organisé un centre de tartinage à la maison avec ma mère et ma tante).

Si c'est OK, envoie-moi la liste des ingrédients.

C'est la dernière fois, c'est promis ! Marre d'être la Mère Teresa des RP...

P-S : Si la CIA lit mes mails, ce dont je doute, je tiens à préciser qu'il ne s'agit en aucun cas d'un message codé.

De : Violette Meyer
À : Natacha Fernet
Objet : Re : Help !

« Quelques » fondants ? Tu m'inquiètes.
5 tablettes de chocolat
1 kg de farine
1 kg de sucre
15 œufs
4 paquets de beurre
Pour les quiches, c'est Maud la spécialiste. Tu n'as qu'à l'appeler, elle t'en fera si elle a du temps.
Mère Teresa ? Plutôt Sœur Emmanuelle, non ?

P-S : Si la CIA lit ces mails, pourriez-vous me dire si l'agent Vaughn sort toujours avec Sydney Bristow ? Dans le cas contraire, merci de lui faire passer mon dossier de candidature.

De : Natacha Fernet
À : Violette Meyer
Objet : Re : Help !

Tu es franchement calée, moi, je ne saurais pas dire la différence entre Sœur Emmanuelle et Mère Teresa, si ce n'est que la 2e est un peu plus morte que la 1re.
(J'ai honte d'avoir écrit une chose pareille, mais enfin je te laisse dans l'espoir que ça te fasse pouffer. Toi, et peut-être aussi l'agent de la CIA qui n'a rien de mieux à faire que lire nos mails.)

Natacha entre en coup de vent dans la pièce. Quelques mèches s'échappent de son chignon, elle les remet, puis jette un coup d'œil au redoutable fauteuil bleu.

Elle pousse un profond soupir et va s'y asseoir.

Elle lisse machinalement le bas de sa robe trapèze.

« J'ai pas mal réfléchi depuis la séance de la dernière fois…

Je voudrais vous parler d'une chose qui me fait beaucoup souffrir : je me rends compte que tout ce combat est beaucoup plus important pour moi que pour Philippe.

Moi, j'aimerais qu'on vive les mêmes choses, parce qu'un enfant, ça se fait à deux, mais c'est impossible. Pendant le traitement, il continue à vivre normalement, mais moi, je vis un enfer…

Bien sûr, tout ça compte énormément pour lui, mais, c'est évident qu'on n'a pas les mêmes priorités. Parfois, la FIV tombe un samedi, alors on ne peut pas partir en week-end, et si ça tombe pendant un pont, Philippe fait la tête. J'ai l'impression que c'est la seule chose qui importe : le week-end est gâché. Ou alors ça tombe un lundi matin et ça met la pression. Avant, on rentrait de la campagne le lundi matin très tôt, jusqu'au jour où l'on s'est trouvés dans un embouteillage monstre, l'heure tournait, c'était affreux. Je savais d'avance que ça ne marcherait pas vu la crise de nerfs que j'ai piquée dans la voiture. Alors, maintenant, si la FIV est un lundi, j'exige qu'on parte le dimanche soir, ça raccourcit le week-end et ça énerve Philippe.

Et il est frustré par le manque de sexe lié au traitement : le médecin le déconseille pendant les trois jours avant la FIV pour que ses spermatozoïdes soient en forme. Et puis, c'est aussi déconseillé après la FIV : je dois mettre des cachets pour faire tenir la muqueuse, alors c'est impossible.

De toute façon, moi, je n'ai pas envie. J'ai mal aux ovaires, ma libido est complètement chamboulée. Et mentalement, c'est dur : j'ai du mal à ignorer le gouffre qui existe entre les perspectives de mon mari et les miennes… Je sens bien qu'au lieu de nous rapprocher, c'est une aventure qui nous éloigne.

Je pleure rarement devant Philippe, car il ne sait absolument pas comment me réconforter.

Lui, il y croit encore très fort ; moi, c'est le doute qui me tue. Ses coups de blues sont différents.

Il s'enferme tout le week-end et il bricole. Ou bien il compense en dépensant de l'argent.

On dit que ce sont les femmes qui font ça, mais les hommes font la même chose, la seule différence est qu'ils s'achètent un seul gros joujou alors que nous, on achète des tas de fringues qu'on ne mettra jamais. Quand Philippe dépense beaucoup d'argent pour quelque chose dont il n'a pas besoin, je sais bien que c'est pour se valoriser devant ses copains. Ou, tout simplement, pour avoir des sujets de discussion… Comme ça, quand la conversation tourne trop autour des prouesses de la progéniture des uns ou des autres, il annonce tout à coup : “J’ai décidé de passer mon brevet de pilote, j’ai déjà pris quelques cours…”

C’est radical, ça épate et la discussion change aussitôt.

On a parlé de tout : adoption, mère porteuse, mais il refuse tout. Il pense qu’on y arrivera tout seuls. Il y croit encore. Alors, il refuse les autres solutions. Je trouve ça égoïste. Il me dit qu’un enfant adopté ne compensera pas.

Il veut que j’arrête de travailler. Il dit que je suis hyper stressée par le boulot, et que je fume trop. Ça me culpabilise. C’est vrai que je cours tout le temps. Mais j’ai l’habitude. Enfin, parfois je n’en peux plus… Par exemple, quand je n’ai pas le temps d’aller chez le coiffeur avant un de mes cocktails. À cause de mes piqûres. Dans mon métier, il faut être impeccable. Souvent, je me sens moche et nulle. Pas féminine pour deux sous.

En tout cas, je ne veux pas arrêter de bosser. J’aime ce que je fais. Et puis ça me fait peur. Si j’arrêtais et que ça ne marchait pas, pour le bébé ? Qu’est-ce qu’il me resterait ? »

Violette tient la main d'Élise tandis qu'elles montent doucement l'escalier en bois.

« Tu feras attention chez Maud, hein, chérie ?

— Oui, je sais, elle est comme toi en pire.

— Elle n'est pas pire, elle est plus maniaque, c'est différent. »

Arrivées sur le palier, Violette et Élise sonnent puis s'essuient soigneusement les pieds. Maud leur ouvre et les embrasse chaleureusement. Aussitôt, Élise se dirige vers un vieux coffre à jouets où Maud conserve soigneusement toutes sortes de trésors à son intention.

Tout le mobilier est ancien, les murs sont recouverts de photos en noir et blanc, les draps imprimés de Liberty ; l'ensemble est douillet et vieillot à la fois. C'est un endroit chaleureux mais légèrement déprimant à cause des lourds rideaux de lin beige qui alourdissent l'atmosphère, et parce que ça se sent, il ne faut rien déplacer. À moins de s'appeler Élise.

« J'ai fait du thé vert, tu en veux ? demande Maud à sa sœur.

— Avec plaisir », répond Violette.

Elle la suit dans la cuisine et se retrouve nez à nez avec une jeune fille.

« Bonjour, lui dit Violette, surprise.

— Jennifer, voilà ma sœur, Violette.

— Bonjour, dit la jeune fille sans la regarder. Voilà, j'ai fini.

— Ah ! Je vais vous régler… Dites, Jennifer, vous ferez attention, s'il vous plaît, c'est très important d'enlever les bouchons des bouteilles avant de les jeter dans le sac à recycler. Il faut mettre les bouchons dans le petit sac à part…

— Vous avez rajouté un sac ? demande Jennifer, ulcérée.

— Juste pour les bouchons ! s'excuse Maud. Je les donne à une organisation humanitaire qui les revend et fait fabriquer des prothèses avec les sons… »

Un soupir se fait très nettement entendre.

« C'est comme vous voulez. »

Elle sort, visiblement exaspérée.

« C'est qui ? demande Violette.

— La fille de la gardienne. Elle m'a dit qu'elle cherchait à travailler pour se faire un peu d'argent, alors je lui ai proposé de faire trois heures de ménage ici chaque semaine.

— Elle n'a pas l'air commode.

— Je sais, elle me terrifie. D'ailleurs, je range avant qu'elle arrive. »

Maud choisit avec application deux tasses sur une étagère en bois. Toute sa vaisselle est fleurie et dépareillée ; elle l'a chinée, notamment à la brocante de Chatou. Elle aimerait y habiter, car l'air y est plus pur. À moins qu'elle n'aille vivre à Bruxelles, son rêve absolu, bien qu'elle n'y ait jamais mis les pieds.

« Je vais emmener Élise au zoo demain.

— Elle va adorer. À quelle heure veux-tu que je la récupère ?

— Vers six heures, comme ça, j'irai à ma réunion bouddhiste après. Tu sais quoi ? Laurent s'y est mis aussi.

— C'est formidable !

— En fait, pas du tout : c'est la catastrophe. Maintenant, il me trouve égoïste et butée, il n'arrête pas de me dire des trucs horribles, et le pire, c'est qu'il les dit sur un ton hyper gentil ! C'est affreux. Hier soir, on a eu une grande discussion qu'il a conclue en énumérant la liste de mes défauts, je suis restée comme un cheveu sur le caillou !

— Comment tu as réagi ?

— Je te l'ai dit : comme un cheveu. Puis, j'ai répondu : "Tu ferais mieux de sortir parce que sinon, je vais te foutre mon poing sur la gueule." Pas très bouddhiste. Il a souri, et il m'a répondu : "Je sais, c'est douloureux quand deux karmas se frottent."

— … Je ne sais pas quoi te dire.

— Oh ! Ne t'inquiète pas, ça s'arrangera. »

La tête de Maud disparaît tandis qu'elle déplace divers objets dans un placard.

« Qu'est-ce que tu cherches ?

— Un couvercle pour ma casserole de légumes… Je déteste chercher un couvercle ; le premier que je prends est toujours trop petit, le second trop grand. Pour d'obscures raisons, il me manque la taille intermédiaire. »

Des petits pas se font entendre et Élise entre dans la cuisine.

« J'ai faim !

— Tu veux un biscuit au son ? demande Maud.

— Non merci.

— Alors un fruit ?… Bon, je sais ce qu'on va faire : on va prendre le bain, et puis, si Laurent n'arrive pas entre-temps, on commencera à dîner toutes les deux.

— Laurent, c'est ton nouveau fiancé ?

— Oui. »

Élise réfléchit un instant et se tourne vers sa mère.

« Et toi, maman, pourquoi t'as choisi papa comme fiancé ? »

Assise devant son ordinateur, situé sur un petit bureau dans un coin du salon, Violette finit de rédiger son article traitant de l'agrégation des plaquettes.

Elle se relit, et décide de changer l'ordre de certains paragraphes. Comme d'habitude, lorsqu'elle clique sur *Coller*, l'icône *Collage spécial*, située juste en dessous, semble lui faire de l'œil. Mais Violette n'ose pas s'aventurer dans les méandres d'une nouvelle manipulation informatique.

« Tu parles d'une chercheuse », se dit-elle avec dédain.

Violette enregistre son texte et quitte le document. Cette fois elle frôle l'icône *Basculer vers une identité* ; pour un peu, elle en frissonnerait. Pourquoi les ingénieurs en informatique utilisent-ils des expressions aussi déroutantes ?

Violette regarde les feuilles sortir une à une de l'imprimante. L'encre pâlit au fur et à mesure et bientôt, un petit texte défile sur l'écran, l'informant que la cartouche est presque vide.

Elle prie silencieusement, touche le bois de son bureau et s'éloigne. Puis elle tourne le dos et ferme les yeux, comme elle le fait devant la télévision, lorsque les patineurs tentent des sauts téméraires. Ou pendant la balle de match qui risque d'éliminer son champion.

Qui sait ? L'imprimante ira peut-être jusqu'au bout si elle ne regarde pas…

Mais la machine n'en fait qu'à sa tête, toussote puis se tait.

Violette revient vers le bureau : les deux dernières pages n'ont pas été imprimées. Elle décroche aussitôt le téléphone.

« C'est moi, je n'ai plus d'encre pour imprimer mon article, tu pourrais rapporter une cartouche du bureau ?

— J'entre en réunion avec l'équipe qui bosse sur la membrane, répond Gilles. Sois gentille et ne me dérange pas pour un truc pareil, tu n'as qu'à sortir en acheter une.

— Excuse-moi, je ne savais pas… »

Il a déjà raccroché. Elle fait de même et commence à faire les cent pas.

« J'ai presque dit merci. Je suis nulle. Combien de temps encore, à me traîner ces réflexes de petite fille bien élevée ? »

Rappeler sur son portable, il l'aura éteint, et lui laisser un message virulent. Elle compose le numéro, mais, comme Gilles l'a oublié à la maison, l'appareil sonne un peu plus loin, sur la table basse.

Violette s'approche du téléphone pour l'éteindre et voit que le nom qui s'affiche est « Chérie ». Une immense vague de tendresse l'envahit lorsqu'elle découvre son pseudonyme.

Le sourire des femmes qui pardonnent illumine son visage.

La main sur l'interrupteur – je laisse allumé ou j'éteins ? –, Violette s'apprête à sortir acheter une cartouche d'encre. On sonne. Un petit coup de sonnette très prudent.

Elle ouvre la porte après avoir reconnu son voisin.

« Je suis vraiment navré de vous déranger ; il y a des ouvriers chez moi, ils remplacent le ballon d'eau chaude qui m'a lâché. Ils font un bruit épouvantable, et je donne un concert demain. Comme ils en ont pour deux heures environ, je me demandais si ça vous ennuierait que je travaille chez vous en attendant ; je sais que vous avez un piano, j'entends parfois votre petite fille faire ses gammes… Seulement si ça ne vous dérange pas, bien sûr !

— Non, entrez, je vous en prie ! »

Violette lui serre la main, le plus délicatement possible, parce qu'il est particulièrement timide, mais aussi parce qu'elle craint qu'une poignée de main énergique ne risque d'affecter la magie de ses doigts.

Elle lui offre à boire, il décline, elle quitte donc la pièce pour le laisser travailler, et va s'asseoir sur son lit.

Dès qu'il pose ses doigts sur le clavier, l'appartement semble envahi par une force étrange. Il y a de la puissance. De la grâce.

Violette pense à *L'Albatros* de Baudelaire : quand elle croise son voisin dans l'immeuble, il est maladroit, lunaire, presque inadapté au monde.

Au piano, il rayonne.

Violette écoute chaque note, chaque silence.

Elle s'étonne des interruptions incessantes, aussitôt suivies du grincement du tabouret qu'il n'en finit pas de régler, un tic, sûrement. Parfois le silence est ponctué par le froissement de pages, ou tout simplement par des respirations.

De temps en temps, le musicien chante, d'autres harmonies qu'elle devine être la partie orchestre.

La curiosité l'emporte. Elle se lève, et va dans le couloir l'observer à la dérobée.

Pourquoi son visage évoque-t-il autant la souffrance que le plaisir ?

Le temps s'arrête.

C'est seulement lorsque la nuit commence à tomber qu'elle pense à regarder l'heure… Il faut aller chercher Élise.

Discrètement, elle revient dans le salon.

« Excusez-moi, je dois aller chercher ma fille, mais vous pouvez rester aussi longtemps que vous voudrez, vous n'aurez qu'à claquer la porte si vous partez avant mon retour.

— Vous êtes sûre ? Quelle heure est-il ? Ils ont sûrement fini, je vais monter voir…

— Non, je vous en prie, restez !

— Merci mille fois, je ne voudrais pas abuser… »

Violette se sauve sans le laisser finir, avant qu'il n'ait assez de temps pour redevenir l'être maladroit qu'elle croyait connaître.

Élise, mon cœur,

Hier, tu m'as demandé pourquoi j'avais choisi ton papa…

Pour de drôles de petites raisons. Dès qu'on s'est connus, j'ai pensé qu'on était faits l'un pour l'autre ; on achetait des assortiments salés, il mangeait les cacahuètes, moi les raisins secs et les noisettes. Tu verras, les histoires d'amour, ça tient parfois à peu de chose. En tout cas au début.

Puis, un jour où nous nous promenions, en me voyant m'arrêter devant une vitrine, il m'a dit : « Choisis ce que tu veux, je te l'offre. Rien n'est trop beau pour toi. »

C'était pendant notre stage de post-doctorat aux États-Unis, il n'avait pas un sou, tu ne peux pas savoir combien ça m'a touchée. Depuis la mort de ma mère, je n'avais jamais eu l'impression de compter autant. Quand il m'a demandée en mariage, quelques mois plus tard, j'ai dit oui tout de suite.

Est-ce que ça s'appelle vraiment un choix ?

Je ne sais pas. Parfois, je me dis que je n'ai pas été honnête, ni avec lui ni avec moi, en nous laissant croire que l'amour suffirait. En fait, j'attends beaucoup de lui. Une puissance qui me protégerait de tout. Une puissance au moins égale à celle de mon père. Il n'est pas capable d'y parvenir, le modèle est trop grand. Il souffre de se rendre compte qu'il ne m'éblouit peut-être pas autant qu'il l'espérait.

Nous n'en parlons jamais, mais je sais ce qu'il ressent.

Alors je me pousse pour lui laisser de la place, au moins au labo. Je limite mes interventions pour accroître les siennes.

Amusant, quand on sait que, durant toute notre enfance, mon père nous a incitées à dépasser nos limites.

De l'extérieur, je sais bien que ça ressemble à un sacrifice, mais ça n'en est pas un. J'ai trouvé un équilibre dans ce mode de fonctionnement. Il nous ressemble, et il me convient.

Je me souviens d'un jour où j'étais assise dans un jardin ; je me suis soudain demandé ce qu'il y avait derrière le ciel. Ma mère m'a répondu : « Encore du ciel. » J'ai demandé : « Et après ? — Toujours du ciel. Puis du ciel noir. »

Elle a tenté de m'expliquer l'infini et j'ai bien senti qu'elle s'étourdissait en cherchant une réponse. J'ai découvert la sensation de vertige devant l'impénétrable. J'ai passé des heures à regarder le ciel et à essayer d'appréhender le vide qui se cachait derrière lui.

Après sa mort, mon père m'a emmenée chez un psy. En fait, je ne crois pas que c'était un psy, je n'ai pas fait attention sur le moment, mais je crois que c'était juste un généraliste.

Nous sommes entrés dans un appartement bourgeois du VIIe arrondissement, et mon père est resté dans la salle d'attente tandis que le médecin me faisait entrer dans son cabinet et se lançait dans une longue tirade sur la perte d'un être cher. Je venais de découvrir le goût du malheur, j'en avais plein la bouche, et lui, vraiment, n'avait rien à m'apprendre. J'avais envie de lui demander s'il avait déjà parcouru les placards de quelqu'un en caressant ses vêtements, en respirant son odeur, mais je n'ai pas su parler à cet étranger. Nous avons échangé quelques mots et je l'ai laissé me prescrire des calmants. Puis il m'a raccompagnée à la salle d'attente et a dit à mon père : « Ça ira. »

Nous sommes sortis, et j'ai levé la tête, comme quand j'étais petite. J'ai regardé le ciel, impeccablement infini, parfaitement vide.

Plus tard, il faudra que tu apprennes à te méfier des jaloux, de ceux qui vous envient tout, même votre peine. Ne sous-estime pas le plaisir que ressentent les gens à apprendre une mauvaise nouvelle qui ne les touche pas, à la transmettre sur un ton apitoyé ; ou à plaindre une orpheline en se demandant quel est le montant de son héritage.

Il m'a fallu apprendre vite à reconnaître les méchants, à recevoir les coups, à relever la tête. Et ce sont des leçons que je dois souvent réviser.

Il faudra que tu apprennes. Plus tard.

Quand on se retrouvait, immanquablement, un gouffre s'était créé ; et avec l'ardeur d'une petite fourmi, je m'acharnais à le combler.

Notre petit ballet aurait dû être de courte durée, mais je l'aimais vraiment et, j'ai mis des mois à admettre que les choses n'évolueraient pas.

Puis j'ai rencontré Vincent, si différent.

En parlant de Vincent, ce salaud m'a appelée à 9 heures en disant qu'il arrivait, il est bientôt minuit et il n'est toujours pas là. J'ai appelé son portable, mais je suis tombée sur la messagerie. Je suis moitié furieuse, moitié inquiète.

Je vais aller me coucher et essayer de dormir.

À demain,

A.

Ariane chérie,

Ton histoire m'a rendue dingue. Ou plutôt tes histoires. Oublions le peintre, puisque tu ne l'as pas épousé, mais Vincent ! Si je connaissais moins les hommes, je me dirais que tu les choisis mal. Mais la vérité, c'est qu'ils se ressemblent tous.

Pourquoi sont-ils aussi irresponsables et égoïstes ? Sans parler d'immatures.

J'espère qu'à l'heure où je t'écris, tu as reçu des excuses et une explication valable, mais quand même ! Qu'est-ce que c'est que cette façon de te planter sans appeler ?

Pendant que j'écris ces mots, la partie de moi la plus sensible m'interpelle et me dit qu'il avait certainement une bonne raison. Mais la partie désabusée se révolte et crie à l'autre (un peu trop fort dans mon oreille gauche) :

IL N'Y A PAS D'EXCUSE POUR CE TYPE DE COMPORTEMENT !!!

La partie douce répond qu'il faut être patiente et attendre son explication ; l'autre la fait taire avec des mots que je n'ose pas te répéter.

J'ai mal à la tête.

Natacha et Philippe se garent devant une coquette maison de banlieue.

Natacha sort de la voiture en serrant nerveusement un bouquet de fleurs dans ses mains. Plus ils approchent de la maison, plus elle ralentit son pas.

« Tu fais une de ces têtes ! remarque son mari.

— Je suis toujours tendue quand on va chez ta sœur.

— Tu exagères ! C'est juste un déjeuner. Dans deux heures, on est partis… »

Natacha passe la main sur son ventre en soupirant, elle a un peu mal au cœur, d'autant plus qu'elle a mangé avant de venir. Une habitude contractée il y a plusieurs années, après quelques repas pris au sein de sa belle-famille ; même affamée, elle n'osait pas se servir largement alors que les autres touchaient à peine à leur assiette.

Philippe sonne… Pas de réponse. Il fait le tour de la maison en regardant à travers les fenêtres, puis il met ses mains en porte-voix et appelle : « Adélaïde ! »

Une grande jeune femme brune ouvre la porte. Elle est au téléphone et saisit le bouquet de fleurs que lui tend Natacha sans lui dire un mot. Elle pose négligemment les fleurs sur une table, et poursuit sa conversation. « Je serai livrée quand ?… Bon, d'accord… Il n'y a pas d'étage, c'est une maison. Enfin, il y a des étages, mais tout est à moi !… Non, ce n'est pas un pavillon, c'est une maison ! »

Elle raccroche et soupire, excédée.

« Les parents sont là ? demande Philippe.

— En haut, avec Côme et Galilée.

— Je vais monter leur dire bonjour. »

Natacha reste debout, mal à l'aise. Elle enlève sa veste et la pose timidement dans un coin.

Sa belle-sœur va noter quelque chose sur un agenda et semble ignorer sa présence.

« Alors, c'était bien, votre week-end en Bretagne ? lui demande Natacha, d'une voix peu assurée.

— Très bien. Je crois que je vais louer une maison là-bas l'été prochain ; c'est bien mieux que la Provence.

— Ah bon ? À quel niveau ?

— Eh bien, déjà, les gens là-bas sont bourgeois chics mais discrets, tu vois ce que je veux dire ? »

Natacha acquiesce sans enthousiasme. Une jeune fille asiatique arrive en provenance de la cuisine et lui lance un bonjour timide, elle prend le bouquet de fleurs et l'emporte.

« Tu as changé de nounou ? demande Natacha.

— Non, j'ai pris celle-ci en plus pour le week-end, comme ça, je suis tranquille. »

Elle s'approche de Natacha et ajoute en baissant d'un ton :

« J'adore les Philippines, elles sont tellement dociles ! »

Natacha reste sans voix.

L'arrivée de Philippe avec ses parents fait diversion ; elle les salue et se dirige à son tour vers l'escalier.

« Je monte voir les enfants. »

Une fois en haut, elle embrasse Côme, le fils d'Adélaïde, puis se rend dans la chambre de Galilée.

La petite est en train de terminer un dessin et semble très concentrée.

Natacha se penche pour la regarder faire, puis lui dit gentiment :

« Qu'est-ce qu'il est beau, ton dessin ! »

Sans s'interrompre, la petite fille lui répond :

« Non, il est moche. Seulement Côme fait de beaux dessins. »

Puis elle lève la tête, la regarde droit dans les yeux et lui demande :

« Dis, pourquoi est-ce que maman te déteste ? »

Enfoncée dans le grand fauteuil bleu, Natacha reste un moment silencieuse. Puis elle se lance d'un ton hésitant.

« Depuis la dernière séance, je me suis interrogée sur ce qui pourrait provoquer un blocage assez fort pour m'empêcher de tomber enceinte. J'ai pensé que ça pouvait avoir un rapport avec ma belle-famille, parce que ce sont des gens qui ne m'ont jamais acceptée. J'ai peut-être du mal à concevoir un enfant dans un environnement aussi hostile ?

Mes beaux-parents m'ignorent complètement, ça encore, c'est gérable. Mais j'ai beaucoup de mal avec ma belle-sœur, Adélaïde. Je l'ai surnommée Hémorroïde, parce que c'est vraiment une plaie ! Au début, à chaque fois que je la voyais, elle m'appelait par un autre prénom que le mien : Stéphanie, Marie, tout y passait ! Jusqu'à ce que Philippe annonce notre mariage et là, elle m'a dit : "Félicitations, Caroline !" Pour une fois, Philippe s'est vraiment énervé.

C'est pendant mon dîner de fiançailles que j'ai compris que ça ne s'arrangerait jamais : pendant le repas, elle n'a pas arrêté de parler d'une ex de Philippe en termes élogieux, et en donnant clairement l'impression qu'elle la regrettait. Je n'en revenais pas… Et le pire, c'est que Philippe n'a rien dit…

Elle est assez impressionnante : mince, très bien faite, et surtout grande : un bon mètre soixante-quinze. Avec mon mètre cinquante-sept, j'ai l'air d'une naine à côté d'elle. Brune avec un carré court et une frange dans le style Louise Brooks. Le contraire de moi, quoi !

Elle porte des vêtements de marque, qui mettent en valeur ses formes. Mais elle a un drôle de look, un peu mixte, je crois qu'elle n'a pas réussi à se décider entre bourge et pétasse. Excusez-moi mais dès que je parle d'elle, je deviens vulgaire.

Franchement, elle a de l'allure, mais elle est belle seulement de loin, elle est beaucoup moins bien de près parce qu'on voit qu'elle est mauvaise. D'ailleurs, elle n'a pas d'amis. Quand elle s'en fait, ça dure quelques mois, et puis, comme elle adore les conflits, ils se fâchent. D'ailleurs, à force de s'embrouiller avec tout le monde, il paraît qu'elle ne peut même plus aller à la kermesse de l'école !

C'est vrai qu'elle fait tourner toutes les têtes en entrant dans une pièce, mais, en vérité, c'est parce que sa présence transforme aussitôt l'atmosphère : elle la plombe. Sa beauté est gâchée car on la sent profondément aigrie, c'est quelque chose dans son regard, son attitude… Elle a des rides de mécontentement et de désapprobation qui brouillent son front et le dessus de ses lèvres. Et sa peau est très sèche. Du coup, elle fait des injections de botox ruineuses tout en disant que son mari lui doit bien ça puisqu'il passe son temps à la contrarier.

Elle est envieuse, parce qu'elle a toujours dépendu des autres : l'argent de ses parents, d'abord, puis de ses maris successifs – elle en est au troisième !…

Ce qui m'énerve le plus, c'est sa façon de décider de ce qui est bien ou non pour tout le monde. Elle est pleine d'idées arrêtées. Mais elle les adapte comme ça l'arrange. Tenez : au mariage de sa cousine, elle portait une robe blanche en disant que c'était par solidarité, et elle a dragué le marié, soi-disant pour le mettre à l'aise, c'est dingue, non ? En fait, elle ne supportait pas l'idée de laisser la vedette à quelqu'un d'autre…

Je la déteste.

Oui, elle travaille, surtout grâce à son mari, qui l'a fait entrer sur une chaîne du câble. En ce moment, elle tient une petite rubrique sur les dernières tendances. Enfin, si vous l'écoutez parler, elle fait une grande carrière ! Elle saoule tout le monde avec un projet de talk-show sur les enfants. Elle prévoit déjà que ce sera un succès et qu'elle sera invitée chez Ardisson ! Elle y croit dur comme fer ! Et vous savez ce qui la préoccupe ? Quelles chaussures porter, sachant qu'il y a trois marches à descendre, parce qu'il faudrait être sexy tout en étant sûre de ne pas trébucher…

Elle nous a dit en rigolant : "Il faudra penser à leur demander s'ils peuvent faire poser un escalator provisoire. — Pourquoi pas un tapis volant ?" a répondu Philippe.

Mais il l'a dit gentiment, sans se moquer d'elle, il lui trouve toujours des circonstances atténuantes. Franchement, il l'adore. Et je n'ai jamais compris pourquoi.

D'ailleurs, il lui demande son avis sur tous les sujets. Et il me répète tout quand elle me critique ! Je crois qu'il ne se rend pas compte…

Alors que même si son talk-show de merde cartonne, elle ne sera jamais invitée nulle part, c'est sûr ! Quoique…

Moi, je serais terrifiée si je devais passer à la télé, mais elle, elle ne rêve que de ça. Elle a une sorte de rage de réussir que j'admirerais, si elle ne me dégoûtait pas…

Non, ce n'est pas parce que l'émission porte sur les enfants que ça m'énerve, c'est parce qu'elle n'y connaît rien, vu que les siens sont toujours collés avec les nounous ! Trois nounous qui se relayent week-ends et vacances comprises, vous avez déjà vu ça ? !…

Ses enfants sont très beaux, et très malheureux : Côme et Galilée, c'est tout ce qu'elle a trouvé comme prénoms !

Sa fille s'autodénigre en permanence, c'est ce qui la rend supportable, parce que à côté de ça, elle dit sans arrêt des horreurs. Enfin, je crois que c'est parce qu'elle souffre. Et qu'elle essaie d'imiter sa mère… Quand on lui parle gentiment, en général, elle est réceptive.

Par exemple, je me souviens d'une fois où ils sont venus chez nous. Côme m'a demandé si j'avais des gâteaux, Galilée l'a coupé et lui a dit : "Mais non, ils n'ont pas de gâteaux, ils ne peuvent pas avoir d'enfants !" Je lui ai dit que ce n'était pas gentil, et Philippe a ajouté : "Mais comme on est de grands enfants, on a plein de gâteaux !" Elle s'est excusée.

Mais ça ne se finit pas toujours aussi bien. La semaine dernière, je suis montée dire bonjour aux enfants, et la gamine m'a demandé pourquoi sa mère me détestait.

Ça va peut-être vous étonner, mais ça m'a fait beaucoup de peine. C'était avant un déjeuner de famille, je suis partie en pleurant.

Philippe ? Il m'en a voulu d'être partie sans un mot. Tout le monde s'est offusqué de mon départ, ils n'ont parlé que de ça pendant le déjeuner, personne ne comprenait ce qui m'avait pris.

Plus tard, quand je lui ai expliqué ce qui s'était passé, il m'a dit que j'aurais dû crever l'abcès, qu'il m'aurait défendue si j'en avais parlé à table…

L'idée de les affronter ne m'avait même pas effleurée. Philippe ne m'avait jamais défendue avant ; alors, pourquoi l'aurait-il fait cette fois-là ?

Une anecdote me revient : après le "oui" à la Mairie, j'étais terriblement émue, quand j'ai embrassé Hémorroïde, je l'ai serrée dans mes bras dans un élan de réconciliation, et elle m'a dit : "J'ai fait un horrible cauchemar : tu accouchais d'un bébé difforme. Franchement, j'ai un affreux pressentiment." C'est le genre de choses qui pourrait provoquer un blocage pour le bébé, non ?…

Philippe ? Il est bien possible qu'il ait des conflits intérieurs, difficile de faire autrement quand on est né dans une famille pareille ! Mais il ne doit pas en être conscient.

Je pourrais peut-être l'aider à travers vous ?…

Je suis d'accord : une thérapie n'est pas destinée aux absents. Alors quoi ? Le convaincre d'en faire une ?…

Le mot est mal choisi, je sais bien qu'une thérapie ne se fait pas sous la contrainte…

Mais peut-être qu'il n'y a tout simplement jamais pensé et qu'il serait prêt à essayer ? »

Jeanne finit d'arroser ses orchidées. Elle observe son salon, traquant la moindre faute de goût, mais elle ne trouve rien et va s'asseoir dans le canapé.

Elle n'avait jamais réalisé que le cours d'anglais durait si longtemps.

Elle change encore une fois de position, difficile de trouver la bonne attitude…

Elle se cale dans le fond du canapé, croise les jambes… Pas comme ça, trop sérieux…

Se décale sur le côté, appuie son genou sur l'accoudoir… Pas trop quand même, inutile de s'avachir complètement. Voilà, comme ça, c'est pas mal. Allume une cigarette. L'éteint : s'il ne fume pas, ça fait mauvais genre. Vite, elle allume une bougie parfumée. Mince ! le livre, oublié sur la table. Vite, le prendre et retrouver la bonne posture. Jeanne frissonne. Aller chercher un gilet ? Non, pas très sexy d'être emmitouflée.

Cela fait vingt minutes qu'elle relit le même paragraphe. Enfin la porte s'ouvre, des pas dans le couloir, la voix de Jeff résonne : « *See you next week !* »… il est là. Elle se lève immédiatement, jette le livre sur un fauteuil, et avance vers lui, tout en écartant de son esprit le constat de l'inutilité de la pose qu'elle avait eu tant de mal à trouver et conserver.

« Ça s'est bien passé ?

— Oui, très bien, la dernière fois, je crois qu'ils étaient fatigués, c'est mieux de faire le cours le matin… Je voulais vous prévenir, je ne pourrai pas venir le samedi 18, parce que je déménage.

— Ah bon ? D'accord, pas de problème… J'ai lu le livre que vous m'avez offert, j'ai adoré.

— C'est vrai ? Tant mieux… Il en a écrit d'autres, je pourrai vous en prêter…

— Oui, avec plaisir.

— … Samedi soir, le 18, je vais pendre la crémaillère avec quelques amis. Peut-être que vous pourriez venir ?… C'est-à-dire, avec votre mari, bien sûr…

— Mon mari sera absent, il part en congrès le 16.

— Ah, très bien, et vous ? Je veux dire : vous viendrez quand même ? »

Charlotte et Lucas sont fort occupés à se faire d'épouvantables grimaces pour se montrer la nourriture qu'ils ont mâchouillée et gardée dans leur bouche.

Jeanne n'y prête aucune attention.

« Eh bien, c'est du propre ! » s'exclame Victor qui vient d'arriver.

Les enfants s'arrêtent instantanément et reprennent leur dîner tandis que Victor inspecte la table d'un air dépité.

« C'est tout ce qu'il y a à manger ?

— Je surveille ma ligne, répond Jeanne.

— C'est nouveau ! Enfin, si tu pouvais faire ça sans surveiller la mienne, ce serait bien aimable.

— Il y a plein de trucs dans le frigo si tu as faim. »

Elle se lève et va chercher un plateau de fromage et une assiette de poulet froid qu'elle tend à son mari.

Puis elle se tourne vers la machine à café, se fait un décaféiné et revient s'asseoir à table.

« Bonne journée ? » demande Victor.

C'est Lucas qui répond et lui raconte en détail son entraînement de foot.

Jeanne soulève délicatement sa tasse de café et repousse la soucoupe quelques centimètres plus loin. Puis elle contemple rêveusement la tasse qu'elle tient entre ses mains fines.

La voix de Victor résonne :

« C'est drôle : toutes les femmes font pareil : d'abord elles éloignent la soucoupe, et ensuite elles prennent la tasse, mais dans la paume de la main. Sans jamais se servir de l'anse !… Dis, pourquoi vous faites toutes ça ? »

Dire que je croyais être unique. Mais non. Même dans ma façon de boire mon café, je suis banale. Merci, Victor.

Nous sommes toutes similaires, persuadées d'être exceptionnelles. Comme c'est triste.

Remarque, aujourd'hui, je m'en fous.

Puisque Jeff, lui, semble me trouver différente.

Possible. C'est tout ce qui m'intéresse : que ce soit possible. Hier encore, je croyais que ma vie était tracée pour les vingt ans à venir ; tout à coup, la simple idée que je puisse changer de route me donne des ailes. Ce n'est pas seulement de l'air frais, c'est du bonheur à l'état pur. J'ai recommencé à rêver.

Natacha me l'a dit : c'est indispensable d'avoir des rêves. Je le sais bien : je serais devenue folle depuis longtemps si je ne passais pas la moitié de mon temps à rêver ma vie.

Là, quand même, c'est trop.

Madame Bovary. Grotesque.

Chercher son nom dans le Bottin, regarder son ancienne adresse, puis la nouvelle sur le plan… À quoi je joue ?

J'espère qu'il ne m'a pas vue quand je le guettais, la dernière fois. Quelle panique quand il a levé la tête !

Non, il n'a pas pu me voir, j'étais bien planquée derrière le rideau. Tout ça pour apprendre quoi ? Qu'il a une Twingo noire. Maintenant, à chaque fois que j'en vois une, je sursaute. Je n'avais jamais réalisé qu'il y avait autant de Twingos noires à Paris. Je n'arrête pas de tressaillir. Ça m'épuise. Toute cette agitation me rappelle mes quinze ans, et ça ne peut pas être un bon signe.

Je suis débordée par la folie qui s'empare de moi, il faudrait ralentir, mais même ça, je n'y arrive pas.

Je suis fatiguée de passer mon temps à penser à lui, de m'endormir en rêvant à lui, de me réveiller en pensant à lui, à tel point que parfois, après une nuit agitée, j'ai presque la nausée. Est-ce que je le veux tant que ça ?

Est-ce qu'il serait à la hauteur de mon envie ?

C'est étrange, quand j'essaie de penser à lui objectivement, j'ai un mal fou à me remémorer son visage. À force de le rêver, de le fantasmer, il est devenu irréel.

Pourquoi est-ce que c'est toujours comme ça ?

Pourquoi mes désirs m'obsèdent-ils tellement qu'ils finissent par m'écœurer ?

Victor et les enfants ont fini de dîner. Jeanne se lève et commence à débarrasser. Dans un mouvement d'humeur, elle repousse quelques objets pour faire rentrer le poivrier dans un placard bondé et déclenche une avalanche : le chocolat en poudre, plusieurs flacons d'épices, et une bouteille d'huile d'olive dégringolent.

Le tout tombe par terre dans un immense vacarme de verre brisé. L'huile d'olive se répand sur le sol et se mélange au chocolat et aux épices, générant une sorte de boue grasse et sombre.

En contemplant l'étendue du désastre, Jeanne pousse un grand cri.

Un long cri qu'elle fait durer consciemment, jusqu'à ce que sa gorge lui fasse mal, et plus encore. Elle a la conviction qu'il faut aller trop loin. Simplement, pour qu'à cet instant, son mari et ses enfants aient raison d'avoir peur d'elle. Ensuite, ne plus jamais oser se laisser aller de la sorte.

Victor et les enfants la regardent, stupéfaits.

À bout de souffle, elle finit par se taire. C'est Lucas qui rompt le silence.

« Ça va, maman ? demande-t-il timidement.

— Ça va », répond Jeanne en se ressaisissant.

Elle avale sa salive. Sa gorge brûle.

« Ne t'inquiète pas, si j'ai crié comme ça, c'est parce

que je suis en colère contre moi, je m'en veux d'être aussi maladroite.

— Venez, les enfants, dit Victor, il ne faut pas rester là, il y a du verre partout.

— Papa a raison, vous devriez sortir pendant que je nettoie. Vous voyez : j'ai fait une bêtise : je la répare, les grands aussi doivent assumer leurs erreurs. »

Elle sourit pour les convaincre que l'incident est insignifiant, mais personne n'est dupe.

Ils sortent de la cuisine et Jeanne va chercher les ustensiles nécessaires pour s'acquitter de sa pénitence.

Bien qu'elle lessive le carrelage plusieurs fois, une fine couche d'huile s'est incrustée et le laisse glissant. Il le restera encore durant plusieurs jours, le temps que Jeanne digère sa honte. Ne jamais exploser quel que soit le degré de frustration. Savoir se consumer seule, jusqu'à totale désagrégation.

L'objectif de Violette est audacieux : acheter tous ses cadeaux de Noël en une fois. Elle a demandé à sa sœur Maud de l'escorter pour affronter l'épreuve que constitue une expédition en nocturne aux Galeries Lafayette.

Violette traverse la cour pavée à la recherche d'un logo qui lui indique l'agence de communication où travaille sa sœur. C'est la première fois qu'elle vient la chercher à son travail, et elle découvre un loft, recouvert d'une verrière, et entouré de petits bureaux à la décoration minimaliste. L'open space sert de salle de réunion, il permet aussi de voir les autres personnes travailler derrière leurs baies vitrées.

Une secrétaire emmène Violette dans le bureau de Maud, qui est en pleine conversation téléphonique et lui fait un petit signe de la main pour l'inviter à s'asseoir. Sur un coin de son bureau, Violette remarque un vieux transistor un peu rouillé, et s'amuse de la présence d'un objet aussi démodé dans cet univers ultramoderne. Mais la question se pose également au sujet de sa sœur…

Quand Maud répond au téléphone, elle a une expression affolée, et murmure un petit « Allô ? » plein d'inquiétude. En revanche, elle hurle dès qu'elle se sert d'un portable, même si la connexion est excellente, ce qui semble être le cas.

« Tu peux poser le téléphone sur la table et continuer sur le même ton, je suis sûr qu'il t'entendra quand même ! suggère le jeune homme qui partage son bureau.

— Elle a toujours eu du mal avec ce qu'elle appelle les armes de son siècle. J'ai l'habitude, je suis sa sœur, Violette.

— Oui, vous vous ressemblez. Moi, c'est Franck. »

Il se lève à moitié pour lui serrer la main, Maud raccroche, embrasse sa sœur et commence à rassembler ses affaires.

« Ils sont d'accord, dit-elle à Franck. C'est passé comme une goutte dans la rosée du matin.

— Maud, je suis amoureux de toi ! lui répond-il en remuant son Nescafé avec un Stabilo.

— Voilà qui va simplifier ma vie ! Tu connais Bruxelles ? »

Violette fait un effort considérable pour ignorer la conversation, puis elle suit sa sœur qui lui fait faire le tour de l'atelier.

À chaque fois qu'elles entrent dans un bureau, Maud lui présente des jeunes gens travaillant sur un ordinateur portable dans une attitude merveilleusement nonchalante. Leur autre point commun est qu'ils sont entourés d'étagères vides. Seule exception : le bureau des attachées de presse avec sa table soigneusement recouverte de magazines. Mais l'atmosphère détendue est la même.

L'open space et les étagères désertes donnent l'impression que l'entreprise vient de s'installer ; en réalité, cela fait deux ans qu'ils ont emménagé.

« Ce matin, j'ai vu mon ex, dans une sublime bagnole, dit Maud en sortant de l'atelier. Je ne sais pas comment il fait, il paraît qu'il gagne beaucoup d'argent.

— Tu devrais lui demander une pension alimentaire !

— Pour quel motif ?

— Je ne sais pas, moi, essaie "non-harcèlement moral et sexuel"…

— Il paraît que chez lui, quand les enfants ne finissent pas leur assiette, on la leur ressert, trois repas de suite si nécessaire.

— J'ai une amie qui a subi la même chose. Résultat : dix ans de thérapie !

— Enfin, c'est pas lui qui fait ça, c'est sa femme. Tu te rends compte ! Il a épousé une femme encore plus psychorigide que moi… Bien fait pour sa gueule ! »

Les deux sœurs marchent d'un pas vif, bras dessus bras dessous.

« C'est fou ce qu'ils sont jeunes, à ton boulot ! remarque Violette.

— Oui, la moyenne d'âge est de vingt-six ans.

— Il est marrant, le Franck, il fait quoi ? Ingénieur Web.

— Tu as remarqué avec quoi il mélangeait son café ?

— Il prend toujours le premier truc qui lui tombe sous la main. Tous les matins, je me demande ce qu'il va utiliser : un crayon, une règle… L'autre jour, c'était sa branche de lunettes ! Jamais vu un touilleur pareil ! »

Violette attend d'autres commentaires, mais Maud est préoccupée.

« Jennifer ne veut plus travailler chez moi, à cause de mes "habitudes de poubelle", comme elle dit ! C'est quand même incroyable qu'elle ne comprenne pas que le recyclage est essentiel ! Je lui fais remarquer que les

Kleenex sales ne doivent pas aller dans le sac papier-carton-plastique. Elle hausse les épaules, en me disant : “C’est comme vous voulez.” Comme si je faisais des caprices… Et puis, une heure après, elle vient m’engueuler et me dire qu’elle démissionne !

— Écoute, tu n’as vraiment pas besoin de te faire terroriser par une gamine de vingt ans. En plus, tu n’avais pas besoin d’elle, je n’ai jamais vu un appartement aussi propre que le tien…

— Il y a autre chose. J’ai quitté Laurent hier.

— C’est pas vrai ! Pourquoi ? Comment il l’a pris ?

— Bien. D’autant plus qu’en fait, c’est lui qui m’a quittée. Je suis sur le point de commencer à déprimer, mais je me retiens.

— Tu n’es pas obligée de te retenir.

— Franchement, je crois que c’est mieux comme ça. Il faut que je te dise : c’est un obsédé sexuel ! J’ai découvert une bouteille de Love Drops dans sa poche ! À moitié vide ! Ça veut dire qu’il m’en filait… Inutile de te dire que ce n’est sûrement pas bio ! Et moi qui me demandais pourquoi il insistait tous les soirs pour me servir un verre… Il achète des trucs dans un sex-shop, avenue de Versailles. Oui, avenue de Versailles, en plein XVIe ! Enfin, il achète des trucs bien, c’est pas un vicieux, c’est pas sale. Y’en a un très joli, avec du doré autour…

— Tu veux dire un…

— Oui, un truc avec des piles. N’en parlons plus. D’ailleurs, il m’a déjà laissé deux messages, ça va sûrement s’arranger.

— Le Franck, dans ton bureau, il a l’air de bien t’aimer.

— Oh, ne fais pas attention, c’est un jeu.

— Tu en es sûre ? Et toi, il ne te plaît pas.

— T'as pas vu comme il louche ? Je sais : l'apparence est secondaire, mais quand même, on a le droit d'être avec un mec qui ne regarde pas la lampe quand il dit "Je t'aime"... »

Maud s'arrête net pour fixer les pieds de sa sœur.

« Je ne peux pas croire que tu aies acheté des Nike. Après tout ce que je t'ai expliqué sur leurs méthodes de travail...

— Je sais, c'est très mal. Je culpabilise à fond. Mais, sérieusement, les marques que tu m'as recommandées, elles étaient toutes horribles... »

Violette entre dans le grand magasin ; Maud la suit en fixant ses baskets.

« Cela dit, elles sont super.

— Ah bon, tu trouves ? demande Violette, gênée.

— Oui, mais je tiendrai bon, tu me connais !

— Bon, j'ai fait une liste, enchaîne Violette en accélérant le pas. J'ai pensé à un DVD pour papa.

— ... Très bien.

— Tu as une idée ?

— Tiens, regarde : *Seven* ?

— ... Tu n'as rien de plus gai ?

— Sérieusement, j'ai adoré ce film. Sauf la tête dans la boîte. Pas du tout aimé la tête de sa femme dans la boîte. Oh ! regarde : *La Mélodie du bonheur* ! Laisse-moi deviner : trop gai ? Tant pis, je vais le prendre pour moi.

— Je ne sais pas comment je peux t'aimer autant. »

Quelques euros plus tard, la moitié de la liste de Violette est proprement rayée. Maud s'arrête devant une magnifique paire de bottes.

« Attends, je regarde le prix... 700 euros ! Ils sont fous ! On oublie, ce n'est pas grave. De toutes les façons, je crois qu'il faut boycotter les marques italiennes tant que Berlusconi sera au pouvoir.

— Ah bon ? Tiens, regarde la Japonaise, là-bas. Elle porte les bottes de tes rêves…

— Au diable les Japonaises. Elles achètent n'importe quoi du moment qu'il y a une marque dessus. Aucune personnalité ! »

Elles arrivent à la parfumerie et se perdent de vue tandis que Violette fait ses achats. Puis elle retrouve enfin sa petite sœur.

« Où étais-tu ? lui demande Violette. Je te cherche partout…

— J'ai vu un présentoir avec Glamourous et la photo de Pénélope Cruz, je m'en suis aspergée, des fois que Tom Cruise passe dans le coin et que ça lui donne envie de m'attraper.

— Oublie, ils sont séparés. Bon, on continue ?

— J'en peux plus.

— Allez, sois sympa, tu sais que je ne me sentirai pas bien tant que je n'aurai pas fini de rayer tous les noms de ma liste.

— T'avais qu'à t'y prendre plus tôt.

— Il reste trois noms, dont le tien. À part les bottes, tu as repéré quelque chose ? »

Maud l'entraîne et désigne une robe sur un mannequin.

« Comment tu la trouves ?

— J'aime pas du tout, je trouve qu'elle fait mémère provinciale.

— Justement, j'adore ! »

Violette soupire et change sa montre de poignet.

« Je me demande comment je peux t'aimer autant. »

Natacha, Jeanne et Violette déjeunent dans un bistrot bondé où règne une folle activité. Attablés au bar, deux jeunes hommes les toisent avec insistance.

Les trois amies ont repéré leur manège ; chacune d'entre elles se demande laquelle des deux autres attire leur attention, sans pouvoir imaginer une seconde être elle-même la cible de leur convoitise.

Au bout d'un moment, à force de jeter des coups d'œil furtifs dans la même direction, elles réalisent qu'elles ont déjà vécu cette scène et éclatent de rire.

« On pense la même chose ! s'exclame Natacha.

— Oui, admet Violette. Laquelle est-ce qu'ils regardent ?

— En tout cas, une chose est sûre : ils sont plus jeunes que nous ! Mauvaise nouvelle : maintenant, on remarque les types plus jeunes que nous.

— Deuxième mauvaise nouvelle : ça va nous arriver de plus en plus souvent.

— Arrête ! Ça fait déjà six mois que c'est mon cas et je le vis très mal ! dit Jeanne.

— Ah bon ? Raconte…

— Oh, rien d'intéressant…

— Tu peux nous en parler, quand même ! » insiste Violette.

Jeanne hésite quelques secondes, puis se lance.

« Le prof d'anglais des enfants. Il a un charme fou… Grand, brun, assez baraqué. Un très léger accent américain… Il m'a offert un bouquin pour mon anniversaire, j'étais comme une folle.

— J'en étais sûre ! coupe Natacha. Je l'ai senti à la façon dont tu as parlé de lui… C'est quoi comme bouquin ? Parce que si c'est un tant soit peu perso, il est possible que tu aies un gros ticket avec lui…

— Attendez, je ne suis même pas au courant, proteste Violette. Le prof d'anglais ? Il s'appelle comment ? Il a quel âge ?

— Jeff… vingt-huit, trente, peut-être. Il faut qu'il ait au moins trente ans, sinon, je me sentirai trop vieille pour lui et je n'oserai même plus fantasmer.

— Parce qu'on en est déjà au stade du fantasme ? s'étonne Violette.

— En fait, il y a du nouveau : il m'a invitée à sa pendaison de crémaillère le samedi 18…

— Je te crois pas ! dit Natacha. Et Victor ?

— Il sera en congrès. »

Un moment de silence pour digérer l'information.

« Sérieusement, reprend Jeanne, c'est un signe, non ? Victor part le 16, il m'invite le 18 !

— C'est un signe si ça t'arrange, répond Natacha.

— Qu'est-ce que tu veux dire ?

— C'est pratique, les signes, surtout si on veut se déculpabiliser… Un signe de qui, d'abord ? Admettons, le Dieu de l'adultère est avec toi.

— Et toi ? Tu es avec moi ?

— Bien sûr. Tu es mon amie avant tout.

— Tu vas y aller ? demande Violette.

— Bien sûr qu'elle va y aller ! s'interpose Natacha.

— En fait, je ne sais pas. Le Dieu de l'adultère ne donne pas de conseil, dit-elle en regardant Natacha. J'en meurs d'envie, évidemment. Je ne pense qu'à ça. En venant, j'ai zappé de radio en radio, à la recherche de quelque chose à la hauteur de mon euphorie. Je n'ai rien trouvé. J'ai fini par laisser Radio Classique. Même le *Requiem* de Mozart m'a semblé réjouissant… En même temps, c'est la panique.

— Qu'est-ce que tu vas mettre ?

— Aucune idée. J'ai commencé à réfléchir, je n'ai pas trouvé…

— Allez, debout, dit Natacha en se levant, on va te trouver quelque chose. »

Une heure plus tard, Natacha trouve enfin ce qu'elle avait en tête.

« Celle-là ! s'exclame-t-elle en désignant une robe en soie rouge. Elle est sexy sans être vulgaire, pas trop habillée, c'est exactement ce qu'il te faut.

— Elle est rouge ! répond Jeanne. Je ne porte jamais de rouge.

— Justement, c'est le moment de commencer.

— C'est vrai qu'elle est très belle… J'adore les petits boutons sur le côté… Et puis c'est un beau rouge, pas criard… Enfin… elle est sans manches, ça m'embête. Tu me connais : j'ai toujours froid.

— Mais non ! Tu vas à la soirée d'un homme qui te plaît. Sans ton mari. Tu n'auras pas froid.

— Elle fait combien ?… Oh la la ! C'est un peu cher…

— Va l'essayer ; si elle te va comme une moufle, tu laisses tomber ; au moins, tu n'auras pas de regrets… »

Violette se tient en retrait, incapable de se mêler à ce qu'elle considère malgré elle comme une entreprise criminelle.

Jeanne entre dans la cabine d'essayage. Quand elle en ressort, moulée dans la robe qui souligne son teint clair et sa nuque dégagée, la décision s'impose.

« Bon, c'est nickel, fais péter la Visa », confirme Natacha.

Pendant que Jeanne se rhabille, on entend sa voix derrière le rideau :

« … Je suis sûre qu'il a une carte bleue normale ; une Visa même pas Gold. Ce n'est pas grave qu'il n'ait pas d'argent, c'est juste que s'il doit sortir sa carte bleue pour m'inviter au restau, je vais me sentir horriblement coupable. D'ailleurs, c'est moi qui l'inviterai…

— Avec l'argent de Victor ? s'esclaffe Natacha. Il doit y avoir mieux pour déculpabiliser… »

Jeanne préfère ignorer la remarque. Le rideau s'ouvre et, en se dirigeant vers la caisse, elle ajoute :

« C'est emmerdant, ces histoires d'argent ; déjà, la dernière fois, j'étais gênée en le payant, il faudrait que je trouve un système, genre enveloppe sur la table… »

Natacha acquiesce, Violette ne répond pas, trop occupée à l'admirer en se disant qu'elle aimerait bien, elle aussi, oser porter du rouge. Oser faire des choses interdites. Son portable sonne.

« Allô ?… Non… Les MAP kinases des plaquettes… Parce que je crois qu'elles ont un rôle à jouer dans l'adhésion des plaquettes au collagène !… Bon, j'arrive. »

Elle raccroche et embrasse rapidement ses amies.

« Je file, on s'appelle.

— Je ne sais pas si je fais bien d'acheter une robe exprès pour lui, poursuit Jeanne. Peut-être qu'il est tout simplement poli. Peut-être qu'il ne me regardera même pas.

— Et alors ? demande Natacha. S'il ne te regardait pas, tu ne te ferais plus jamais belle ? »

Le soir, Victor rentre tandis qu'elle est en train d'essayer sa nouvelle robe. Il la regarde et lui dit :

« Tu es magnifique ! »

Jeanne a la tête baissée, elle est occupée à fermer les douze petits boutons recouverts de soie qui suivent la ligne de son buste. Elle n'a pas entendu Victor rentrer et elle sursaute. Il l'enlace avant qu'elle n'ait le temps de se retourner.

« C'est vrai, elle te plaît ? Je m'en veux un peu, je l'ai achetée sans raison particulière…

— Tu as bien fait. Elle te va à merveille. »

Il la fait tourner pour lui faire face et la serre contre lui ; elle l'embrasse maladroitement, puis recule afin de ne pas sentir un désir auquel elle ne saurait répondre.

Quand Victor vient se coucher, elle ne dort pas, trop occupée à penser à Jeff. Encore une fois, elle s'étonne de sa capacité à rêver d'un autre homme tout en étant couchée près de son mari, elle ne s'en serait jamais crue capable. Mais la culpabilité n'empêche pas ses fantasmes de la tenir éveillée.

Au bout d'un long moment, à la fois parce qu'elle se sent fautive et qu'elle n'a pas sommeil, elle vient se serrer contre lui. Il l'embrasse et ils font l'amour.

Après, tout ému, il lui dit :

« Ça fait longtemps que tu ne t'étais pas donnée comme ça. »

Élise, ma chérie,

Bientôt Noël. J'ai passé trois heures à te chercher un cadeau avec Maud. C'est toujours plus compliqué avec elle car dès que je choisis quelque chose, elle m'explique qu'il s'agit d'une marque qui fait travailler les enfants pour un dollar de l'heure, et je n'ai plus qu'à reposer l'objet proscrit.

Enfin, j'ai fini par y arriver. Elle m'accompagnait seulement, ses cadeaux à elle étaient faits depuis longtemps.

Si le Livre des Records décidait de désigner la personne la plus impliquée dans les festivités de Noël, Maud remporterait tous les suffrages. Elle commence à préparer les fêtes lorsque les températures dans l'hémisphère Nord avoisinent les 35 °C et que les fameux sapins « Nordman » n'ont pas fini de pousser. Tout l'été, elle accumule toutes sortes d'objets soigneusement emballés qu'elle achète au gré de ses coups de cœur. Elle y appose une petite étiquette avec le nom du destinataire et les range dans un placard, qui n'a pas d'autre fonction que de les accueillir en attendant que les sapins soient sur le marché, plusieurs mois plus tard.

En général, tout est réglé début septembre.

Je suis si heureuse quand je vois à quel point tu l'aimes. Quand on était petites, elle était toujours solidaire de mes punitions. On a tissé des liens magnifiques, le samedi soir dans notre chambre, quand j'étais privée de télé si j'avais eu une mauvaise note. À l'époque, il n'y avait que deux chaînes, et on regardait religieusement l'émission de variétés des Carpentier. C'était tout un spectacle : des chorégraphies, des décors kitsch et des tenues invraisemblables avec toutes sortes de paillettes. Quand tu liras ça, tu penseras que je délire, mais je t'assure que c'était une fête qu'on n'aurait ratée pour rien au monde. Eh bien, quand j'étais punie, elle prétendait ne pas avoir envie de regarder pour me tenir compagnie. Je n'oublierai jamais ça.

À l'époque, nous n'étions pas encore une famille recomposée, pas même une famille décomposée.

C'était avant que papa ne fasse taire Maud à table sous prétexte qu'elle disait trop de bêtises.

Heureusement, elle a résolu de se rattraper.

Après la mort de maman, il y a eu beaucoup d'autres samedis soir à deux. Mon père tuait ses insomnies en jouant au poker. Il aimait jouer, comme son père, mais seulement de petites sommes, histoire de se détendre avec ses amis.

D'après lui, ils jouaient assez mal, et la seule raison qui les poussait à jouer toute la nuit, c'est qu'ils finissaient par aller prendre un petit déjeuner chez Carette.

Papa les laissait partir, puis il venait nous réveiller et nous enchaînions sur un dimanche rempli d'activités qu'il qualifiait de « structurantes ».

C'est à cette époque que les liens se sont tendus entre Maud et lui. Avec moi, ça se passait mieux, j'étais plus sage, très raisonnable. J'ai appris à le rester.

Ma raison me sert d'armure, un bouclier qui me donne l'impression d'être préservée contre les mauvaises surprises de la vie.

C'est pour cela que je ne remplis mes agendas qu'au crayon : pour ne pas risquer de compter sur quelque chose qui ne viendra pas. J'écris aussi mes rendez-vous a posteriori, ton père se moque de moi en me demandant à quoi ça sert. Effectivement, pas à grand-chose, c'est juste que j'aime quand la réalité se conforme à ce que j'avais prévu, je trouve ça rassurant. Et puis ça me donne l'impression de conserver une trace du temps qui court.

En fin d'année, lorsque je mets une nouvelle recharge, j'essaie de trouver une bonne raison de garder l'ancienne, je n'en trouve aucune, et je me résigne à la jeter.

Jeanne feuillette un magazine de décoration en s'attardant sur des images de chambres à coucher. Quels draps choisirait-elle si elle devait y dormir avec Jeff ? Puis elle imagine comment meubler leur chambre. De fil en aiguille, elle conçoit tout leur appartement. Elle est en train d'hésiter concernant les carrelages de la salle de bains lorsque sa fille Charlotte l'interrompt.

« Maman, tu me mets *Blanche Neige* ?

— Encore ? Tu l'as déjà regardé hier ! Je vais te mettre *Les Aristochats.* »

« Quel génie, ce Disney ! pense-t-elle. Avec sa romance entre Duchesse et O'Maley, il avait déjà pensé à introduire les familles recomposées… Les histoires de Prince Charmant qui en un seul baiser transforment la vie d'une jeune fille en bonheur éternel, ça va cinq minutes… »

Charlotte n'a pas le temps de contester le choix de sa mère, on sonne.

« Les voilà ! » hurle-t-elle.

Elle ouvre la porte et saute au cou d'Élise.

« J'ai emmené Miyayi et Miyayo ! » s'exclame celle-ci en brandissant deux poupées.

Pendant ce temps, Violette, chargée de plusieurs sacs en plastique, va directement s'installer dans la cuisine.

« Elle exagère, Natacha, je veux bien faire quelques gâteaux, mais pas dix !

— Entièrement d'accord, je lui ai dit la même chose, répond Jeanne. Elle m'a promis que c'était la dernière fois. »

Petit à petit, les deux amies se laissent absorber par leur tâche. La monotonie des recettes répétées, les mêmes gestes reproduits consciencieusement, le silence qu'elles partagent… Tout contribue à les envelopper d'une douceur feutrée, confortée par un sentiment d'intimité.

« Qu'est-ce qui se passe avec Victor ? demande soudain Violette. Cette histoire de prof d'anglais, ça n'arrive pas par hasard…

— Je ne sais pas. Peut-être l'usure du temps, tout simplement. Il ne fait plus du tout attention à moi… Certains soirs, il ne m'adresse même pas la parole quand il rentre. Souvent, je suis déjà couchée, il va dans la cuisine, se sert à manger et va s'installer devant la télé avec son assiette. Ça ne lui viendrait même pas à l'idée de venir me dire bonsoir. Il ne vient me rejoindre qu'au moment de dormir. J'éteins la lumière quand j'entends ses pas dans le couloir pour éviter d'avoir à échanger des banalités. On s'endort sans s'être adressé la parole. Et ça n'a pas l'air de le gêner. »

Violette l'observe sans rien dire.

« Mais je ne suis pas sûre d'être prête à le quitter. Hier, quand il est entré, il a vu la robe rouge et il m'a dit que j'avais bien fait. Tu ne peux pas savoir ce que j'ai eu honte…

— Tu vois, il faut peut-être essayer encore…

— C'est très étrange : il m'ignore pendant des journées entières, puis il est soudain très doux. Il m'a serrée très fort dans ses bras… Il y avait vraiment de l'amour à ce moment-là.

— J'espère qu'il a eu droit à une récompense.

— Bien sûr ! Je l'ai remercié chaleureusement pour la robe.

— C'est tout ?

— Comment ça ?

— Il est généreux avec toi, il te fait sentir qu'il t'aime. Il faut lui renvoyer l'ascenseur.

— C'est-à-dire ?

— Tu sais très bien ce que je veux dire !

— Non, je t'assure !

— Comment ça s'appelle, déjà, quand on gratifie un homme pour sa générosité ?

— … De la prostitution ?

— Pas quand on est marié !

— De la prostitution exclusive et légalisée ?

— Tu le fais exprès !… Enfin, je comprends que tu aies eu honte ; même moi, en pensant à Victor, j'ai été gênée… Alors, tu vas le faire ?

— Faire quoi ?

— Coucher avec le prof d'anglais.

— Qu'est-ce que tu racontes ? Tout ce que j'ai dit, c'est que ça m'a troublée quand il m'a offert un livre. Maintenant, rien ne prouve que ça ira plus loin.

— En tout cas, j'espère que tu as réfléchi, parce que si tu sors avec lui, une fois que ce sera fini, tu devras trouver un nouveau prof pour les enfants.

— Mais je ne vais pas sortir avec lui ! Il me plaît, c'est tout.

— C'est quoi, son nom de famille ?

— Lévy.

— Oh !… Il ne t'épousera jamais.

— Mais qu'est-ce que tu racontes ? Tu es folle ! Je ne sais même pas si je lui plais et toi, tu me parles de mariage !... Et puis je te rappelle que je suis déjà mariée... Et puis, pourquoi il ne m'épouserait pas, d'abord ?

— C'est très compliqué avec ces familles-là. Les Lévy, les Cohen, ils n'épousent pas n'importe qui. Enfin, jamais les goys.

— Eh bien, merci. Merci de m'avoir fait gagner du temps. Je vais tout de suite commencer à chercher un nouveau prof d'anglais pour quand ça sera fini, et puis, pendant que j'y suis, je vais aussi chercher un autre amant potentiel, mais un qui voudra bien m'épouser, juste au cas où... »

Les voix des filles dans le couloir la font taire. Quelques secondes plus tard, Élise passe devant elles, suivie de Charlotte qu'elle tient en laisse avec son écharpe, bien que celle-ci la dépasse d'une bonne tête.

« Allez viens, mon toutou, je vais te donner des croquettes...

— Élise ! Ça ne va pas ? s'insurge Violette. Enlève immédiatement cette écharpe du cou de Charlotte qui n'est pas un chien, je te le rappelle !

— Laisse-nous, on s'amuse ! » répond Charlotte, qui semble en effet follement réjouie.

Les deux amies se regardent : la mère du tyran, celle de la victime, unies par le même désarroi.

Puis Jeanne secoue la tête.

« Je ne peux pas croire qu'il ne m'épousera jamais. Salaud !

— Oublie, je peux me tromper. Et puis tu as raison, on n'en est pas là... Et Victor, où est-il ?

— Il a emmené Lucas jouer au foot... Tu sais, pendant des années, mon moment préféré a été le week-end parce qu'on allait passer tout notre temps ensemble ; maintenant c'est le lundi matin, quand il referme la porte derrière lui. Enfin, façon de parler... Il laisse toujours la porte grande ouverte en partant, comme si c'était évident que j'allais le raccompagner à la porte, ou pire, comme si j'étais là pour fermer les portes derrière lui ! De toutes les manières, aujourd'hui, je ne supporte plus nos week-ends non plus.

— Pourquoi ? Tu t'ennuies ?

— C'est pire ! Il ne fait que radoter, comme un vieux qui aurait perdu la boule ! Ça me rend dingue !

— Quand on vit en couple, on trouve toujours que l'autre radote.

— Ce n'est pas ça ! Par exemple, sa première phrase le matin, à dix heures passées, alors que je suis debout depuis sept heures, c'est : "Qu'est-ce que je suis fatigué..." D'emblée, je suis énervée. Ensuite, on part se promener au Bois, et quand on passe devant le grand café sur la Place, il dit à chaque fois : "Je me demande pourquoi il y a toujours du monde ici." Au début, je répondais : "Parce que c'est le seul café à la ronde, que la terrasse est plein sud, et que les primates peuvent exhiber leurs belles voitures." Mais chaque semaine, il répète la même phrase : "Je me demande pourquoi il y a toujours du monde ici." Maintenant, je l'ignore. Mais il insiste, il me relance ! Ce matin, j'étais tellement à bout que j'ai répondu froidement : "Et moi, je me demande comment on peut être assez con pour se poser une question pareille !" Je n'en peux plus. En rentrant, il va jouer au Loto, et le soir, après les résultats, il vient me voir pour m'expliquer qu'il a presque gagné ! »

Violette éclate de rire.

« Je suis d'accord, présenté comme ça, c'est un cauchemar. Mais tu sais, ils ont tous leurs petites manies. Prends Gilles : à chaque fois qu'on passe devant un endroit où il a habité, il me montre l'immeuble en disant : "J'ai habité ici." Quand il me fait ça, moi aussi je l'accuse de sénilité...

— Franchement, je me demande comment on fait pour supporter ça ! Mais j'insiste : chez nous, c'est pire. Quand les enfants sont chez des copains, il y a toujours un moment où Victor propose qu'on aille voir ses parents. Je demande : "Et sinon ?" Et sinon rien. Il n'a jamais rien d'autre à me proposer. Et moi, je suis fatiguée d'être le G.O. du couple, toujours à suggérer un film, une expo, un restau. Victor ne prend pas la moindre initiative, il ne s'en donne pas la peine.

— Tu sais, tu te focalises sur ce qui t'énerve, mais il y a forcément des tas de choses qui font que ça vaut quand même la peine.

— Je ne sais pas.

— Parce que tu as oublié. Il faut choisir : soit tu trouves les bons côtés, soit tu cherches la faute… Si tu cherches la faute, tu la trouveras toujours.

— Peut-être… C'est bizarre, cette agilité qu'on a, nous, les femmes. Moi aussi, je suis capable de soutenir mes amies tout en me montrant indulgente envers leurs maris. Mais mon indulgence se mue en exaspération totale dès qu'il s'agit du mien… Toi, tu laisses tout glisser…

— Pas tout. Tu devrais faire une liste. Moi, j'adore faire des listes, ça me permet d'y voir plus clair. Essaie, tu verras. Tu n'as qu'à faire deux listes, une avec tout ce qui ne va pas, et une autre avec les bonnes raisons de rester. Tu feras le point après… »

Violette regarde sa montre, puis, à plusieurs reprises, elle appelle sa fille qui joue dans la chambre à côté. Celle-ci fait la sourde oreille.

« Élise, pour la troisième fois : on y va ! »

Silence.

Elle hausse le ton.

« Élise, qu'est-ce que tu ne comprends pas quand je te dis de venir ?

— Et toi, maman, qu'est-ce que tu ne comprends pas quand je ne réponds pas ? »

Violette se tourne vers Jeanne, impuissante.

« Dire que quand j'avais son âge, je n'étais même pas au courant qu'on pouvait ne pas être d'accord…

— Rassure-toi, on est toutes passées par là… C'est un drôle de truc, la maternité : on passe deux ans à leur apprendre à marcher et parler. Et les seize années suivantes à leur dire de s'asseoir et de se taire. »

Les raisons de rester avec lui :

1) Les enfants.

Quand ils sautaient sur le lit ce matin. Je leur ai dit de se calmer et ils m'ont répondu : « Mais, maman, si on fait les fous, c'est parce qu'on est très heureux ! »… Mes amours.

De quel droit est-ce que je vais changer leur vie ? Victor et moi, on est loin de former un couple idéal, mais eux, ils méritent d'avoir une famille unie.

2) Les autres.

Les parents, les amis… Il faudrait leur expliquer, me justifier, essayer de les convaincre qu'on peut se séparer juste parce qu'on n'est pas heureux. Ils ne comprendraient pas, tout a l'air tellement parfait !

Ils comprendraient s'il y avait un homme pour m'entraîner avec lui. Ce serait tellement plus simple…

Que deviendra notre vie sociale ? Enfin, plutôt la mienne… Je sais comment ça marche : on invite rarement les femmes seules, les hôtesses n'aiment pas les tables impaires, c'est plus compliqué pour placer les gens à table.

Et au quotidien ? Les vacances, chacun son tour avec les enfants. Je ferai quoi quand ils seront avec lui ? Et le prêt sur l'appartement, ça marche comment ?

Il faudrait appeler Maître Carly, histoire de se renseigner…

3) L'argent.

J'en aurai beaucoup moins. Enfin, je m'habituerai.

Est-ce qu'on pourra garder l'inscription « Couple » au Country ? Les salauds, ils sont capables de nous faire payer deux pleins tarifs…

On irait séparément, et on se croiserait de temps en temps. Qu'est-ce qu'on fait quand on croise son ex-mari ? On s'embrasse ? On se salue de loin ? On fait semblant de ne pas se voir ? D'ailleurs, qu'est-ce que je ferais là-bas sans Victor ? Je n'irai plus. Qu'ils aillent tous se faire foutre.

Le voir ensuite au bras d'une femme. Quelle femme ? Si on se sépare, il fera comme Jean-Louis : il ira draguer aux soirées Club Med World et aux nocturnes du Louvre. Il est capable d'en trouver une encore plus jeune que moi. Une pétasse avec treillis et Converse.

Et pourquoi pas un bracelet Dinh Van ?… Mon mari va me quitter pour une pétasse en treillis, Converse, et bracelet Dinh Van. Quel salaud…

Mais non, c'est moi qui vais le quitter, la pétasse sera son lot de consolation.

C'est pareil, c'est insupportable…

4) Vieillir seule.

5) C'est quand même un bon mari.

Les raisons de le quitter :

1) La tristesse de notre quotidien.

2) Son égoïsme.

Sa façon de se couper du fromage en creusant à l'intérieur et en laissant la croûte ! Il fait pareil avec les quiches et les tartes, d'ailleurs…

Quand il fait les courses, et qu'il achète les choses qu'il aime en faisant croire que c'est pour moi. Comme le poisson fumé, alors que je déteste le sel. S'il croit vraiment me faire plaisir, c'est encore une preuve qu'il ne me connaît pas… À se demander s'il s'est jamais intéressé à moi.

3) Ses manières d'ado mal élevé.

Cette manie de manger directement dans les plats, en laissant son assiette vide en face de lui !

Et puis, ça me rend dingue qu'il se serve toujours du Nescafé en le versant dans le creux de sa main, et qu'il en mette partout. Chaque matin, nettoyer les grains de café éparpillés sur la table.

Marre de lui dire : « Il doit y avoir cinquante cuillères ici, tu pourrais faire un effort ! »

Il m'ignore et je le comprends : moi aussi j'ai horreur de cette femme qui s'énerve à cause de grains de café.

En fait, tous les matins, quand il passe la porte, j'ai déjà eu plein de raisons de m'énerver : salle de bains inondée, cintres et formes de chaussures jetés par terre, portable qui sonne dès qu'il est sous la douche, porte laissée ouverte.

Il revient toujours parce qu'il a oublié quelque chose. D'ailleurs, je me demande pourquoi je referme la porte derrière lui…

Et les pièces jaunes qu'il laisse sur la table en partant ! Je sais qu'il fait ça uniquement pour ne pas encombrer ses poches, alors pourquoi est-ce que je le vis comme s'il s'agissait d'un pourboire minable ? À chaque fois, je ressens une forme d'arrogance non dite : « Je n'ai pas besoin de ça. » Ce qu'il adviendra de ces pièces ? Il a autre chose à penser. Sinon, il devrait répondre : « Je suppose que ma femme les ramassera. »

Je suis une ramasseuse de miettes.

Mariée à un homme qui creuse sous les croûtes. Admirable.

4) Il ne se sert jamais des bons ustensiles.

Couper le pain avec le couteau à viande, ouvrir les huîtres avec le couteau à fromage… Ce n'est pas possible de se foutre de tout à ce point-là, il a beau me dire que les aspects matériels ne l'intéressent pas ; négliger, abîmer les objets, c'est une forme de manque de respect.

Ça ne peut pas être ça, on ne quitte pas son mari pour des histoires de vaisselle.

Des mauvaises raisons, rien que des mauvaises raisons.

Idem pour celles qui me font rester.

Allez, je jette ça, c'est nul. Je recommence. En cherchant les vraies raisons.

Les raisons de rester :

1) Les enfants, à condition qu'on ne leur pourrisse pas la vie.

2) La lâcheté.

3) L'attachement à nos habitudes, y compris celles que je ne supporte plus.

Les raisons de partir :

1) ~~L'ennui~~. Le désamour.

2) Jeff.

Ce que je rate. Peut-être.

La table est joliment dressée chez Victor et Jeanne. Ils prennent l'apéritif en compagnie de leurs invités : Jean-Louis, un vieil ami de Victor célibataire depuis peu, Natacha et son mari Philippe.

Jean-Louis contemple son verre de champagne rosé à la lumière puis secoue la tête.

« … Non, c'est sans espoir. Un matin, il y a quelques semaines, elle est venue me faire un câlin. J'ai recommencé à espérer, mais quand j'ai parlé de reconstruction, elle m'a dit : "Ce n'est pas du tout ça. Je suis venue parce que tu me fais pitié, tout seul dans le salon à écouter des vieux disques." Quelle humiliation…

— C'était peut-être pas foutu pour autant, remarque Victor.

— Tu parles ! Ensuite, elle a tout fait pour que je m'en aille. Un soir, j'ai craqué. Je lui avais demandé : "Pourquoi est-ce qu'on ne sortirait pas s'amuser ce soir ?" Elle m'a répondu : "D'accord, mais si tu rentres avant moi, laisse une lumière allumée." Tu serais parti aussi, non ?

— C'est clair ! Quelle salope !

— Ah oui ! s'exclame Philippe. Excusez-moi, on ne se connaît pas, mais en effet, ça m'a tout l'air d'être un sacré boulet !

— Surtout quand on pense à tout ce qu'on a vécu ensemble !

— Elle doit faire une dépression, dit Jeanne. Ça ne lui ressemble pas du tout de briser son mariage sur un coup de tête, il doit y avoir une rupture profonde…

— C'est forcément une histoire de cul ! coupe Victor. Elle a trouvé un mec qui l'a réveillée et maintenant, elle est accro, c'est tout !

— Je te remercie ! s'écrie Jean-Louis, furieux. Enfin, tu te trompes, je lui ai demandé cent fois si elle avait rencontré quelqu'un et elle m'a juré que non. Non, ce n'est pas ça, elle est en vrac. *She is in vrac.*

— C'est bien ce que je dis, répond Jeanne, elle est en pleine crise existentielle.

— Surtout que je la traitais comme une princesse ! Ce n'est pas pour me vanter, mais mon avocat m'a dit : "Vous êtes le premier client que je rencontre qui va économiser de l'argent en divorçant !"

— Moi, je ne pourrais jamais quitter Natacha, remarque Philippe. Quand ma sœur a quitté son premier mari, mon père lui a dit : "Ce n'était pas la peine de survivre à un cancer pour assister à une chose pareille !" Imaginez la culpabilité…

— J'espère que ce n'est pas à cause de ton père que tu restes avec moi, murmure Natacha.

— Bien sûr que non…

— Excuse-moi, Jean-Louis, interrompt Jeanne, mais tu ne penses pas que si elle est partie, tu as forcément ta part de responsabilité ?

— Si, bien sûr. J'ai fait des conneries. Je l'ai négligée, je ne peux pas le nier. La fameuse usure du couple, on était en plein dedans…

— Ça s'arrangera, mon vieux, lui dit Victor. Je te parie que dans trois mois, tu nous présentes une femme superbe !

— Tu parles ! Ce n'est pas évident de refaire sa vie… Je passe par toutes sortes de phases. Parfois, je jubile pendant des heures en pensant : "Je suis libre !" Puis, je vais me coucher complètement déprimé en me disant : "Je vais crever tout seul."

— Tu n'es pas sérieux !

— Si, très sérieux au contraire ! Le seul couple qui a divorcé autour de nous, c'est les Prouvost. Eh bien ! la Prouvost, elle a tout gagné : elle s'est remariée six mois après, ensuite, elle a eu un troisième enfant, et ils sont partis vivre à Melun. Lui, il est tout seul comme un con, il voit à peine ses gosses, enfin… du samedi neuf heures au dimanche dix-neuf heures, autant dire rien du tout ! Il est fichu.

— Mais pour toi, ce sera différent ! proteste Victor. D'ailleurs, je suis sûr que Jeanne et Natacha ont plein de copines célibataires à te présenter, n'est-ce pas ? Tiens : elle est toujours libre, Stéphanie ?

— Oui, répond Natacha.

— Eh bien voilà ! C'est réglé !

— Il y a aussi la sœur de Violette, dit Philippe.

— Elle a quelqu'un ! objecte Jeanne.

— Oui, mais ça ne marchera pas, dit Philippe.

— Qu'est-ce que tu en sais ? »

Philippe ignore la question et se tourne vers Jean-Louis.

« Elle est très mignonne.

— C'est vrai ! confirme Victor. Avec un côté naïf très touchant.

— C'est-à-dire ? demande Jean-Louis.

— Elle a sa carte du PS et milite au sein de SOS Racisme, ce qui ne manque pas de panache quand on considère que son père est plutôt réac. Elle est toujours en train de sucer des petites boules blanches homéopathiques… Elle bouffe bio… Bref : tout un tas de conneries, mais elle est marrante !

— Elle fait quoi, dans la vie ? » demande Jean-Louis.

Victor regarde Jeanne d'un air interrogateur ; mais Jeanne évite de le regarder.

« Illustratrice dans une boîte de Com, répond Natacha.

— Ah, très bien ! Enfin, moi, du moment qu'elle n'est pas fonctionnaire… »

Jeanne se lève d'un bond.

« Je vais prendre un bain.

— Pardon ? demande Victor, incrédule.

— Ne t'inquiète pas, tout est prêt. Je vous rejoins un peu plus tard », dit-elle à ses invités sidérés.

Elle sort du salon, Victor la suit.

« C'est une plaisanterie ?

— Pas du tout. Franchement, c'est très simple : tu n'as qu'à poser la quiche et la salade sur la table. Ensuite tu apportes la marmite de pot-au-feu, les gens se serviront. »

Elle commence à se faire couler un bain et se déshabille.

« Jeanne, qu'est-ce qui se passe ?

— C'est à cause des fonctionnaires.

— Comment ?

— J'en ai marre de vous entendre parler des fonctionnaires.

— Qu'est-ce que tu racontes ? En plus, je te rappelle que ta grande amie Violette est fonctionnaire…

— Elle est chercheuse au CNRS ! Et justement, ça prouve qu'ils ne sont pas tous demeurés ! Et puis d'ailleurs, je t'emmerde !

— Bon, ça va, j'avais oublié, on ne peut rien dire sur tes amies. Et tu ne veux plus qu'on parle des fonctionnaires, très bien. C'est une raison pour planter tout le monde ?

— J'en ai marre de vous écouter dire des conneries en général ! De vous entendre disposer de la vie des gens. De mes amies. De la sœur de Violette, qui n'a rien à faire avec Jean-Louis… En plus, je vais te dire une chose ; j'ai toujours adoré sa femme ! Tiens, je vais l'appeler demain et l'inviter à déjeuner.

— C'est parfait, invite-la à déjeuner et peut-être à prendre un bain, aussi ! Écoute, Jeanne, je ne sais pas ce qui se passe dans ta tête, mais une chose est sûre : tu déraillles ! Sois un peu logique et viens dîner avec nous.

— Si j'étais quelqu'un de logique, je ne t'aurais pas épousé. »

Jeanne rentre dans la baignoire, s'allonge et ferme les yeux. Victor la regarde, indécis, il reste debout là quelques secondes, puis il va rejoindre ses invités au salon.

Qu'est-ce que je suis bien !

Mais j'ai un peu exagéré, je suis dure avec Victor…

Il faut que je lui parle ; lui faire comprendre que c'est devenu trop douloureux de faire semblant sans cesse.

Lui expliquer que je ne supporte plus rien. Et lui en particulier.

Non, il faut que je me calme. Il ne m'a rien fait. En tout cas, pas intentionnellement.

Lui dire que j'ai besoin d'air. Il va me demander pourquoi.

Lui dire quoi ? Que je lui en veux d'être incapable d'être deux, incapable de partager mon idéal ? Ça ne changerait rien. Surtout que lui n'a qu'un désir : ne rien changer…

C'est une sorte de guerre des tranchées. On s'observe de nos planques respectives ; chacun ses armes, et une infinie précaution avant l'attaque.

Une interminable lutte silencieuse où il fait semblant de ne pas voir, et moi je prétends que c'est supportable.

On est liés par nos rôles respectifs. Lui l'égoïste, moi la chieuse.

Chacun y trouve son identité, chacun est persuadé d'être une victime.

Je le sais, ils se demandent tous la même chose. Moi aussi, d'ailleurs : Jean-Louis et sa femme sont les premiers, qui seront les suivants ?

Maintenant ils doivent penser que ce sera nous.

Forcément, ce doit être aussi ma faute. J'attends peut-être trop de lui. Il faudrait être plus libre.

Et plus gentille avec Victor.

Violette a raison : il faut considérer les bons côtés aussi, pas seulement les torts…

Oui, j'attends sûrement trop.

Sans même me demander si je sais encore donner.

Il faudrait oublier de prendre. Oublier de posséder. Faire un effort, il n'a pas mérité ça.

Qu'est-ce que je vais lui dire quand les invités seront partis ?

Essayer de lui parler de nous, de mes besoins, encore ?

Essayer autrement ?

Je ne sais pas pourquoi je me creuse la tête : il suffit de sourire, et il fera comme si de rien n'était.

Sourire, et faire semblant, comme lui.

Jeanne étend la jambe et, du bout de son orteil, elle soulève le mitigeur.

L'eau chaude s'écoule paisiblement.

« Et vous, qu'est-ce que vous faites ? demande Jean-Louis à Natacha.

— J'organise des réceptions.

— C'est sympa !

— C'est surtout stressant, objecte Philippe.

— C'est vrai, concède Natacha. Enfin… j'essaie de me détendre à la maison. D'ailleurs, je me suis inscrite à un stage de broderie.

— Ah bon ? s'étonne Jean-Louis.

— Oui, j'aimerais apprendre les points de base ; j'ai toujours aimé me servir de mes mains et, quand je ne passerai plus mes week-ends à cuisiner, j'aimerais bien faire quelque chose de créatif… »

Jeanne entre dans la salle à manger, elle a troqué son tailleur pour un jean et un pull en V, elle est pieds nus et ne porte plus la moindre trace de maquillage. Elle est fraîche, détendue, presque gaie.

« Alors, c'est bon ?

— Délicieux ! » s'écrient les invités en chœur.

Jeanne surprend de l'inquiétude dans le regard de Natacha, et elle lui sourit pour la rassurer.

« Tu veux du pot-au-feu ? demande Victor, de mauvaise grâce.

— Non merci, chéri. Je vais passer directement au fromage, je vais chercher le plateau. »

Jeanne débarrasse la table et va dans la cuisine. Elle revient, le sourire aux lèvres, et la fin de la soirée se déroule sans encombre.

Au moment de se quitter, Victor dit à Jean-Louis :

« Alors, c'est entendu : on t'appelle pour faire un dîner avec des jolies filles ! Et surtout, essaie de ne te plus te laisser miner par ta femme. »

Jean-Louis acquiesce, puis, un peu gêné, il se rapproche de Victor et lui dit en baissant d'un ton :

« Si par hasard elle revient, il ne faudra pas lui dire que je vous ai raconté tout ça !

— Bien sûr que non ! » dit Victor en lui tapant dans le dos.

Puis il ajoute :

« Si par hasard elle revient, il ne faudra pas lui dire qu'on s'est dépêché de lui chercher une remplaçante ! »

Accord tacite.

Natacha entre résolument dans la pièce ; pour la première fois, elle se dirige sans appréhension vers le fauteuil bleu. Elle est essoufflée et prend le temps de rassembler ses idées avant de commencer à parler.

« Aujourd'hui, j'aimerais parler des réactions des autres.

Parce que vous savez, pendant longtemps, c'est ce qui m'a fait le plus souffrir.

Enfin, je commence à m'y habituer. Par exemple, quand on rencontre des gens maintenant, j'attends l'inévitable moment où ils vont nous demander : "Vous êtes mariés depuis combien de temps ?… Ah bon ? Et vous n'avez toujours pas d'enfants ?" Parfois, ils sont plus directs, ils demandent carrément : "Pourquoi est-ce que vous n'avez pas d'enfants ?" Un soir, juste après l'échec d'une FIV, quelqu'un m'a posé la question devant tout le monde à un dîner. J'ai explosé. J'ai répondu : "Parce que ça pleure, ça chie et ça sent mauvais." Ça les a calmés.

Avec nos amis, ça dépend… Un jour, un copain a dit à Philippe : "Regarde nos filles : elles sont superbes ! Tu veux connaître la recette ? Quand je les ai faites, j'étais complètement bourré !" Il avait la tête sincère du type qui est en train de filer un bon tuyau.

Je ne sais pas de quoi sont faits les gens.

Parfois, il y en a qui râlent en évoquant les contraintes liées aux bébés, et puis ils rajoutent : “Ah ! Vous verrez, c’est épuisant ! Et finies les grasses mat !” Comme si on allait les plaindre ! Franchement, ça donne des envies de meurtre.

Et puis il y a les amis proches. Ils sont plus subtils, ils ne font jamais de gaffe, mais c’est parce qu’ils surveillent tout ce qu’ils disent. Ils me regardent toujours avec un regard inquiet. Parfois je sens leur compassion. Elle me touche, mais elle m’encombre.

Dans l’ensemble, ils essaient d’éviter de me parler de leurs enfants. C’est à ce moment-là que je comprends que les enfants sont devenus un sujet tabou. Il y a un silence qui s’est installé entre nous, complètement artificiel. C’est un silence très pesant ; moi, je n’ai jamais voulu ça.

Alors c’est moi qui leur pose des questions, et ils me racontent des choses, mais ils font exprès d’insister sur leurs difficultés. Comme s’ils voulaient me protéger. Ou me consoler en me parlant de leurs problèmes de parents… En fait, j’ai l’impression que devant moi, ils ressentent le besoin de s’excuser d’avoir ce que je n’ai pas.

Plus personne ne m’a parlé d’amour infini, de grand bonheur ou d’inquiétude folle, plus personne ne m’a raconté la déclaration d’amour de son tout-petit depuis… des siècles.

Pendant les premiers mois, on peut dire aux autres qu’on essaie d’avoir un enfant. Puis, à un moment, le doute s’installe chez eux aussi. On passe une sorte de délai invisible : six mois ? un an ? Et soudain tout change. On continue à prendre un ton naturel pour dire qu’on essaie, mais tout le monde comprend qu’il y a un malaise.

“J’essaie”… C’est un drôle de mot. Il est tellement pudique… et complètement dérisoire.

Toute ma vie est suspendue à cette idée : “J’essaie.”

Avec les enfants des autres ? Ça dépend.

Il arrive qu’on parte en vacances avec des amis qui en ont et, s’ils sont mignons, ça va.

J’ai pris l’habitude, je mets mes boules Quiès pour dormir le matin. Et quand je les enlève, s’ils ne sont pas en train de pleurer ou de se battre, tout va bien. Surtout que c’est très agréable de se réveiller dans une maison avec des rires d’enfants.

Enfin, je ne peux pas dire que le contact soit facile.

J’essaie de me rapprocher d’eux, mais c’est laborieux, parce qu’ils m’impressionnent.

Ils doivent le sentir, mais pas le comprendre. En tout cas ils ne viennent pas vers moi.

Je crois qu’ils ne savent pas quoi penser de moi, je suis différente parce que je ne suis plus une enfant, mais pas non plus une maman. Un peu comme Élise, la fille de mon amie Violette. Il y a quelques mois, elle m’a demandé : “Est-ce que tu es une maman ?” Quand j’ai répondu non, elle m’a regardé avec curiosité, sans malice, je voyais bien qu’elle se demandait juste comment me situer.

Violette était gênée, elle a vite enchaîné pour changer de sujet. Elle évitait de me regarder. J’aurais dû lui dire : “Ce n’est pas grave, ne t’en fais pas…” Mais je me suis tue.

Ça fait beaucoup de silences, tout ça.

Il y a un autre silence qui s’est imposé : j’ai compris que je ne pouvais pas me permettre de faire des réflexions quand des enfants m’agacent.

Un jour, j'ai vu un copain se laisser faire alors que son fils de trois ans le frappait avec son râteau. Je lui ai dit : "Je te souhaite bien du courage pour plus tard !" Il l'a aussitôt défendu en m'expliquant que c'était sa faute à lui parce qu'il ne lui consacrait pas assez de temps ; et un peu plus tard, à la première occasion, il m'a balancé une vanne.

J'ai sûrement eu tort de m'en mêler. Je m'en fous, tant pis. Mais c'est comme pour tout : c'est dangereux de dire la vérité, ça se retourne souvent contre vous. Les enfants des autres et leur éducation, ça ne me regarde pas, alors, dans l'absolu, j'ai forcément tort. Après tout, peut-être que si un jour j'ai des enfants, moi aussi je me ferai tabasser à coups de râteau !

Je crois qu'il n'y a qu'une chose qu'on a le droit de dire… Non ! Même pas, on n'a pas le droit de dire quoi que ce soit ! On peut juste penser : "Tiens : ça, j'essaierai de ne pas faire." Mais c'est tout.

Par exemple, je ne laisserai pas mes enfants regarder les infos. Le 20 heures, c'est déjà violent pour nous, alors, pour les gosses !

Et puis, je ne leur donnerai pas du ketchup tout le temps. Ça dénature le goût des aliments, et après, plus rien n'a de saveur ! Sans compter que ce sont de mauvaises habitudes dont on ne se défait plus. Prenez Philippe, il en met partout, même quand je lui mitonne de bons petits plats. C'est vraiment énervant. En même temps, ce n'est pas sa faute, on l'a accoutumé quand il était petit…

Là où je me sens le mieux, finalement, ce n'est pas forcément avec mes amis, c'est à mon boulot. Aux soirées que j'organise. Parce que là-bas, je suis anonyme. Je travaille, bien sûr, mais je suis invisible. Les gens ne font pas attention à moi, il n'y a pas de pression sociale, pas de questions, et il y a toujours un moment où je peux me poser et observer.

L'autre soir, à un cocktail, il y avait une fille qui recevait des textos envoyés par un type qui était dans la salle. Mais elle ne savait pas qui. Elle était très intriguée. Elle a vu que j'étais une des organisatrices, alors on a échangé quelques mots, elle voulait savoir si je connaissais certains invités pour l'aider à trouver... J'étais dans son intimité, en même temps ça n'engageait à rien, on était sûres de ne jamais se revoir, on était libres.

Et puis, il y avait une petite Mamie qui mangeait en tenant son sac tout serré contre elle. Au dessert, on a servi de la salade de fruits dans des pastèques. Elle a apporté une chaise devant le buffet pour s'asseoir devant et manger les fruits directement dans la pastèque, tout en restant accrochée à son sac. Elle était toute petite, très concentrée sur ce qu'elle faisait, les gens faisaient attention de ne pas la bousculer. C'était très touchant.

Une autre fois, j'ai vu un groupe d'amis qui avaient l'air de s'éclater. Un peu plus tard, je les ai vus au vestiaire et ils se disputaient très violemment. Ils étaient tellement occupés à se crier dessus qu'ils n'ont pas fait attention à moi. Puis, ils sont retournés à la fête et ils ont recommencé à s'amuser comme si de rien n'était.

Durant ces moments-là, je ne pense qu'aux autres, c'est moi qui les observe, et plus l'inverse.

Je m'oublie complètement.

Et c'est parfait. »

Jeanne arrive à la porte du bureau de Natacha. Elle porte un grand plateau lourdement chargé, songe à le poser, puis se ravise et se contorsionne de façon à sonner avec son menton.

C'est Lola qui lui ouvre.

« Bonjour, je suis venue déposer les gâteaux.

— Merci beaucoup, Natacha est partie chercher Maud. Entre, je t'en prie. »

Elle s'empare du plateau, le pose sur une grande table et se tourne vers Jeanne.

« Je t'offre un café ?

— Volontiers. »

Jeanne s'assied, et observe Lola préparer les deux cafés. Elle chantonne, ses yeux sont cernés, ce qui ne l'empêche pas de paraître en pleine forme. Chacun de ses gestes est empreint d'une grande légèreté.

Lola s'empare des deux tasses et vient s'asseoir en face d'elle.

« Ça fait longtemps qu'on ne s'est pas vues, lui dit Jeanne, mais je voulais te dire : je suis désolée pour ton divorce.

— C'est gentil. Mais ça va quand même.

— Oui, je vois, ça a même l'air d'aller très bien ! J'ai presque envie de te demander comment tu fais…

— Oh ! tu sais, on est resté en bons termes, c'est le principal.

— Enfin… Ça a dû être une décision difficile à prendre… » Lola éclate de rire.

« Un peu, oui ! Mais je n'avais pas trop le choix : ça faisait quand même plusieurs années qu'il me trompait !

— Tu es partie dès que tu l'as su ?

— Non, quand je l'ai appris, il a mis un terme à sa liaison. J'ai pardonné, on a recommencé à zéro, et j'y ai cru ! J'étais vraiment heureuse.

— Vraiment ?

— Au début, en tout cas. Ça n'a pas duré. Parce que je n'avais plus confiance, quelque chose s'était cassé. On met des années à construire son couple, mais, après une déception pareille, il suffit d'un doute, sans la moindre preuve, pour tout détruire. J'ai vite compris que ça ne pourrait plus marcher. C'est à ce moment-là que j'ai décidé de divorcer. C'était difficile. Mais il n'y avait rien d'autre à faire.

— Je ne sais pas comment tu fais pour tenir le coup. »

Lola hausse les épaules.

« C'est simple : je l'ai vraiment aimé. Assez pour que tout ça vaille la peine. Assez pour ne rien regretter… Et toi, tu n'es pas divorcée ?

— Non, mais je suis sur la bonne voie.

— Pardon ?

— Non, je plaisante. Pourquoi tu me demandes ça ?

— Comme ça, pour rien.

— Si, il doit y avoir une raison, répond Jeanne vivement. Ça doit venir de moi, de mon attitude. De toute façon, c'est comme si j'étais seule. Victor et moi, on est des étrangers. Ce n'est pas étonnant que j'aie déjà l'air divorcée. »

Lola se tait devant ce flot de paroles qu'elle n'attendait pas. Jeanne elle-même semble se demander ce qui lui a pris de se livrer à de telles confidences.

Cramponnée à son volant, Natacha n'en finit pas de ralentir puis d'accélérer. Assise près d'elle, Maud rentre le bas de son visage dans son écharpe, et récite tout bas son mantra pour se calmer. La conduite saccadée de Natacha la terrifie, elle roule toujours en deuxième, passe rarement la troisième ; aussi la voiture fait-elle des bonds, provoquant d'incessantes secousses.

Tout en conduisant, Natacha se penche sur le côté pour prendre son sac.

« Qu'est-ce que tu fais ? s'inquiète Maud.

— Je cherche mon téléphone pour appeler le bureau, Jeanne a dû arriver…

— C'est bon, regarde la route ; moi, je m'occupe du téléphone, répond Maud avec empressement…

— En tout cas, merci du conseil : je n'avais pas pensé à aller voir au Marché Saint-Pierre… Et pour les invités, tu prendrais quelle typo ?

— On s'en fout, tant que c'est du papier recyclé. »

Une place de stationnement se libère juste devant elles, Natacha se gare à un mètre du trottoir, elle entreprend une manœuvre pour s'en rapprocher, mais elle cale et décide d'en rester là.

« Rabats ton rétro, c'est plus prudent ! » lui conseille Maud en sortant de la voiture.

Puis elle secoue la tête et ajoute :

« Il faut que tu prennes de l'aubépine ! C'est fou ce que tu es speed !

— Sérieusement, je suis claquée. Entre toutes les courses et les préparatifs, je ne m'en sors pas. Et je n'ai même pas commencé mon shopping de Noël ! Enfin si : j'ai emmené Galilée, la fille d'Hémorroïde, choisir son cadeau.

— Comment ça s'est passé ?

— Très bien : on est allées dans une boutique de fringues, elle a fait un tour, et elle a dit : "Y'a personne ! D'ailleurs, c'est normal : tout est moche !"

— Quelle sale gosse !

— Donc, je lui ai demandé ce qu'elle voulait, elle ne savait pas, et j'ai fini par lui faire un chèque.

— Et pour Hémorroïde, tu as une idée ?

— Aucune. Tu sais ce qu'elle m'a offert pour mon anniversaire ?

— Non…

— Un bustier à paillettes, lacé dans le dos !

— Elle te prend pour qui ? Paris Hilton ?…

— On se demande ! Tu me diras, je devrais m'estimer heureuse : ce cadeau-là, elle l'a acheté ! Pas comme l'année dernière où elle m'avait offert un pull qui sentait son parfum !

— Demande conseil à Philippe…

— Il ne saura pas. Et il va me dire que c'est ma faute parce que je lui interdis d'aller faire des courses avec elle.

— Tu lui interdis ? Pourquoi ?

— Parce qu'il a tendance à redécorer la maison en fonction de ses goûts à elle ! Sans penser une seconde à me consulter, évidemment.

— J'espère que tu n'as pas changé d'avis pour le stage de feng-shui, je crois que ça te ferait beaucoup de bien. Violette et Jeanne se sont inscrites, il ne manque plus que toi.

— Si je n'ai pas de réception ce week-end-là, je viendrai, c'est promis. Même si je ne suis pas sûre d'avoir compris de quoi il s'agit… »

Natacha et Maud arrivent au bureau, essoufflées.

« Ma Jeanne, je suis désolée ! s'exclame Natacha. Je n'ai pas pu arriver plus tôt…

— Ne t'en fais pas, je bavardais avec Lola. »

Natacha s'approche d'elle et passe la main sur sa nuque dégagée.

« Tu t'es coupé les cheveux ! Quand est-ce que tu as décidé ça ?

— Jamais, c'est mon coiffeur. Enfin, tu sais ce que c'est : quand on ne décide pas, les autres le font pour vous. »

Elle se lève et désigne le plateau.

« Les tartes et les cakes sont prêts, j'espère que ça ira. Je suis désolée, je ne vais pas pouvoir rester tartiner, il faut que je rentre, je n'ai pas commencé les valises.

— Vous partez où, finalement ?

— En Provence. Victor ne peut pas prendre plus de quatre jours, alors, on ne peut pas aller très loin.

— Tu me raconteras… On se voit le 31 à la campagne, j'ai un bon pressentiment, ce sera encore mieux que les autres fois ! »

Jeanne disparaît rapidement dans la cage d'escalier.

Elle me tue, cette Lola.

Elle a l'air sincère quand elle dit qu'elle va bien, qu'elle ne regrette rien… Je n'aurais jamais dû parler de mon couple dans des termes pareils, je la connais à peine !

C'est insensé. La seule femme totalement épanouie dans mon entourage est celle qui vient de divorcer.

Remarque, c'est quand même nettement plus simple de divorcer quand on n'a pas d'enfants.

Elle a dû rencontrer quelqu'un.

Pourtant, Natacha dit que non.

Est-ce qu'on peut être totalement heureuse sans homme ?

Moi, je ne saurais pas, je ne suis pas comme elle…

C'est fou de pardonner, de se séparer sans rancune.

Est-ce que je pourrais faire la même chose avec Victor ?

Elle dit qu'elle était heureuse quand il a quitté sa maîtresse…

Moi, je sais bien qu'aucune réconciliation ne suffirait à me combler.

Pourtant, je souffrirais s'il me trompait.

Par amour ou par orgueil ?

Est-ce que je l'aime assez pour tolérer qu'il me fasse du mal ?

Sûrement pas. Notre relation a toujours été médiocre, juste à la hauteur de ce que je mérite, sans doute.

Pourtant, hier encore, il m'a dit qu'il m'aimait, et je le crois. Il m'aime à sa manière. Il m'aime mal, mais sincèrement.

Alors ? Rester avec lui par courtoisie, pour le remercier d'avoir la bonté de m'aimer ? Parce qu'il m'a donné un bon petit confort ?

Je ne peux pas tomber si bas.

Il doit y avoir de meilleures façons d'occuper sa vie.

« Maman, c'est moi.

— Oui, Jeanne.

— Ma baby-sitter est malade, tu pourrais garder les enfants ce soir ?

— Tu sors ?

— Oui.

— Où vas-tu ?

— À une soirée.

— Chez qui ?

— Tu ne connais pas.

— Jeanne, je suis très inquiète. Depuis que tu m'as dit que ça n'allait pas très fort avec Victor, je ne dors plus la nuit. Je n'imagine pas un instant que tu puisses quitter Victor, c'est un si bon mari !

— Je ne veux pas le quitter, je me pose des questions, c'est tout.

— Tu te poses des questions et déjà tu sors avec n'importe qui !

— Je ne sors pas avec n'importe qui. C'est d'accord, pour les enfants ?

— Moi, je ne suis jamais sortie avec quelqu'un d'autre que ton père.

— Il y a beaucoup de choses que tu n'as jamais faites et que je fais.

— Qu'est-ce que ça veut dire ?

— Rien. Je veux juste savoir si je peux t'amener les enfants.

— Tu vas passer la nuit avec lui ? Que va dire ton mari s'il l'apprend ?

— Mais de quoi tu parles ? Je ne vais rien faire du tout ! En attendant, Victor est en congrès à Rome et tu ne te demandes pas s'il dort seul…

— Alors c'est ça, le problème ? Tu as peur qu'il ne te trompe et tu te venges en allant coucher avec un minable.

— Ce n'est pas un minable.

— Un homme qui sort avec une femme mariée est forcément un minable.

— Arrête ! Et dis-moi juste si je peux t'amener les enfants.

— Ces pauvres enfants… Tu as toujours été instable, tu as de la chance d'avoir trouvé un mari pareil.

— Maman, ça suffit ! Je ne t'ai pas appelée pour savoir tout le bien que tu penses de Victor, je le sais déjà !

— Bon, ça va, calme-toi ! Sanguine comme tu es, tu vas t'énerver avec le minable aussi, et ce sera fichu d'avance.

— Maintenant, tu t'inquiètes pour le minable ?

— Ah ! Tu vois bien que c'est un minable !

— Au revoir, maman.

— Attends ! À quelle heure tu me les amènes ?

— Je ne les amène pas, je ne sors pas. Tu es contente ?

— Si tu restes tout le temps chez toi, tu ne rencontreras jamais personne, et quand Victor t'aura quittée, tu te retrouveras toute seule ! »

Jeanne fait les cent pas en bas de l'immeuble de Jeff, devant un magasin de tapis qui affiche, bien entendu, un « rabais monstre avant fermeture définitive ». Elle serre très fort une bouteille de champagne dans ses mains, son cœur bat anormalement vite et elle décide de ne pas monter avant d'avoir repris le contrôle. Ou tout au moins, avant d'avoir essayé.

Une vieille Peugeot verte déboule dans la rue. À l'intérieur se trouvent cinq filles surexcitées qui dansent tellement qu'elles font tanguer la voiture. Des échos de musique psychédélique s'échappent, appuyés par les mouvements de tête et de corps des jeunes filles.

De grandes bandes de papier toilette s'envolent par les fenêtres.

Les passants regardent ce spectacle, mi-choqués, mi-amusés. La voiture se gare et les filles en sortent, hilares.

Puis elles se dirigent vers l'immeuble de Jeff, et y entrent.

Jeanne est pétrifiée.

Elle décide de partir, puis se raisonne.

Peut-être qu'elles vont ailleurs ?

Si elle ne monte pas, elle ne saura jamais.

Combien lui coûtera ce renoncement ?

Que dira Natacha si elle abandonne ?

Il fait très froid, impossible de rester dehors plus longtemps.

Il faut se décider.

Rabais monstre avant fermeture définitive.

Un couple passe, main dans la main, et s'éloigne à pas lents, sans un mot.

Un sourire illumine le visage de Jeff lorsqu'il aperçoit Jeanne. Il l'accueille très chaleureusement, ce qui la rassure et lui permet d'ignorer la présence assourdissante des cinq filles de la voiture verte.

À peine ont-ils échangé quelques mots qu'une jeune femme apostrophe Jeanne.

« Jeanne ! C'est bien toi ?

— Oui.

— Tu me reconnais ?

— … Vaguement.

— Je suis la petite sœur de Fabrice, Sybille. »

Elle se tourne vers Jeff.

« Jeanne est sortie avec mon frère, il y a vingt-cinq ans. »

La claque… Oui, un vague souvenir de la peste qui parlait déjà trop.

Jeff sourit, l'air étonné ; Jeanne se tourne vers Sybille en lui rendant son sourire.

« Non, c'était avec ton père, il y a trente-cinq ans. »

Jeff éclate de rire. Ouf.

Sybille se réjouit de cette rencontre, surtout que Fabrice doit passer un peu plus tard. Aussitôt, elle entreprend de raconter à Jeanne tout ce qui leur est arrivé durant les deux dernières décennies.

Pendant tout ce temps, Jeff regarde Jeanne posément, sans chercher à dissimuler son intérêt, ce qui la trouble car elle a toujours été attirée par les hommes qui s'imposent. Ceux qui osent. Elle trouve ça viril. Très attirant.

Le regard de l'autre. Soutenir son regard. Ou son sourire, c'est plus facile. Les yeux de Jeff sur sa robe rouge l'embarrassent, puis la flattent. Tour à tour, elle change de pose, d'attitude corporelle, passant de la gaucherie à la provocation.

Mais elle n'a plus l'habitude de ces petits jeux et elle sent qu'en fait, elle ne maîtrise rien. Elle est presque soulagée quand il s'éloigne pour aller ouvrir la porte.

À partir de ce moment-là, les invités les séparent, surtout une jolie rousse, une Américaine prénommée Megan, qui ne le lâche pas d'une semelle. Jeanne guette les signes trahissant leur degré d'intimité, mais elle ne trouve rien de tangible.

Bientôt, Megan prend Jeff par la main et l'entraîne pour danser. Il se laisse faire et continue à chercher le regard de Jeanne. Elle est flattée, tout en sentant que l'autre fille tient vraiment à lui. Par expérience et par solidarité féminine, elle se sent coupable, la plaint un peu. Mais elle la plaint avec le confort de celle qui se sait choisie.

Fabrice est arrivé et Sybille est ravie de les réunir. Jeanne trouve qu'il a pris un sacré coup de vieux et se demande s'il pense la même chose à son sujet.

En tout cas, le fait que Jeanne soit mariée et mère de famille ne semble pas l'émouvoir outre mesure, et il se livre à une cour effrénée.

Jeanne le laisse faire, trop heureuse de pouvoir donner le change à Jeff, et, quand Fabrice lui propose de danser, elle le suit volontiers. D'autant plus que c'est une bonne occasion de se rapprocher de Jeff sans en avoir l'air.

Pour une fois, elle connaît la chanson qui passe : *Last night a DJ saved my life,* qui lui rappelle de lointaines soirées. La sonnerie d'un téléphone retentit, cela fait partie de la chanson, mais Jeanne, qui ne s'en souvient pas, s'écrie : « Téléphone ! », sous le regard amusé des autres danseurs. Elle continue à danser tout en s'étonnant que personne ne réponde. Une autre sonnerie, elle crie : « C'est peut-être important ! » en direction de Jeff qui ne semble pas l'entendre.

Sybille la dévisage en riant.

« Mais arrête ! Tu déconnes ou quoi ? C'est dans la chanson ! Pourtant tu devrais connaître, c'est un tube des années 80 ! »

Fin de la chanson, la sonnerie retentit à nouveau et un type crie à Jeanne :

« C'est pour toi ! »

Hilarité générale.

Quelqu'un baisse les lumières et Jeanne se demande si c'est l'anniversaire de Jeff ; elle guette en vain l'arrivée d'un gâteau avant de réaliser que le jeu de lumières ne sert qu'à favoriser les rapprochements.

Les regards de Jeff sont de plus en plus appuyés, les mains de Fabrice un peu plus pressantes, et Jeanne commence à paniquer. Surtout, tâcher de ne pas le montrer. Continuer à danser.

Autour d'eux, plusieurs personnes sont ivres. L'une des filles de la voiture verte est enfoncée dans un canapé ; elle a enlevé ses chaussures et suce goulûment son pouce.

« Je lui donne vingt minutes, annonce Sybille.

— Pour ?

— Aller vomir. Vingt minutes, trente maxi. »

Jeff s'approche de Jeanne et lui glisse :

« Je ne sais pas ce que vous essayez de faire, mais en tout cas, ça marche. »

En un éclair, Megan se faufile entre eux et la laisse aux mains de Fabrice, auxquelles il devient de plus en plus urgent d'échapper.

Jeanne s'éloigne et va se servir un verre, puis elle s'assied sur le canapé, à distance raisonnable de la fille qui suce son pouce.

Fabrice la rejoint. Le volume de la musique est un bon prétexte pour lui parler dans le creux de l'oreille, et passer son bras autour de ses épaules.

C'en est trop, elle écarte le bras de Fabrice et se réfugie dans l'entrée.

La tête lui tourne, elle s'adosse contre un mur et, soudain, se demande ce qu'elle est venue faire ici.

Ses yeux rencontrent ceux de Jeff, venu tranquillement prendre place en face d'elle.

Il semble parfaitement insensible à l'agitation ambiante, et se contente de la fixer avec la même intensité que depuis le début de la soirée.

« Il vous plaît ? lui demande Jeff.

— Qui ça ? »

Jeff désigne Fabrice, toujours assis sur le canapé. Il a digéré sa déception momentanée et tente désormais de lier connaissance avec la fille de la voiture verte.

« Vous savez bien que non, répond Jeanne.

— Tant mieux. J'avais bien envie de lui éclater quelques dents… De toute façon, il en a trop ! »

Jeanne éclate de rire et respire un grand coup. Puis elle détourne le regard.

« … Je crois que je vais rentrer.

— Restez.

— … Je ne peux pas. »

Survient Megan qui annonce qu'elle va s'en aller. Elle reste plantée devant Jeff et attend qu'il la retienne. Mais il se contente de lui sourire poliment et reste désespérément muet. Megan part faire la tournée des adieux. De toute évidence, elle cherche à gagner du temps et espère qu'il changera d'avis.

Il est tard et les invités commencent à partir. Jeff les salue sous le regard de Jeanne qui essaie de se convaincre de faire comme eux.

Megan revient dix minutes après et se lance :

« Je vais y aller. Sauf si tu veux que je t'aide à ranger…

— Non, ça ira, on m'a déjà proposé de l'aide. »

Megan encaisse tandis qu'il l'embrasse gentiment sur les deux joues. Sans le moindre trouble, il referme soigneusement la porte derrière elle.

Jeanne est à nouveau partagée entre la fierté et la culpabilité, elle perçoit la souffrance de l'autre pour l'avoir déjà vécue, et ne peut pas s'empêcher de dire à Jeff :

« Vous auriez dû lui dire de rester. »

Il répond, impassible :

« Si j'avais voulu qu'elle reste, je le lui aurais dit. »

Encore cette assurance désinvolte qui la séduit. Pourtant, elle se dit qu'il ne se passera rien entre eux. Pas parce qu'elle ne peut pas, mais parce qu'elle se découvre incapable d'aller au bout de son envie.

Trop de scrupules, de gêne, de risques et d'inconnu.

Jeff la laisse partir, et accompagne son départ d'un « À bientôt », qu'il sait suffisant pour entretenir son trouble.

Assise dans sa voiture, Jeanne compose le numéro de Natacha et lui laisse un message.

« Soirée très bousculée. Trop de gens, trop de jeunes, surtout ! Musique très forte, je ne connais plus rien à rien. On est dépassées, ma vieille. Ou juste moi ?

Jeff a un appartement de jeune : dans le genre plus de DVD que de vaisselle.

J'ai dû boire huit verres de vin. Sans eau pour diluer l'alcool. Et j'ai horreur de l'admettre – tu sais à quel point – mais ma mère a raison : je parle trop quand je bois, et j'ai sûrement dit des conneries.

J'avais une rivale, gentille, je suis presque désolée pour elle. Parce que c'est moi qu'il préfère…

Et devine : il y avait Fabrice, celui avec qui je sortais en terminale, et sa petite sœur Sybille, celle qu'on appelait "tronche de poisson mort"… Il est toujours aussi con. Elle aussi.

Tout le monde s'est mis à la mode du porno chic. Les filles portaient toutes des petits hauts en dentelle noire, ou des robes genre lingerie. J'étais bien contente de ma robe rouge.

Jeff. Il me plaît, je lui plais, mais je n'ai pas osé. Ça t'étonne ?

En fait, c'est toujours le même fantasme absurde. Parce qu'il faut que je te dise : ça m'était déjà arrivé avant.

Et comme un bon fantasme qui se respecte, on en rêve en rougissant, on échafaude des tas de possibilités, on provoque même un peu, mais si ça devient possible, ça ne ressemble plus du tout à un fantasme…

C'est juste terrifiant.

Alors, marche arrière. Je me sens sale et vide.

En résumé : un énorme risque de tout foutre en l'air pour un moment d'égarement, qui pourrait être très décevant, en plus…

Mea culpissime.

Demain, je me détesterai. Trop d'alcool, trop de clopes, trop tard au dodo, trop de provoque et pas assez du truc qu'il est préférable qu'il ne se soit pas passé.

Mais si je me déteste, ce sera surtout parce que je n'ai fait qu'un bout du chemin.

Parce que j'étais là pour lui.

Parce que c'était possible.

Parce que je suis nulle.

En venant ici, j'étais pétrifiée de peur, mais au moins je me sentais vivante.

Et je repars, anesthésiée, les deux pieds englués dans la vase de ma petite vie. »

Jeanne veut commencer une nouvelle phrase, mais les mots se mélangent dans sa tête. Elle prononce quelques syllabes incompréhensibles, puis soupire et se tait.

Jeanne tente de mettre de l'ordre dans ses idées, puis elle se résigne et raccroche. Elle jette son téléphone sur le siège voisin et appuie son front contre le volant.

Elle reste là plusieurs minutes, goûtant au silence, puis se redresse brusquement quand son portable sonne, affichant le prénom de Natacha.

« Je viens d'avoir ton message, on en parlera demain. Pour l'instant, juste une chose : t'as vraiment trop bu, il n'est pas question que tu conduises dans cet état. Remonte chez Jeff et demande-lui de te faire un café.

— T'es folle !

— C'est toi qui es folle ! Tu bois un litre de café et tu repars quand tu auras dessoûlé.

— Je n'oserai jamais remonter.

— Alors, appelle un taxi.

— Mais je dois récupérer les enfants tôt chez ma mère, il faudra que je revienne prendre ma voiture d'abord, c'est galère…

— Je m'en fous ! Tu ne bois jamais et tu m'annonces que tu as bu huit verres de vin ! Tu retournes chez Don Juan, je t'assure qu'il comprendra. Sinon je viens te chercher…

— Il n'en est pas question ! Et puis, qu'est-ce que tu vas dire à Philippe ? Bon, c'est d'accord. Je vais remonter.

— C'est bien. Je t'appelle demain. »

Jeanne repose son téléphone et regarde par la fenêtre. Un groupe de personnes qui étaient chez Jeff sortent de l'immeuble et s'éloignent en riant.

Elle pousse un grand soupir, et sort de sa voiture.

Jeff ne semble même pas étonné lorsqu'il ouvre la porte. Il se contente de lui sourire.

« Je suis désolée, mais j'ai vraiment trop bu, je vais avoir du mal à rentrer chez moi, ça vous ennuierait de me faire un café ? »

Tandis qu'il disparaît dans la cuisine, Jeanne enlève son manteau et entre dans le salon. L'appartement s'est vidé, toutefois des bruits étranges lui parviennent de la salle de bains. Elle s'approche et découvre la fille de la voiture verte en train de vomir, conformément aux prédictions de Sybille. Elle tourne les talons et se retrouve nez à nez avec Jeff.

Le café s'écoule doucement, au rythme où il défait chacun des douze petits boutons de soie rouge.

Le mobilier du salon de Violette a été un peu bousculé pour céder la place à un sapin de Noël, uniquement décoré de petits nounours et de lumières blanches.

Violette observe Quentin tandis qu'il finit de confectionner une petite couronne en papier.

« Tu regardes mon bleu sur l'ongle ? demande-t-il, inquiet. Ce n'est pas de la saleté, je me suis coincé le doigt dans une porte.

— Non, c'est toi que je regarde. Excuse-moi, mais tu n'as pas l'air dans ton assiette.

— Ça se voit tant que ça ? »

Il remet la couronne à Élise qui l'embrasse et part en courant pour l'essayer dans sa chambre.

Quentin soupire.

« C'est fini avec mon copain.

— Oh ! Je suis désolée…

— Depuis deux jours, dès que j'arrive chez moi, je pleure. Il devait venir avec moi à Miami… C'était trop beau, j'y croyais vraiment… Tellement que j'en avais parlé à ma Mamie. Je lui ai dit que j'avais rencontré quelqu'un, elle m'a demandé : « Il est gentil ? »

Un autre soupir.

« Tu rencontreras quelqu'un d'autre, quelqu'un de mieux…

— Si tu savais comme il me tenait dans ses bras… »

La porte d'entrée claque.

« Bonsoir, tout le monde ! crie Gilles.

— Bon, on va changer de sujet, dit Quentin à mi-voix, ça énerve les hommes quand je parle comme ça…

— Qu'est-ce que tu fais ce soir ?

— Rien, je suis trop déprimé.

— Reste dîner avec nous, ça me ferait plaisir ! On est juste tous les trois, avec Maud, ma sœur, et son petit copain Laurent.

— Non, tu es gentille, je vais rentrer et me faire des pâtes Alphabet.

— Il n'est pas question que tu passes la soirée de Noël tout seul à manger des pâtes Alphabet !

— Non, je t'assure, je suis crevé. Et puis je vais regarder *Yentl,* ça fait longtemps…

— Et demain, tu fais quoi ?

— Rien, mais ne t'inquiète pas pour moi, j'ai deux semaines de *Feux de l'amour* à rattraper.

— Comment ça ?

— Je les enregistre pendant la semaine, et je les regarde en continu le dimanche. Là, avec les fêtes, j'ai été débordé et j'ai pris du retard. »

Élise revient en courant et se jette sur Quentin.

« Tu avais dit que tu me ferais un chignon, ça sera plus joli avec la couronne !

— Non, chérie, intervient Violette, Quentin en a assez fait com…

— Mais si, c'est moi qui le lui ai proposé, coupe Quentin. Mais attention ! dit-il à Élise. Il faudra rester bien tranquille ! »

Élise lui tend son petit pouce tendu en signe d'accord.

Une heure plus tard, Élise fait face à Maud et Laurent en brandissant sa baguette magique. Coiffée d'un chignon et de la couronne, elle se tient cérémonieusement, vêtue d'un déguisement.

« Je suis la fée rose. Qu'est-ce que vous voulez devenir ?

— Euh… Une sirène, répond Maud mollement.

— Chkling ! Voilà, tu es une sirène ! »

Elle regarde Laurent.

« Et toi ?

— Ce que tu veux. »

Élise avance vers sa mère.

« Toi, je te transforme en princesse, chkling ! »

Puis elle se tourne vers son père :

« Et toi, en caca de chien ! »

Elle se tourne vers Laurent en pointant sa baguette.

« Alors ?

— Je veux bien être un chevalier », répond-il, soudain très empressé.

Au grand soulagement de Violette, Gilles n'a pas entendu quelle attribution lui est revenue, il est trop absorbé par l'ouverture d'une bouteille de champagne.

Elle se tourne vers sa sœur.

« C'est gentil d'avoir aidé Natacha, il paraît que tes quiches ont eu un succès fou !

— Il faut qu'elle prenne de l'aubépine ! répond Maud en secouant la tête.

— L'année dernière, Élise était trop petite pour dîner avec nous, dit Violette à Laurent. Ce soir, c'est son premier dîner de Noël…

— Oui, coupe Gilles. Résultat : Maud nous avait parlé du réchauffement de la planète pendant tout le repas. »

Il tend une coupe de champagne à Laurent.

« Enfin ! Tu as l'habitude, je suppose… »

Un concerto de piano se fait entendre.

« Oh ! dit Violette, c'est le voisin du dessus ! Il doit être tout seul… Je devrais peut-être lui proposer de se joindre à nous ? »

Gilles lui tend un verre de champagne et l'embrasse sur le front.

« Ma chérie, tu es adorable, on n'est quand même pas l'Armée du Salut ! »

À table, Gilles propose à deux reprises du foie gras à sa fille qui refuse. La troisième fois, elle lui dit :

« J'ai dit non, papa, c'est pas très compliqué à comprendre. »

Gilles soupire et choisit d'ignorer l'insolence de sa fille.

« Il faut être gentil avec ses enfants, explique-t-il à Maud et Laurent. Après tout, ce sont eux qui choisiront votre maison de retraite. »

Élise se frotte les yeux et ses parents décident d'interrompre le repas pour procéder à la cérémonie des cadeaux, afin qu'elle puisse aller se coucher ensuite.

« T'aurais mieux fait de lui acheter des fleurs ! » constate Élise en regardant le vase que Laurent a offert à sa mère.

Elle trépigne sur place en attendant que son père ait fini d'assembler une poussette miniature. Enfin, elle peut y poser sa poupée préférée.

« Eh bien ! Elle est belle, la poussette de Miyayo ! s'exclame Gilles.

— C'est pas Miyayo, c'est Miyayi ! Papa, tu te trompes tout le temps !

— Ce n'est pas ma faute, c'est la même poupée… »

Elle lui lance un regard furieux.

« C'est parce qu'ils sont jumeaux. Mais ils sont pas nés la même année », précise-t-elle.

Distribution de baisers, c'est l'heure d'aller au lit. Violette accompagne Élise et la borde délicatement, en prenant soin de poser Miyayi près d'elle. Élise la contemple avec fierté.

« Elle est très jolie, sa poussette, je vais la montrer à son papa.

— Le papa de Miyayi ? s'étonne Violette. Il s'appelle comment ?

— Je ne sais pas.

— Tu devrais le savoir, parce que en théorie c'est ton mari… » Silence. Visiblement, Élise est troublée. Elle réfléchit, puis, sans assurance :

« Il s'appelle Lampe.

— Lampe ? Tu aurais pu trouver un mari avec un plus joli nom !

— C'est pas sa faute ; c'est ses parents qui l'ont appelé comme ça ! »

Violette sourit ; Élise passe ses bras autour de son cou et lui demande :

« Mais toi, t'as pas de maman ? »

Une ombre de panique passe sur le visage de Violette. Elle murmure :

« Si, tout le monde a une maman. Mais la mienne est partie très loin. »

Elle serre sa fille très fort contre elle, puis s'en détache et quitte rapidement sa chambre.

Élise, ma chérie,

Pardonne-moi. Je n'ai pas su te répondre. J'aurais dû te dire des choses rationnelles et apaisantes, mais je n'y arrive pas. Je savais qu'un jour, tu me poserais ce genre de questions, je pensais m'y être préparée, mais, quand tu l'as fait, mon cœur a battu si fort que ma gorge tremblait.

Pardonne-moi de te condamner à mes silences.

Quand Maud est née, on m'a envoyée passer des vacances chez mes grands-parents, ma mère m'a terriblement manqué, j'attendais ses coups de fil avec impatience et, dès que je le pouvais, je m'isolais pour lui parler. J'entendais son « Allô » et ça allait tout de suite mieux. Je lui demandais : « Tu m'aimes ? », et il y avait un petit temps avant qu'elle ne réponde. Juste une petite seconde, le temps qu'elle cherche les mots justes. Et puis elle répondait. Jamais de la même manière, mais toujours résolument, comme si sa vie en dépendait. « Plus que tout au monde ! », « À la folie ! »...

Je raccrochais et tout allait bien.

Je me souviens de ces coups de fil et de ce petit temps d'attente si précieux, porteur de ma délivrance. On devrait toujours prendre le temps d'hésiter avant de répondre aux questions essentielles.

Je pense à elle et je pense à toi. À la façon dont elle aurait pris ton visage entre ses mains. J'imagine vos sourires, je te vois te blottir contre elle. Vos visages se confondent. L'amour que vous vous seriez porté me manque.

Un jour, je suis allée me promener avec ma grand-mère. Nos pas nous ont menées jusqu'à un cimetière. Elle a descendu les marches d'un caveau et s'est arrêtée devant une grille. Elle a levé la tête, m'a regardée tranquillement en disant : « La mort est une chose merveilleuse. » Je ne lui ai pas demandé ce qu'elle voulait dire. Je ne sais pas pourquoi. Sur le moment, je me suis contentée de m'imprégner de sa conviction. J'aimerais t'offrir la même certitude.

T'aider à croire que le monde de l'après est un endroit doux.

En échange, le jour où je partirai, promets-moi de ne pas écouter le sermon insupportable de ceux qui te diront que la mort est une délivrance pour ceux qui ont vécu dans la crainte de Dieu, et qui emploieront des mots monstrueux comme châtiment expiatoire.

Nous n'en sommes pas là.
Joyeux Noël.

Mal au cœur.

Qu'est-ce qui m'a pris de finir la bûche de Victor ? !

Horriblement mal au cœur.

C'est le foie gras. Ou le canard.

J'aurais pas dû prendre de fromage.

Non, c'est la bûche. Je déteste la crème au beurre et je mange cette saloperie. Je dois être maso. Ou conne. Ou les deux. Bûche glacée l'année prochaine.

Parce que je serai toujours là, on dirait.

Il faut que j'essaie de dormir, je suis sûre que ça ira mieux quand je me réveillerai.

Tiens, il est sorti des toilettes. Je vais faire semblant de dormir, ça évitera de commenter le dîner. Il allume la télé… Bon, voyons, il va peut-être mettre quelque chose qui me distraira…

LCI… Elle a mis un pull à paillettes. C'est la fête.

Fin des infos, il change…

Je crois que si je me suicide un jour, ce sera après avoir zappé toute une soirée sur les programmes d'une soirée de fête. *Sissi*, un best of de *Y'a pas photo,* et une redif de *L'École des fans.* Qui a envie de continuer à vivre après ça ?

Oh non, pas ça ! Une comédie des années 70 avec Pierre Richard ! Je crois qu'à huit ans, je trouvais déjà ça déprimant… Je ne peux pas croire qu'il reste dessus… Et il se marre, en plus. C'est un cauchemar.

Tiens, il change. Un documentaire animalier, pas étonnant, il adore, ça le fait dormir…

Jeanne se redresse brusquement.

« Oh non, il a une aile cassée, les crabes vont le bouffer !

— Tu ne dors pas…

— C'est atroce, je ne peux pas regarder ça !

— C'est la Loi de la Nature.

— C'est trop cruel…

— On en a déjà parlé : ça fait partie du processus de la chaîne alimentaire.

— Tu dis toujours ça, mais ça ne change rien ! C'est la nature, alors c'est moins cruel ? Voilà pourquoi je ne regarde jamais de documentaires animaliers, tous les films montrent des bêtes en train de se dévorer.

— Mais c'est passionnant !

— Je ne sais pas comment tu peux regarder ça ! Et t'endormir devant…

— Ça me rappelle ce que dit Jean-Louis : quand tes enfants atteignent les douze ans, tu comprends pourquoi certains animaux mangent une partie de leur portée… »

Il rit, en attendant qu'elle fasse de même.

« Oui, évidemment, tu ne trouves pas ça drôle. »

Puis il soupire, agacé par son mutisme.

« Évidemment, je ne trouve pas ça drôle : ce n'est pas drôle. Et c'est de mauvais goût.

— Oublions, ça vaut mieux.

— J'ai mal au cœur, je vais me faire une tisane. »

Un simple effleurement, et l'écran de l'ordinateur, qui était en veille, se rallume aussitôt pour revenir à l'endroit où on l'avait laissé.

De : Jean-Louis Borel
À : Victor Emery
Objet : Merci

Très sympa le dîner chez vous l'autre soir.
Désolé, mais je suis obligé d'annuler le tennis ce soir, je dois régler des problèmes de bagnole.
Merci pour l'invitation mais je vais passer Noël chez ma sœur.
Et Jeanne, ça va mieux ? Je l'ai trouvée bizarre.
Elle est jolie, la petite blonde, Natacha, c'est ça ?
Ils ont des enfants ?

De : Victor Emery
À : Jean-Louis Borel
Objet : re Merci

Jeanne bizarre en ce moment, mais ça passera
quels problèmes de bagnole ?
oui, jolie
ne peuvent pas en avoir

De : Jean-Louis Borel
À : Victor Emery
Objet : re Merci

Elle cale tout le temps, c'est très emmerdant.
Ils ne peuvent pas en avoir ? La faute à qui ? Je suis sûr qu'avec un bon géniteur, ça s'arrangerait.

De : Victor Emery
À : Jean-Louis Borel
Objet : re Merci

ça doit être le carburateur
qu'est-ce que tu proposes ?

De : Jean-Louis Borel
À : Victor Emery
Objet : re Merci

Pour définir les procédures de procréation assistée par d'amicales entremises, il suffit de s'entraîner un peu, régulièrement, et l'on obtient vite des résultats probants.
Il n'y a pas d'effets secondaires.
On peut même garder son mari.
La seule conséquence possible, c'est qu'un sourire persistant s'installe sur le visage de ladite blonde, que ses joues rougissent de temps en temps, que l'inspiration redouble dans toutes les activités manuelles et que le mari, par ailleurs fort sympathique, continue à payer les crédits comme avant.

De : Victor Emery
À : Jean-Louis Borel :
Objet : re Merci

on passe le réveillon chez eux à la campagne.
tu veux venir ?

De : Jean-Louis Borel
À : Victor Emery :
Objet : re Merci

Why not ?
Il faudrait de toute façon faire plus ample connais-

sance pour envisager la friendly fécondation de notre blondie-brodeuse amateur.

Debout à côté du bureau, Jeanne finit de lire le dernier échange d'e-mail entre Victor et Jean-Louis. Le sifflement de la bouilloire la ramène à la réalité, elle s'éloigne aussitôt et se dirige rapidement vers la cuisine.

Puis elle revient, pose sa tisane bouillante sur un coin du bureau, s'assied en face de l'ordinateur, et commence à taper la réponse.

De : Victor Emery
À : Jean-Louis Borel :
Objet : re Merci

Tu vas te calmer, oui ?

Si je te propose de passer un week-end chez eux, ce n'est certainement pas pour que tu lui sautes dessus !

Amuse-toi avec qui tu veux, mais pas les amies de ma femme !

Jeanne envoie le message, puis referme l'ordinateur d'un geste sec.

Natacha est pelotonnée au fond du grand fauteuil bleu. Elle semble épuisée et parle plus lentement que d'habitude.

« Vous avez passé un bon Noël ?... Le mien a été catastrophique...

Quand on y pense, c'est presque amusant : mon métier est d'organiser des fêtes pour les autres et, après une soirée chez moi, j'ai presque envie de me flinguer...

La soirée du 24 a été franchement terrible. Il y avait juste Philippe et moi, et mes parents.

J'avais l'impression d'être assise avec des étrangers. Tous tellement occupés à ignorer le fait qu'il n'y avait pas d'enfant à table, et à se demander en silence si le sapin, les cadeaux, et tout le tralala avaient vraiment du sens.

Moi qui ai toujours adoré Noël, maintenant, c'est un enfer. La trêve de Noël, ça n'existe pas, ça n'existera plus jamais.

Mes parents ne s'entendent pas, ça a toujours été comme ça.

Je regrette qu'ils ne se soient jamais séparés, j'ai subi leurs engueulades monumentales pendant toute mon enfance. Plus tard, j'ai souvent essayé de m'interposer quand ils se disputaient, mais c'est tout juste s'ils remarquaient ma présence. Pendant toute mon enfance, j'ai envié mon amie Violette. Tout était mieux chez elle, y compris ses parents qui avaient l'air de s'aimer vraiment. Je trouvais que leur vie avait l'air tellement plus belle que la nôtre.

Bon, après, tout a changé : sa mère est morte, et son père est devenu bizarre, très distant.

Un jour, elle m'a confié qu'il lui avait dit qu'elle n'était pas très belle, mais que ce n'était pas grave car seule comptait la beauté intérieure ! D'abord, elle est très jolie ; ensuite, il faut être cinglé pour dire des choses pareilles à sa fille !

Enfin, quand j'étais jeune, je l'enviais. Les bagarres de mes parents me pesaient terriblement. Maintenant, ils s'ignorent, ce n'est pas tellement mieux. Le silence complet ou les cris, vous imaginez l'ambiance. Pris séparément, ça va ; c'est ensemble qu'ils sont impossibles.

Entre Philippe et mes parents ?…

Ça ne va pas très fort non plus. Rien à voir avec moi et sa sœur, mais enfin, ce n'est pas génial. Qu'est-ce que vous voulez, Philippe est très naïf. Un jour, il a donné à ma mère un article sur les vitamines conseillées pour les personnes du troisième âge en lui disant que ça la concernait.

Il croyait bien faire ! Elle a pris l'article, l'a remercié poliment, et, le lendemain, elle est venue lui offrir *L'Idiot* de Dostoïevski et une bouteille d'*Égoïste,* de Chanel. Elle a laissé un petit mot en reprenant son expression : "Ça vous concerne !"

Il a fait semblant de trouver ça drôle, mais il était

aussi vexé qu'elle. Depuis, les relations sont courtoises, mais plutôt froides.

À Noël, ils m'ont tous tapé sur les nerfs. Mes parents qui parlaient de la pluie et du beau temps, et même Philippe. Je ne sais pas si c'est parce qu'il en avait marre de leurs banalités, mais, pendant le dîner, sans que ça ait le moindre rapport avec la conversation, il a dit : "Je crois en l'existence d'un monde parallèle." Ma mère a crié : "Pardon ?" Il faut dire qu'elle est assez terre à terre, et il a répondu tranquillement : "Oui, j'en suis parfaitement convaincu." Je me demande si l'on n'est pas tous en train de devenir fous.

Plus tard, il est revenu dessus. Je lui ai dit : "Attends, Philippe, il faut qu'on parle. C'est quoi, cette histoire de monde parallèle ? C'est nouveau ?"

Il n'a pas répondu, il s'est contenté de sourire d'un petit air énigmatique. Mes parents bâillaient ; lui, il souriait bêtement, et moi, je n'avais qu'une envie : disparaître.

Sérieusement, j'ai failli partir en douce ! Aller prendre un bain, comme mon amie Jeanne l'autre soir. Passons.

J'aurais mieux fait, d'ailleurs. Parce que le pire était à venir.

Au moment de me dire au revoir, ma mère m'a dit : "Tu vois, si tu avais eu des frères et sœurs, je serais sûrement déjà grand-mère." C'est tout. Elle m'a dit ça et elle est partie. Philippe n'a pas entendu, il était parti chercher la voiture pour les raccompagner.

Je me suis retrouvée seule dans le salon, au milieu des assiettes sales et des emballages cadeaux. J'ai pleuré, j'ai même hurlé.

De toute façon, tout le monde s'en fout. Personne ne voit rien. Mon mari devient mystique et ma mère ne pense qu'à une chose : sa propre culpabilité d'avoir avorté deux fois.

Le lendemain matin, on est sortis se promener dans un parc. On s'est assis sur un banc, et j'ai regardé deux petites filles en robes à smocks qui jouaient près de moi. Elles grelottaient.

Je ne sais pas ce qu'ils ont, tous ces B.C.B.G., à refuser de couvrir leurs enfants. Tous les hivers, je croise des petites filles en robes et socquettes, des garçons en bermudas, leurs parents marchent sereinement à leurs côtés et j'ai envie de leur demander : "Mais vous ne sentez pas qu'on gèle ? !" Sûrement un truc d'endurance, genre "éducation à la dure".

Philippe dit que les aristos ne sont pas frileux parce qu'ils n'ont plus de quoi chauffer leurs châteaux…

Je ne sais pas, on s'en fout.

Après, on était invités à déjeuner, j'étais triste, mais j'ai bien réussi à le cacher. Personne n'a rien vu.

Personne ne voit rien.

J'étais assise là, à faire gentiment la conversation aux autres invités, et j'ai réalisé que je n'y crois plus, c'est trop tard…

Mais non, ça n'a rien à voir avec mon âge, ce n'est pas physique, c'est moral ! Remarquez, c'est aussi physique : je suis épuisée.

Le soir, en rentrant, j'ai dit à Philippe que s'il voulait vraiment avoir des enfants, il valait mieux qu'il en fasse avec une autre femme.

Il m'a assuré qu'il voulait en avoir avec moi et personne d'autre, et moi je criais : "Mais on n'en aura jamais ! Ça ne marchera pas, tu comprends ?" Il m'a écoutée et il a juste répondu : "Alors, on n'en aura pas."

Je me suis calmée tout net, j'ai senti ma colère retomber comme un soufflé.

Le soir, dans mon lit, j'ai essayé de nous imaginer à cinquante ans, et puis, plus vieux, sans enfants. Je n'ai pas réussi. Curieusement, quand je me projette sans enfants, je me dis que je mourrai seule, Philippe ne fait pas partie du tableau. C'est une famille ensemble ou rien.

Comment ça, il ne faut pas renoncer ? C'est facile à dire, vous ne vous rendez pas compte…

Alors quoi ? Continuer sans y croire ?

Si je ne suis pas enceinte l'année prochaine, je ne ferai même pas de sapin. »

Quelques fleurs d'orchidée fanées jonchent le sol. Seule, sans faire le moindre bruit, Jeanne les ramasse soigneusement, une à une.

« Victor doit se douter de quelque chose, j'en suis sûre.

Qu'est-ce que je suis censée raconter à Natacha ?

Lui dire que mon souvenir de ces vacances, c'est le dos de Victor ? Victor qui marchait en permanence seul devant nous, à vingt mètres au moins. Parfois il marchait derrière, aussi. Enfin, jamais à côté de moi.

Il m'en a voulu d'avoir choisi cette destination.

Il faut dire que je suis étourdie. Étourdie ou cruelle ? Je ne veux pas le savoir.

J'ai oublié que mon mari a le vertige et les chevilles fragiles. Alors, forcément, les Baux-de-Provence et les villages du Lubéron, c'était un mauvais plan. Dès la première journée, il était malade. Puis il s'est foulé la cheville, et il n'a plus voulu sortir de la chambre d'hôtel.

Qu'est-ce que c'était beau, pourtant… Et cette bastide, si paisible, si discrète. Si parfaitement coupée du monde… Je regardais tout ça et je me suis dit que ça devrait être tellement bien d'être ici avec un homme qu'on aime.

Ça fait très mal de penser ça.

Je n'ai pas arrêté de penser à Jeff. D'une certaine manière, c'est comme s'il avait été là. Heureusement qu'il est aux États-Unis, sinon, j'aurais craqué, je l'aurais appelé.

Qu'est-ce qui va se passer à son retour ? J'en tremble.

Raconter mes vacances...

Je me souviens de ma fille, qui, en surprenant une dispute, nous a dit : "Je vous trouve très énervés, je pense qu'il faudrait vous calmer et aller dîner tranquillement." Il a répondu : "Mais moi, je suis très calme, c'est maman qui est énervée." Dire qu'il n'est même pas capable d'être au niveau de sa fille. Ça aussi, ça fait mal.

La prochaine fois, on partira en croisière. Non, il a le mal de mer.

Et puis j'ai toujours eu envie de crier : "Un homme à la mer !" Qui sait si, dans un moment d'exaspération, je ne le balancerais pas par-dessus bord, juste histoire d'assouvir mon caprice ?

Raconter mes vacances ? Un soir, il s'est levé pour remplir les assiettes des enfants au buffet, il n'a rapporté que des choses dont ils ont horreur. Eux non plus, il ne les connaît pas. Impression familière. Et désolante.

Peut-être que je prends trop de place auprès des enfants ? Mais une place, c'est comme le pouvoir : si on l'offre à quelqu'un qui n'en veut pas, on est bien obligé de la prendre soi-même.

Ce n'est tout de même pas ma faute s'il est souvent absent. Et quand il est là, il est ailleurs...

Est-ce que c'est à cause de moi ? Ce n'est pas vrai que je fais tout le temps la gueule, seulement quand je lui en veux.

Le problème, c'est que je lui en veux souvent.

Et maintenant qu'on est rentrés, ça va recommencer comme avant.

Les semaines qui se ressemblent, les week-ends qui donnent envie de mourir d'ennui.

Et ça, je ne pourrai plus.

C'est peut-être juste une question d'ambition.

Mon ambition qui se réveille et me dit : "Au moins ça : ne détester a priori aucun des matins de sa vie."

Mériter mieux qu'un mari qui assortit ses chaussettes à sa cravate.

À quoi est-ce que je peux aspirer ? Je serais prête à me contenter d'un tout petit peu plus.

Évaluer la ligne qui sépare l'attente légitime de la prétention démesurée… »

« Jeanne ?… »

Natacha apparaît dans le salon.

« La porte était ouverte…

— C'est possible, je ne ferme plus derrière Victor.

— Comment ?

— Rien, laisse tomber.

— Où sont les enfants ?

— Chez ma mère. Je lui ai dit que je rentrerais vers sept heures.

— Tu vas me raconter vos vacances… C'est vraiment gentil de venir nous aider, c'est notre première commande d'État, il faut qu'on assure ! »

Jeanne éclate de rire.

« Un pot de Noël pour le personnel de la Mairie de Bondy ! C'est ça que tu appelles une commande d'État ?

— Et pourquoi pas ? C'est une administration officielle, non ? Après, de mairie en mairie, on peut finir à Paris, et alors, qui sait ? Je me verrais bien fournisseur officiel de l'Élysée ! conclut-elle gaiement.

— Avec un enthousiasme pareil, tu le mériterais bien…

— Allez, on y va, Lola est déjà sur place. »

Quelques heures plus tard, la fête bat son plein dans la salle des mariages de la mairie de Bondy. Les trois jeunes femmes ont dressé un beau buffet d'apéritifs, et s'activent pour servir les boissons. La nuit vient de tomber, le mousseux coule à flots, et les employés sont bien décidés à s'amuser.

Natacha s'absente le temps d'aller chercher des bouteilles supplémentaires. Quand elle revient, Lola lui fait de grands signes pour lui désigner Jeanne, de l'autre côté de la salle.

Médusée, Natacha découvre son amie en train de danser avec un petit groupe de gens. L'un d'entre eux décide de faire la chenille et c'est le départ d'un slalom effréné parmi les chaises. Au milieu du cortège, Jeanne se trémousse et rit aux éclats.

« Je ne l'imaginais pas si déconneuse… dit Lola en rejoignant Natacha.

— … Moi non plus… Enfin, elle peut l'être, mais quand même ! »

Natacha et Lola restent debout à observer la scène, complètement hypnotisées.

« Allez, dit Lola au bout d'un instant, au boulot…

— Dis donc, coupe Natacha, tu as pris ton appareil photo ? »

En guise de réponse, Lola sourit et s'éloigne. Elle revient aussitôt en brandissant son appareil.

Natacha se jette dessus et fait quelques photos de Jeanne, toujours occupée à sautiller avec ses nouveaux amis.

La lumière du flash attire son attention et elle surprend le geste de Natacha, mais elle ne s'en soucie pas.

Une demi-heure plus tard, elle vient se servir un grand verre d'eau et se laisse tomber sur une chaise près de Natacha. Elle est en nage et reprend son souffle, puis elle allume une cigarette.

« Si on m'avait dit que tu t'amuserais autant ! lui dit Natacha.

— Je sais, tu as bien fait d'immortaliser le moment.

— Tu dis ça pour les photos ? Ne m'en veux pas, je n'ai pas pu résister, je te promets de ne les montrer à personne.

— Tu peux les montrer à qui tu veux, je m'en fiche, ce n'était pas un reproche. Au contraire, je veux des doubles, je suis contente qu'il y ait une preuve.

— Une preuve ?

— Je me suis amusée comme jamais avec des gens que je n'avais jamais vus de ma vie. Ici, à la Mairie de Bondy ! Je viens d'être incroyablement heureuse pendant quelques heures. Je veux pouvoir me le rappeler. »

Violette et Élise attendent l'ascenseur ; les portes s'ouvrent et libèrent le pianiste. Ils se saluent, le pianiste sort de la cabine et elles prennent sa place. À la dernière seconde, Violette retient la porte, et lui dit :

« On m'a volé mon autoradio. C'est la troisième fois, et mon mari a dit qu'on ne le remplacerait pas puisque, de toute façon, on ne s'en servait jamais. Mais c'est faux, je l'éteins quand on est ensemble, mais je m'en sers toujours quand je suis seule. J'ai toujours eu besoin d'être seule pour écouter de la musique. C'est une activité que je trouve tellement intense que j'ai du mal à la partager. »

Elle parle vite pour réussir à lui dire tout ça ; c'est important, et elle a l'impression que lui seul peut comprendre. Il sourit et répond :

« Vous rachèterez un autoradio, n'est-ce pas ? »

Joyeusement, elle fait oui de la tête ; la porte se referme.

Une fois sur le palier, Violette se dépêche d'ouvrir la porte car le téléphone sonne.

« Allô ?

— Bonjour, c'est madame Héry, la maman de Camille.

— Ah, bonjour !

— Je voulais inviter Élise à venir passer le week-end prochain avec nous à la campagne. »

Des images d'enfants maltraités se bousculent instantanément dans la tête de Violette.

« C'est très gentil, mais je ne sais pas, elle est encore très petite…

— Allez, dis oui, maman ! s'exclame Élise, qui semble parfaitement informée de la teneur du coup de fil.

— En fait, Élise m'a dit qu'elle vous en avait parlé et que vous étiez d'accord…

— Non, je n'étais pas du tout au courant.

— Oh, vous savez, c'est juste deux jours.

— Je comprends.

— La maison n'est qu'à quatre-vingts kilomètres, ce n'est vraiment pas loin !

— Écoutez, voilà ce qu'on va faire : j'en parle à mon mari ce soir et je vous rappelle. »

Violette raccroche et regarde Élise.

« Tu exagères !

— Non, je suis pas exagère !

— Si ! Tu as menti, et c'est très mal ! »

Élise comprend qu'il ne faut pas insister et va s'asseoir sur le canapé du salon.

Violette va chercher sa liste intitulée « Choses à faire avec Élise ». En dessous de : *L'emmener voir les vitrines de Noël,* elle rajoute : *Lui lire* Sans famille *d'Hector Malot.*

Puis elle revient vers sa fille.

« Quentin va arriver, je vais te mettre un film.

— Alors *Cendrillon*… Maman, il s'appelle comment, le Prince Charmant ?

— Il n'a pas de nom.

— C'est triste.

— Mais non !

— Je comprends pas : *Blanche Neige,* c'est Blanche Neige. Elle a son Prince Charmant qui ne s'appelle pas. Mais là, dans *Cendrillon,* il y a encore un Prince Charmant, c'est pas le même que dans *Blanche Neige,* eh ben ! il a toujours pas de nom !

— Il n'a pas besoin d'avoir un nom, il a une fonction.

— C'est quoi, une fonction ?

— Et si je te mettais *Dumbo* ? »

Arrive Quentin, méconnaissable avec les cheveux teints en noir.

« C'est fou ce que ça te change ! s'exclame Violette.

— Je me suis fait ça hier soir, histoire de me faire une nouvelle tête pour tourner la page. Tu aimes ?

— C'est pas mal… Mais je crois que je préfère ta couleur naturelle.

— Oh, je vais y revenir ! Pas trop d'extravagance, tu me connais…

— Alors, c'est quand, le grand départ ?

— Après-demain. J'étais tellement excité que ça m'a rendu anxieux et j'ai failli tout annuler.

— Mais pourquoi ?

— J'ai tellement rêvé de ce voyage, de ce que j'allais trouver là-bas… C'est terrifiant de toucher enfin au but. Enfin, j'ai appelé ma grand-mère qui m'a calmé.

— Tes bagages sont prêts ?

— Presque, j'ai juste quelques courses à faire, mais l'essentiel est fait. J'ai même été chercher un extrait de casier judiciaire.

— Pour quoi faire ?

— J'en aurai besoin si je m'installe là-bas. Je vais te le montrer, tu verras : il est vierge.

— Je m'en doute !

— Non, mais j'insiste, ça me fait plaisir… Qu'est-ce qu'il se passe, ce soir ? C'est toi qui as l'air contrarié.

— … Je m'inquiète pour Élise. Je trouve qu'elle grandit trop vite.

— Tu sais, c'est la nouvelle génération, je vois ça avec mes neveux, c'est terrible !

— Toi aussi, tu trouves ça angoissant ?

— Non, je trouve ça génial. Regarde-moi : j'ai eu tellement de mal à grandir que je suis encore dans l'enfance. Et quand je regarde le monde qui m'entoure, je me rends bien compte que je ne suis pas assez armé pour y avoir ma place.

— Élise… elle a déjà la sienne. »

Philippe et Natacha entrent dans l'hypermarché d'un pas décidé. Ils y ont leurs habitudes puisque c'est là qu'ils font leurs courses lorsqu'ils passent le week-end dans leur maison de campagne, située près de Laigle. Week-ends devenus plutôt rares depuis le lancement de l'activité de Natacha.

Victor et Jeanne leur emboîtent le pas, sans leurs enfants qui passent la fin de la semaine chez leurs grands-parents, mais avec Jean-Louis qui a accepté l'invitation de Victor et les accompagne.

C'est devenu une tradition : le réveillon du 31 à la campagne chez Philippe et Natacha, et les courses en commun qui précèdent les festivités.

Comme à l'accoutumée, Philippe a pour unique tâche le choix de quelques camemberts. Il les sort un à un de leur boîte, les tâte, les hume ; pendant ce temps, les autres ont le temps de remplir deux grands chariots.

Mais, cette fois, sa sélection est interrompue par l'arrivée intempestive d'un responsable qui se jette sur lui en criant à ses collègues :

« Ça y est, on le tient ! »

En fait, tous les employés sont à la recherche d'un détraqué qui vient régulièrement mordre dans un camembert avant de le remettre à sa place. Chaque jour, des clients qui ont acheté le camembert entamé viennent le rapporter et se plaindre, et maintenant, toute l'équipe « Produits laitiers » est obsédée par la traque du coupable…

Après un certain désordre, accru par une défense outrée, Philippe est relâché faute de preuves.

Les courses sont achevées, puis complétées par un arrêt au bureau de tabac : il y a une cagnotte Spécial Réveillon pour le Loto et Victor ne veut pas la manquer.

Quelques heures plus tard, la maison est pleine de vie et commence à se réchauffer. Victor s'active devant le feu de cheminée tandis que Philippe fait visiter les lieux à Jean-Louis.

« Il y a une télé dans chaque pièce ! s'étonne celui-ci.

— Elles étaient toutes à ma mère, explique Philippe. À chaque fois que sa télécommande cesse de fonctionner parce que les piles sont usées, elle commande une télé neuve… »

Natacha lève les yeux au ciel en regardant Jeanne d'un air entendu.

Le crissement des pneus sur les graviers annonce l'arrivée de Violette, de Gilles et d'Élise. Tout le monde vient les accueillir.

« Hémorroïde s'est incrustée, elle dépose ses enfants chez leur père et elle arrive avec son mari, se désole Natacha en embrassant Violette.

— Ne t'inquiète pas, on est là.

— Philippe dit que ça va déjà mal avec son dernier mari, j'ai peur qu'elle ne soit incontrôlable… »

Élise vient s'asseoir près de Jean-Louis et l'observe avec curiosité. Il lui sourit après lui avoir jeté un rapide coup d'œil signifiant qu'il n'a aucune envie d'être dérangé. Il est plongé dans le journal télévisé. Violette propose à Élise de venir aider les autres à la cuisine, mais Élise refuse. Sa mère la met en garde :

« N'embête pas Jean-Louis ! »

Quand, un quart d'heure plus tard, elle vient vérifier que tout se passe bien, ils sont en train de se chatouiller tout en poursuivant une grande conversation. Jean-Louis s'exclame :

« Mais non, je ne suis pas la Princesse, je suis le Prince ! La Princesse, c'est toi ! »

Élise rit et le contredit, puis elle ajoute :

« Tu es très jolie, j'adore tes boucles d'oreilles ! »

Ils sont les meilleurs amis du monde, et Violette n'a plus qu'à repartir sans les déranger.

C'est indéniable, les relations sont particulièrement tendues entre Hémorroïde et son mari, et l'ensemble des convives fait le maximum pour ignorer l'orage qui pointe tout au long du dîner.

Le dessert est servi, chacun porte un toast et Philippe se lève.

« Pour ceux qui sont là pour la première fois, on a l'habitude de faire un bilan de l'année, et d'exprimer nos vœux… Mon souhait, et celui de Natacha, tout le monde le connaît. Mais, qu'on y arrive ou pas, j'espère qu'on tiendra. Parce que dans les "moins", ça s'est plutôt mal passé entre nous cette année.

— C'est vrai, enchaîne Natacha, on est soumis à toutes sortes de pressions et…

— Ça y est, j'ai fait mon vœu ! coupe Hémorroïde.

— Ton émission de télé ? demande son mari.

— Non, me faire prendre en levrette par un jeune éphèbe avant la fin de l'année prochaine !

— … Tu te fous de ma gueule ?

— T'inquiète pas : quand on dit son vœu, ça ne marche pas. Cela dit, j'en ai d'autres en réserve. »

Les invités plongent le nez dans leur assiette, Jean-Louis glisse discrètement à Victor :

« Elle aussi, elle a pété un boulon. *She has broken a boulon.* »

Le mari d'Hémorroïde lève son verre.

« Je pense que si je vous dis quel est mon souhait en ce moment précis, l'un de vous va prévenir la police. Je vais donc m'abstenir et boire à une meilleure année, tout simplement. »

Gilles prend le relais.

« Ce n'est un secret pour personne, j'ai un unique vœu, il est professionnel et à long terme : dans quelques années, lorsque l'actuel directeur de recherche finira son mandat, j'aimerais le remplacer.

— Et toi, demande Natacha à Violette, tu ne voudrais pas avoir le poste ?

— Non. J'aimerais juste continuer à trouver les mêmes satisfactions dans mon travail : les trouvailles, les rencontres lors des congrès, l'enseignement constant… Et j'aimerais être une bonne mère… C'est plus difficile que prévu, en fait. Et puis aussi : être un peu plus moi. Je me comprends. »

Victor lui succède.

« Cette année, Jeanne a eu des passages difficiles… Donc, moi aussi. Mais ça ira, je crois… »

Il se tourne vers sa femme.

« Enfin, question sexe, ça a été nul. Alors, pour l'année prochaine, j'aimerais qu'on y remédie. Quitte à s'acheter des bouquins, n'est-ce pas, chérie ? »

Jeanne accuse le coup, puis se ressaisit.

« On est mariés depuis dix ans, rappelle-t-elle à l'intention des autres, alors, bien sûr, ce n'est pas toujours facile… »

Un long silence. Puis elle enchaîne, dans un souffle :

« J'ai eu ma première vraie tentation d'adultère, et j'ai cédé… Je ne sais pas ce qui va se passer. »

Elle laisse Victor se décomposer à son tour, et se

tourne vers son voisin. Les autres reportent avec empressement leurs regards vers Jean-Louis, le seul à ne pas avoir pris la parole.

« Euh… Je n'ai pas trop l'habitude des thérapies de groupe… J'ai souvent parlé de mes problèmes conjugaux ces derniers temps, mais quand même… Enfin, disons que j'aimerais bien rencontrer une jolie femme avec qui faire un bout de chemin. Une fille simple, pour une histoire simple. Juste une gentille fille. Et plutôt jeune…

— Tu sais, rétorque Gilles, on croit que c'est sympa d'épouser une fille jeune, mais ça implique quantité d'efforts, ne serait-ce que si le cordon n'est pas encore coupé avec papa et maman. Par exemple, je me souviens que Victor m'a raconté que ça avait été vraiment pénible à son âge, de se retrouver en voyage de noces chez ses beaux-parents ! Avec la mère de Jeanne rentrant dans la cuisine le matin, et lui disant en guise de bonjour : "Faites attention aux miettes par terre, ça attire les fourmis !" »

Jeanne est abasourdie, les regards convergent vers Victor, mais il ne réagit pas, il est bien trop occupé à digérer la nouvelle que sa femme vient de lui apprendre publiquement.

Le silence s'installe.

Hémorroïde joue avec son verre ; la plupart des convives s'étonnent tout bas de son mutisme inhabituel.

« À quoi penses-tu ? Toujours à tes futurs ébats ? finit par lui demander son mari.

— Non, à rien, je laissais mon esprit vagabonder.

— Tu prends des risques, il est bien trop petit pour être laissé tout seul. »

Puis il lui tourne le dos, et entreprend de fixer un bouchon de champagne métallique sur une bouteille entamée, afin que celle-ci conserve ses bulles. Il n'y parvient pas, elle lui prend la bouteille des mains et essaie à son tour, avant d'échouer comme lui.

« Le bouchon est cassé, il faut le jeter, conclut-il.

— Déconne pas, regarde la boîte : "Doré à l'or fin" ! Donne-le à ta mère, elle le donnera à son bijoutier pour qu'il lui fasse une dent avec. »

Philippe se lève d'un bond et se penche vers sa sœur.

« Hémo… Adélaïde, tu me fais chier ! J'en ai plein le cul de tes réflexions et de ton attitude de merde. Alors, maintenant, tu te tiens bien ou tu dégages ! »

Elle sursaute, cherche une réponse, mais quitte la pièce sans un mot, visiblement décontenancée par le sursaut peu coutumier de son frère.

« Merci, vieux… dit son mari à Philippe.

— Toi, ta gueule ! »

Il sursaute et sort dans le jardin.

Silence.

D'un seul mouvement, les autres se lèvent et commencent à débarrasser.

Chacun semble totalement absorbé par la constitution de piles d'assiettes et de plateaux chargés de verres. Victor et Jeanne réussissent à faire plusieurs allers-retours entre la cuisine et le salon sans se croiser.

Jean-Louis annonce qu'il va se coucher. Il remercie Natacha avec une courtoisie particulière, tout en jetant un petit coup d'œil inquiet à Victor, puis il disparaît dans sa chambre.

Les couples hésitent à aller se coucher, hébétés par l'excès de nourriture, d'alcool, et l'accablante perspective de poursuivre les discussions effleurées à table dans l'intimité de leur chambre.

À cet instant précis, tous souhaiteraient être ailleurs.

Élise s'est endormie sur le canapé, le lecteur DVD est bloqué depuis longtemps sur la page Menu et, machinalement, tout le monde vient s'asseoir devant la télévision.

« Ça branche quelqu'un de regarder un film ? demande Philippe.

— Pas en état de voir *Dumbo* ou *Bambi,* je pleure à chaque fois, répond Violette.

— Pareil ! dit Jeanne.

— … On a aussi emmené *Merlin l'Enchanteur,* dit Gilles.

— Banco ! » dit Victor.

Croyant à une plaisanterie, Philippe attend une autre suggestion, puis, voyant que les autres sont sérieux, il installe le DVD. Il jette un coup d'œil à Natacha et, la voyant sereine, il s'assied près d'elle et laisse la magie opérer.

Derrière eux, le sapin clignote inexorablement.

Il est à peine huit heures quand Natacha entre dans la cuisine. Elle est surprise d'y trouver Jeanne, assise devant un bol de café.

« Déjà levée ? s'étonne-t-elle.

— Je n'ai pas fermé l'œil de la nuit, répond Jeanne.

— Et Victor ?

— Pareil… On a essayé de parler, on n'a pas réussi, j'ai préféré descendre. Je pense qu'il a fini par s'endormir. »

Natacha hoche la tête et commence à dresser la table du petit déjeuner. Violette entre à son tour, dépose à chacune un baiser sur la joue et vient s'asseoir à côté de Jeanne.

« Tu m'en veux ? demande Jeanne à Natacha. Je n'aurais jamais dû annoncer la nouvelle à Victor ici, à table. C'est dégueulasse, et ça a plombé le dîner.

— Mais non, je ne t'en veux pas, répond Natacha avec légèreté. D'abord, tu as réussi à faire plus fort qu'Hémorroïde, et ça, c'est un exploit ! Ensuite… je n'ai rien à dire. Ce que tu vis est bien plus important que l'ambiance d'une fin de soirée.

— C'est vrai ? »

Jeanne pousse un soupir de soulagement. Elle se tourne vers Violette.

« Je voulais te dire, j'ai réfléchi : je ne crois pas que je vais aller au stage de feng-shui qu'organise ta sœur. Ce n'est pas bien, je le lui avais promis, mais je crois que si je pars en week-end, il vaudra mieux que je m'isole un peu. J'ai réalisé que je n'avais jamais été seule de toute ma vie, il serait grand temps, non ?… Tu crois que Maud m'en voudra ?

— Non, bien sûr, répond Violette, elle comprendra. Tu sais, moi aussi, j'aimerais bien annuler, j'ai besoin d'argent pour prendre des cours de piano…

— Alors fais-le, intervient Natacha. Moi, je vais le faire, son stage.

— Ah bon ? s'étonne Violette. Parce que tu n'avais pas l'air emballée quand on en a parlé. Et puis tu es tellement débordée…

— Justement, c'est peut-être ça le problème. Il faut que j'arrive à me poser, à sortir du tourbillon que je me suis infligé. Je ne sais pas si le feng-shui pourra m'aider, ça ou un autre truc au nom imprononçable ; en tout cas, il faut que j'essaie. Il faut que je trouve quelque chose pour m'aider parce que pour l'instant, je ne m'en sors pas. Et je n'ai plus la force d'être toujours un bon petit soldat.

— Tu as raison, renchérit Jeanne. Et puis, franchement, on s'est souvent moqué de Maud, de ses goûts et de ses petites manies, mais il m'arrive de me demander si elle ne s'en sort pas mieux que nous… »

Violette acquiesce.

Violette est debout dans sa salle de bains, en train de se coiffer. Gilles entre et s'assied sur le rebord de la baignoire.

Dans quelques heures a lieu le dîner qui clôture le congrès « Groupe d'hémostase et thrombose » qui se déroule depuis deux jours. Un dîner dansant et convivial, réunissant les trois cents personnes qui travaillent sur le sujet à l'échelon national.

Gilles soupire.

« J'ai continué à bosser sur les MAP kinases après ton départ, je n'ai rien obtenu avec la P 42.

— J'ai bien réfléchi, répond Violette. Je crois qu'il faudrait voir quel est le rôle de la P 38.

— La P 38 ? Mais bien sûr ! Je n'y avais pas du tout pensé. Tu as sûrement raison… Comme toujours. »

Violette continue de se coiffer d'un air songeur.

« C'est l'adhésion des plaquettes qui te tracasse ? lui demande Gilles.

— Non, je pensais à Quentin. Tu sais qu'il est à Miami.

— Et alors ? Ma mère s'occupera d'Élise comme convenu. Enfin, je comprends, pour le congrès, ça tombe mal.

— De quoi tu parles ?

— Du dîner, ce soir ; il t'aurait fait un brushing.

— Je m'en fous, de mes cheveux.

— Alors quoi ?

— Je pense à lui. À ses rêves. J'espère que ça se passe bien pour lui. Il me manque. J'aime bien bavarder avec lui.

— Ah bon ? Vous parlez de quoi ? demande Gilles, étonné.

— De tout et de rien. Peu importe. Tu ne peux pas savoir comme sa présence me fait du bien. Elle me réconforte. Je ne sais même pas pourquoi. »

Gilles lui prend la brosse des mains.

« Laisse-moi essayer, je l'ai déjà vu faire, ça n'a pas l'air sorcier.

— Mais pourquoi ?

— Comme ça, pour que tu te détendes. Assieds-toi. »

Violette s'abandonne aux mains de son mari et pense encore à Quentin. Pourvu qu'il n'aille pas vivre à Miami. L'idée qu'il soit loin la rend infiniment triste. Peut-être parce qu'il est le seul adulte innocent qu'elle connaisse.

« Comment tu trouves ? »

Elle se regarde dans le miroir et constate l'étendue du désastre. Ses cheveux sont à la fois écrasés et électriques, sa frange se dresse au-dessus de sa tête tandis que le reste est désespérément plat.

« C'est une catastrophe.

— Bon, écoute, ça ira, ce n'est pas comme si les gens venaient pour admirer ton brushing… »

Elle se retourne, révoltée.

« Ma fille est chez les Thénardier et tu oses être désagréable ?

— Comment ça ? Si les parents sont du genre Thénardier, il ne fallait pas la laisser y aller !

— Non, ils sont gentils. Je suis stressée parce que je n'aime pas qu'elle fasse de la route avec quelqu'un d'autre que nous. Ils ont une Mercedes, en plus.

— Et alors ?

— Mon père disait que c'est une voiture de bouchers qui ont réussi. Ça m'a laissé un a priori.

— Qu'est-ce que tu racontes ? En plus, si ma mémoire est bonne, il en avait une quand je t'ai rencontrée…

— Oui, c'est vrai. Enfin, il n'est pas à une contradiction près. D'ailleurs, tu sais bien que sa devise est : "Seuls les imbéciles ne changent pas d'avis." Ça lui permet de proclamer n'importe quoi quand ça l'arrange… »

Elle s'interrompt pour aller répondre au téléphone dans le salon.

« Allô ?

— Maman ?

— Mon amour ! Justement, on parlait de toi avec papa, tu vas bien ?

— On a acheté des chewing-gums, mais là, j'ai enlevé celui que j'avais dans la bouche pour que tu t'en rendes pas compte…

— Ce n'est pas grave, ma chérie.

— Non, je sais, c'est pas grave, je vais le remettre dans ma bouche quand on aura raccroché.

— Comment ça se passe ?

— Très bien, on a été à la ferme chercher des œufs et du fromage, il y avait des lapins partout, j'aimerais bien en rapporter un à la maison…

— Il n'en est pas question, il serait très malheureux à Par…

— Alors, un chien !

— Je regrette, ce n'est pas possible, mon cœur.

— Je préfère que tu m'appelles "ma fleur". Pourquoi t'aimes pas les chiens ?

— J'aime beauc…
— Bon, à demain ! »
Violette reste un instant interloquée, puis elle repose lentement le combiné à sa place.
Décontenancée, elle reste immobile quelques secondes, puis tente de se rassurer intérieurement en balayant du regard les étagères remplies de cartons classés par ordre alphabétique.
Gilles l'observe en souriant tendrement. Sans un mot, il s'approche d'elle, la prend dans ses bras et la serre doucement contre lui. Elle ferme les yeux.

Victor, Gilles et Philippe finissent leur jogging dans le bois de Boulogne. Ils ralentissent le pas et reprennent leur souffle. Victor leur désigne un banc et ils se laissent tomber dessus.

« Alors, où en es-tu avec Jeanne ? demande Philippe.

— On essaie de recoller les morceaux ; j'aimerais que ça s'arrange. Elle est partie quelques jours, seule, soi-disant pour prendre du recul, réfléchir.

— Et l'autre type ? demande Gilles.

— Elle me dit que ce n'est pas lui le problème, c'est nous.

— Qu'est-ce qu'elle te reproche au juste ?

— Plein de choses : de la négliger, de ne pas être assez présent auprès des enfants… Ce n'est pourtant pas ma faute si je travaille beaucoup ! En plus, c'était déjà le cas quand on s'est rencontrés, elle savait que ça ne changerait pas… Elle a aussi une théorie absurde, selon laquelle j'ai peur de perdre une part de ma virilité en m'impliquant davantage ! Une élucubration qu'elle a dû trouver dans un magazine… Je trouve ça con… et très injuste.

— Tu le lui as dit ?

— Oui, mais elle me cite toujours des exemples de pères qui travaillent tout en tenant d'après elle un rôle essentiel dans l'éducation de leurs enfants ! Et elle me dévalorise en nous comparant. Le pire, c'est qu'en fait, je crois que ça l'arrange.

— Comment ça ? demande Philippe.

— Parce que du coup, elle empiète sur ma place. Parfois, j'ai même l'impression de ne pas être considéré comme un interlocuteur à part entière. C'est elle qui prend toutes les décisions concernant les enfants, sans même me consulter. Mon autorité est bafouée, ça me rend dingue !

— Fais quelques efforts, et ça s'arrangera.

— Je ne sais pas. De toute manière, quoi que je fasse, ce n'est jamais assez bien pour elle.

— Si elle réfléchit, elle va réaliser tout ce qu'elle perd si elle te quitte, et elle reviendra, c'est certain ! dit Gilles.

— Tu peux te permettre d'être optimiste. Toi et Violette, vous êtes un couple fusionnel ! Vous travaillez ensemble, vous vivez ensemble, il n'y a jamais de vagues !

— Parce qu'on fait plein d'efforts ! Et puis, jamais de vagues, c'est facile à dire… Quand on se dispute le matin et qu'on se retrouve une demi-heure plus tard au labo, à faire comme si de rien n'était, c'est l'enfer ! C'est vrai que ça arrive rarement, mais il y a d'autres soucis, plus enfouis. Parfois, je sens que Violette est complètement ailleurs, que je n'ai aucune prise sur elle, et ça m'angoisse… Je ne sais pas ce qui se passe dans sa tête, et je ne le lui demande pas. Je l'ai fait une fois, et elle m'a répondu que je ne comprendrais pas, avec une telle certitude que j'ai laissé tomber.

— Je vois très bien la scène ! s'exclame Philippe. Le regard qui dit : "Tu ne comprends jamais rien, je ne vais pas me fatiguer à essayer de t'expliquer des choses qui te dépassent complètement…"

— Toi aussi, tu y as droit ? demande Victor en riant. Ça me rassure…

— Mais bien sûr ! Tu ne peux pas savoir combien cette histoire d'enfant nous a éloignés. Je vois Natacha subir les traitements, je vois combien ça l'atteint, et j'aimerais bien pouvoir l'aider mais je ne sais pas comment.

— Elle ne se rend pas compte ! s'exclame Victor. Déjà, un homme a besoin de tenir son bébé dans ses bras pour se sentir père. Comment pourrait-il comprendre le ressenti du corps d'une femme, les hormones qui montent et dégringolent ?…

— Elle me répète souvent que c'est elle qui souffre dans son corps et dans sa chair ; je le sais bien ! Mais moi, je n'y suis pour rien… Alors j'essaie de lui changer les idées ; parfois, je me creuse la tête pour lui parler d'autre chose et tenter de la distraire, mais je crois qu'elle prend ça pour de l'indifférence. Et elle oublie que moi aussi, je suis malheureux. Alors elle m'agresse, et ça finit en disputes.

— Tu crois que vous arriverez à surmonter tout ça ? lui demande Gilles.

— Je l'espère. Parce que moi, ce n'est pas vivre sans enfants qui me fait peur, c'est vivre sans elle.

— Tu devrais le lui dire, suggère Victor. Inutile d'attendre qu'elle aille voir ailleurs comme Jeanne pour lui dire combien tu tiens à elle.

— Et toi, alors, qu'est-ce que tu attends pour parler à Jeanne ?

— Pour l'instant, je la laisse souffler, comme elle me l'a demandé… Ensuite, si elle est réceptive, je lui dirai plein de choses. Notamment que depuis qu'elle est partie, je n'ai pas l'impression de valoir grand-chose. J'ai plein de beaux discours prêts dans ma tête. Mais je sais déjà que si elle m'accueille avec son visage fermé, je serai incapable d'y arriver. Et je ne me battrai pas.

— Tu la laisserais partir ?

— Oui… Pourtant, je l'aime. J'ai toujours cru bien faire et j'étais sûr qu'elle était heureuse. Mais j'en ai marre de ses reproches et, par-dessus tout, je suis las de sentir que quoi que je fasse, je ne serai jamais à la hauteur.

— Jamais à la hauteur… Je connais ça », murmure Gilles pensivement.

Victor se relève d'un bond.

« Mais laisse-moi te dire une bonne chose : Jeanne ne trouvera pas mieux que moi ! Elle peut me quitter, mais elle retombera sur un homme à qui elle reprochera les mêmes choses qu'à moi. La seule différence, c'est qu'il ne sera pas le père de ses enfants, donc elle ne pourra même pas lui reprocher de les négliger…

— Et toi, tu trouveras mieux ?

— Non, c'est mon second mariage, je sais que je suis condamné à vivre les mêmes choses avec toutes les femmes. C'est pour ça que je n'ai jamais songé à quitter Jeanne ; elle est assez naïve et optimiste pour penser que ce sera mieux avec le prochain, mais moi, je sais bien que rien ne changera jamais. »

Élise, ma fleur,

Je suis désolée d'avoir dit non pour le chien, mais je ne changerai pas d'avis.

J'aime beaucoup les chiens, je t'assure. Mais j'ai assez de responsabilités comme ça. Et puis mon père en avait un qu'il adorait, à tel point que Maud et moi trouvions qu'il le traitait mieux que nous. Depuis, j'aime toujours les chiens, mais de loin.

J'ai commencé à t'écrire ces lettres en pensant répondre aux questions que tu te poserais, mais, en me relisant, je comprends que je cherchais surtout des réponses à mes propres questions.

D'ailleurs, je passe plus de temps à m'excuser qu'à expliquer. Je ne sais pas si tu as besoin de toutes ces confidences, ces mises en garde, car tu ne me ressembles pas. Et parce que ces fantômes qui m'encombrent sont mon histoire, pas la tienne.

En vérité tu es toi, tout simplement, et c'est le plus beau cadeau que tu pouvais me faire.

Je me suis longtemps renfermée sur moi-même pour me convaincre que j'étais vraiment seule. Aujourd'hui, je n'ai plus besoin de ça. D'abord parce que tu es là, ensuite parce que j'ai beau me dire que c'est difficile d'être à la hauteur, il suffit que tu me serres très fort contre toi pour comprendre que je ne m'en sors pas trop mal.

Plus je vieillis, plus il me semble que la seule chose qui différencie vraiment les gens, c'est le fait d'avoir reçu assez d'amour durant leur enfance. Or, j'en ai eu des tonnes, assez pour être forte pour le reste de ma vie.

Et puis je crois que j'ai trouvé un moyen de dialoguer sereinement avec mon silence.

J'ai repris les cours de piano. Je n'avais jamais réalisé combien la musique me manquait.

Parfois, j'ai l'impression qu'il y a comme un désert en moi, et je crois qu'il faut que je le conjugue à la musique, sinon je vais m'ensabler et étouffer. Je sens que ça me permettra de retrouver mon monde, de m'y fondre, et d'oublier ce qu'on appelle la réalité.

Ce n'est pas une envie, c'est une nécessité.

Je croyais avoir tout oublié, mais mes doigts se souviennent.

Comme toi, j'ai pris des leçons quand j'étais petite, sans enthousiasme, sans avoir choisi.

Comme moi, tu traînes la patte pour faire tes gammes. Mais j'insisterai le temps qu'il faudra, le temps que tu en saches suffisamment pour t'y remettre si un jour tu le souhaites.

Le temps de trouver en toi ce que la vie ne te donnera pas. Ou ce qu'elle te reprendra.

Le temps de te retrouver.

Natacha est calée au fond du fauteuil bleu. Il lui est désormais assez familier pour qu'elle ne s'y sente plus perdue et y trouve instantanément une position confortable.

« Je vous souhaite une bonne année.

Moi, je vais un peu mieux que la dernière fois, on est partis dans notre maison de campagne pour le Nouvel An, il y avait toutes mes amies et ça m'a fait du bien de passer quelques jours avec elles.

Il y avait Hémorroïde aussi, tellement occupée à être vache avec son mari qu'elle m'a fichu la paix. Et, pour la première fois, Philippe lui est rentré dedans ! Vous ne pouvez pas vous imaginer le bien que ça m'a fait.

En fait, le réveillon a été un peu… explosif pour tout le monde. Mais, pour moi, ça s'est plutôt bien passé : on a tous fait le bilan de notre année, et Philippe a dit qu'on avait eu une année difficile, en faisant allusion à notre couple. Ça va vous paraître idiot, mais je n'imaginais pas qu'il était si conscient de nos problèmes, je pensais qu'il refoulait tout, ou qu'il mettait toutes nos tensions sur le compte de notre combat pour avoir un enfant. J'ai été très soulagée de voir que lui aussi était lucide, et qu'il souhaitait vraiment qu'on se retrouve.

J'en ai profité pour lui parler de la psy que vous m'avez recommandée, et il a accepté de prendre un rendez-vous. Elle l'a reçu hier, et vous ne devinerez jamais ce qu'elle a fait : elle l'a hypnotisé ! Quand elle le lui a proposé, il a répondu : "Allez-y, de toute façon ça ne marchera pas sur moi."

Résultat : il ne se souvient plus de rien, et elle lui a dit qu'elle n'avait jamais vu quelqu'un d'aussi réceptif de sa vie !

On verra bien.

J'en suis à la septième FIV, et j'ai appris à me faire les piqûres moi-même.

Cette fois-ci, le médecin a décidé de faire une culture prolongée : il a gardé les œufs en observation pendant cinq jours avant de les réimplanter.

Pendant toute cette période, Philippe a été plus doux que d'habitude, il n'a pas réagi quand je me suis énervée, il m'a juste demandé : "Mais pourquoi tu m'engueules sans arrêt ?" J'ai répondu : "Tu le sais très bien !" et l'incident a été clos.

Quand je suis allée faire l'écho, le docteur Dumas m'a dit : "On n'avance pas, vos ovaires doivent être fatigués parce que vos ovocytes sont tout petits."

Il m'a dit ça sans méchanceté, un peu comme s'il parlait tout seul, mais ça m'a complètement déprimée.

Je suis sortie et je suis allée m'acheter le DVD de *Peau d'Âne*, ça, au moins, c'est poétique… Je suis rentrée chez moi, je l'ai regardé au lit et j'y suis restée jusqu'à trois heures de l'après-midi.

Le jour de la réimplantation a été terrible, Dumas m'a dit : "C'est *Mortelle Randonnée*, il n'y en a plus qu'un sur huit !" Un cauchemar. Il faudra que j'arrive à le lui dire, je sais qu'il n'a pas le temps de faire de la psychologie, mais là, c'est trop.

Quand je suis sortie, il pleuvait, il y avait tellement de vent que j'avais du mal à marcher, j'ai cru que j'allais crever. Et puis, en chemin, j'ai croisé un homme à vélo qui prenait la pluie en chantonnant un truc stupide comme quoi la vie est belle ; et sur le moment ça m'a fait du bien.

On a décidé de ne plus rien dire à personne, c'est Philippe qui l'a voulu. Il m'a dit qu'il ne supportait plus la situation. J'ai l'impression qu'il passe par la même crise que moi, avec quelques mois de décalage, c'est peut-être l'effet de son début de thérapie… Il faisait les cent pas en répétant : "Marre d'être différents. Marre de sentir qu'on nous plaint. Marre d'être les pauvres Natacha et Philippe."

Je suis soulagée de le voir craquer, je crois qu'il en avait besoin.

Après chaque FIV, c'est la même chose, mes amies me demandent : "Quand est-ce que tu appelles le médecin pour savoir ?" C'est vrai que les autres ne comprennent pas, elles ne réalisent pas que le médecin n'a rien à me dire, c'est moi qui devine que c'est fichu quand je sens venir mes règles.

Je leur ai déjà dit, mais elles ne m'écoutent pas.

Il y a cette douleur sourde qui s'installe dans mon ventre et m'annonce que ça n'a pas marché. Il faut tenir toute la journée pour rentrer et pouvoir enfin pleurer sous la douche. C'est le pire moment…

Oui, je pleure toujours sous la douche, avant, je prenais des bains, mais j'ai arrêté.

Vous n'imaginez pas comme on peut être malheureuse dans un bain. Et ceux-là sont interminables. J'y suis restée assez longtemps pour souhaiter ne plus jamais en sortir.

Alors des douches. En tout cas, la salle de bains est le seul endroit où l'on me laisse tranquille, où je peux enfin me poser.

J'attends, je me retiens, je laisse la vapeur s'accumuler et me protéger de l'extérieur.

Et je pleure à gros sanglots. Je sens que mon corps se vide, je regarde l'eau s'écouler ; elle emporte tout : mon sang et mon espoir d'être mère. C'est tout mon intérieur qui pleure, je pleure avec mon ventre autant qu'avec ma tête. En me demandant pourquoi il n'y a pas en moi de place pour un enfant.

Parfois je reste prostrée pendant des heures, à me dire que si je n'arrive pas à donner la vie, c'est comme si j'étais déjà morte.

Pourtant, aujourd'hui, je sais vraiment pourquoi je veux être mère : j'ai envie de construire, de donner, de transmettre.

Je gère mieux les questions des gens : quand on me demande pourquoi je n'ai pas d'enfants, je ne m'énerve plus. Je dis juste : "La nature n'est pas généreuse de la même manière avec tout le monde." En général, ils n'insistent pas. Certains me demandent si ça me manque de ne pas avoir d'enfants, je réponds : "Je ne sais pas, je n'en ai jamais eu."

Ma mère m'a appelée pour me souhaiter une bonne année, je l'ai envoyée promener.

J'étais en plein syndrome de rangement par le vide, autant vous dire que j'étais très occupée.

J'ai mis une nouvelle recharge dans mon agenda. Un paquet de feuilles résume l'année qui vient de s'écouler. Sans rien qui compte. Sans rien qui reste.

Mais je m'accroche encore, je refuse de commencer à désespérer alors que je n'avais même pas fini d'espérer.

En fait, je ne sais toujours pas pourquoi je suis là. Vous avez des enfants, vous ?... Combien ?...

Si, ça a un rapport. C'est peut-être pour ça que je viens vous voir.

Pour accepter d'être femme sans être mère.

Pour essayer d'admettre que je suis une femme comme vous. »

Quel choc pour Victor !

Je ne sais pas ce qui m'a pris, il n'y avait pas pire façon de lui apprendre que je l'ai trompé…

Sauf que je l'ai fait exprès. Il avait besoin d'un électrochoc. Moi aussi, d'ailleurs.

Et maintenant, quoi ?

Maintenant, on est mal tous les deux. Au moins, passé le coup initial, les choses ont été dites sans violence. Sans vacheries inutiles. Il a compris que je ne cherchais pas à le faire souffrir, juste le faire réagir.

Après tout, ce dont j'ai toujours rêvé, c'était simplement une relation d'égal à égal. Les yeux dans les yeux.

Elle est folle, cette Hémorroïde.

C'est étrange, ces couples qui ne prennent plus de pincettes, qui se font des réflexions cinglantes devant les autres.

On commence à leur ressembler, et ça, je le refuse.

Je lui parle de plus en plus mal, et il me laisse faire. Comment veut-il que je continue à le respecter ?

Comment s'appelait ce garçon que je croisais à l'époque où j'ai rencontré Victor ? Il me plaisait terriblement, je sentais que c'était réciproque, mais aucun de nous n'a jamais osé faire le premier pas.

Il y a Jeff aujourd'hui qui a osé le faire, et maintenant je ne sais plus.

Je fléchis devant ce qui est peut-être ma dernière chance d'être heureuse. Peut-être parce que je ne peux plus continuer à vivre en attendant d'être choisie.

J'aimerais pouvoir me dire que je ne suis pas venue au monde uniquement pour répéter les mêmes erreurs.

Je me demande ce que serait ma vie aujourd'hui si seulement j'avais osé poser les bonnes questions aux bonnes personnes. Si j'avais osé risquer la vérité.

J'étais trop occupée à me fabriquer des limites.

Parfois, j'ai l'impression que la peur est le seul sentiment qui me soit familier. Le seul qui m'accompagne avec une telle fidélité.

Ne plus penser au passé. Pour une fois, tenter d'aller de l'avant.

Lennon nous avait bien prévenus : « La vie, c'est ce qui vous arrive pendant que vous êtes occupé à faire d'autres projets. »

Pourtant quelque chose pourrait s'ouvrir devant moi. Si je le décidais.

Pas le temps d'attendre, après ce sera trop tard.

Pas le temps d'attendre que la mort nous sépare, Monsieur le Maire.

Si j'avais seulement la force. Je n'ai jamais été capable de m'engager sur un chemin sans savoir où il m'entraînerait.

Il y a ce drôle de moment où l'on attend que le feu change pour traverser. On n'attendait que ça, impatiemment, mais, malgré tout, quand le bonhomme devient vert, il faut une bonne seconde avant que la jambe, qui pèse une tonne, ne se décide à décoller et avancer.

J'avance au rythme d'un escargot. Un escargot déprimé.

Je n'aurais jamais cru que je serais si déconcertée à l'idée de vivre ma vie.

Traverser. C'est tout ce que j'ai à faire.

Et me rendre à l'évidence.

Je dois arrêter de tricher et quitter Victor.

Même si je l'aime tendrement, même si c'est le père de mes enfants.

Même si je n'ai rien de concret à lui reprocher. Juste d'être incapable de me rendre heureuse.

Lui expliquer qu'il n'est pas mon ennemi. Simplement que je n'arrive plus à vivre à ses côtés.

Accepter d'avoir le mauvais rôle, être celle par qui le scandale arrive.

En supporter toutes les conséquences. Les autres diront ce qu'ils voudront.

Endosser la responsabilité d'avoir brisé ma famille face à mes enfants.

Assumer la culpabilité qui pointe déjà.

Être moins passionnée par ma petite personne.

Ne pas me mentir en pensant que Jeff remplacera Victor. Je ne sais même pas s'il voudra de moi lorsque je serai libre.

Pour une fois, ne pas agir en fonction des autres.

Partir pour moi.

Achevé d'imprimer en juin 2011
sur les presses de
Liberduplex
à Sant Llorenç d'Hortons
(Barcelone)

POCKET - 12, avenue d'Italie - 75627 Paris Cedex 13

N° d'impression : 23986
Dépôt légal : juillet 2011
S21732/01